#상위권_정복
#신유형_서술형_고난도

일등
전략

Chunjae
Makes
Chunjae

▼

[일등전략] 중학 수학 2-1

개발총괄	김덕유
편집개발	마영희, 원진희, 민경아
디자인총괄	김희정
표지디자인	윤순미
내지디자인	박희춘, 안정승
제작	황성진, 조규영
조판	어시스트 하모니

발행일	2021년 12월 15일 초판 2021년 12월 15일 1쇄
발행인	(주)천재교육
주소	서울시 금천구 가산로9길 54
신고번호	제2001-000018호
고객센터	1577-0902
교재 내용문의	02)3282-8851

시험에 잘 나오는

대표 유형 ZIP

중학 수학 2-1

BOOK 1

중간고사대비

특목고 대비

일등
전략

천재교육

시험에 잘 나오는
대표 유형 ZIP

중학 수학
2-1
중 간 고 사 　 대 비

일등
전략

이 책의 차례

시험에 잘 나오는
대표 유형을
기출 문제로 확인해 봐.

순환소수의 표현

다음 중 순환소수의 표현이 옳은 것은?

① $0.023023023\cdots = 0.0\dot{2}\dot{3}$

② $0.535353\cdots = 0.5\dot{3}\dot{5}$

③ $2.424242\cdots = \dot{2}.\dot{4}$

④ $2.1444\cdots = 2.1\dot{4}\dot{4}$

⑤ $1.3020202\cdots = 1.3\dot{0}\dot{2}$

Tip

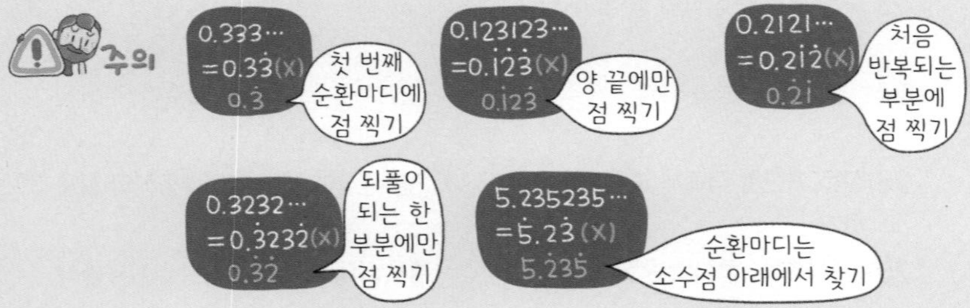

주의

$0.333\cdots$
$=0.3\dot{3}$ (×)
$0.\dot{3}$
첫 번째 순환마디에 점 찍기

$0.123123\cdots$
$=0.1\dot{2}\dot{3}$ (×)
$0.\dot{1}2\dot{3}$
양 끝에만 점 찍기

$0.2121\cdots$
$=0.21\dot{2}$ (×)
$0.\dot{2}\dot{1}$
처음 반복되는 부분에 점 찍기

$0.3232\cdots$
$=0.3\dot{2}3\dot{2}$ (×)
$0.\dot{3}\dot{2}$
되풀이 되는 한 부분에만 점 찍기

$5.235235\cdots$
$=5.2\dot{3}$ (×)
$5.\dot{2}3\dot{5}$
순환마디는 소수점 아래에서 찾기

풀이 답 | ⑤

① $0.023023023\cdots = 0.0\dot{2}\dot{3}$

② $0.535353\cdots = $ ❶

③ $2.424242\cdots = $ ❷

④ $2.1444\cdots = 2.1\dot{4}$

따라서 옳은 것은 ⑤이다.

답 ❶ $0.\dot{5}\dot{3}$ ❷ $2.\dot{4}\dot{2}$

순환소수의 소수점 아래 n번째 자리의 숫자 구하기

분수 $\dfrac{6}{37}$ 을 소수로 나타낼 때, 소수점 아래 50번째 자리의 숫자는?

① 1   ② 2   ③ 5

④ 6   ⑤ 7

Tip

순환소수의 소수점 아래 n번째 자리의 숫자를 구할 때

1 분수 $\dfrac{6}{37}$ 을 순환소수로 나타내어 순환마디를 구한다.

> $6 \div 37$ 을 하면 $\dfrac{6}{37}$ 을
> 순환소수로 나타낼 수 있어.

2 n을 순환마디의 숫자의 개수로 나눈 나머지를 이용하여 소수점 아래 n번째 자리의 숫자를 구한다.

풀이 답 | ④

$\dfrac{6}{37} = 0.\dot{1}6\dot{2}$ 이므로 순환마디의 숫자의 개수는 **❶** 이다.

이때 $50 = 3 \times 16 + $ **❷** 이므로 소수점 아래 50번째 자리의 숫자는 순환마디의 2번째 숫자인 **❸** 이다.

답 ❶ 3   ❷ 2   ❸ 6

10의 거듭제곱을 이용하여 분수를 유한소수로 나타내기

다음은 분수 $\dfrac{11}{20}$의 분모를 10의 거듭제곱의 꼴로 고쳐서 유한소수로 나타내는 과정이다. ①~⑤에 들어갈 수로 옳지 <u>않은</u> 것은?

$$\frac{11}{20} = \frac{11}{\boxed{①} \times 5} = \frac{11 \times \boxed{②}}{\boxed{①} \times 5 \times \boxed{②}}$$

$$= \frac{\boxed{③}}{\boxed{④}} = \boxed{⑤}$$

① 2^2 ② 5   ③ 55

④ 100   ⑤ 0.055

Tip

분수 $\dfrac{11}{20}$을 유한소수로 나타내려면 분모 20의 소인수 2와 5의 지수가 같아지도록 분모, 분자에 적당한 수를 곱한다.

풀이 답 | ⑤

$$\frac{11}{20} = \frac{\boxed{❶}}{\boxed{①2^2} \times 5} = \frac{11 \times \boxed{②5}}{\boxed{①2^2} \times 5 \times \boxed{②5}}$$

$$= \frac{\boxed{③55}}{\boxed{④100}} = \boxed{⑤0.55}$$

따라서 ①~⑤에 들어갈 수로 옳지 않은 것은 ❷ 이다.

답 ❶ 11 ❷ ⑤

다음 그림을 보고 유한소수로 나타낼 수 있는 숫자 카드를 들고 있는 학생을 모두 고르시오.

Tip

분수를 기약분수로 나타낸 후 분모를 소인수분해하였을 때

(1) 분모의 소인수가 2 또는 5뿐이면 ➡ 유한소수

(2) 분모의 소인수 중에 2 또는 5 이외의 소인수가 있으면 ➡ 순환소수

풀이 답ㅣ 우리, 시우

현우 : $\dfrac{10}{36} = \dfrac{5}{18} = \dfrac{5}{2 \times \boxed{\textbf{❶}}}$

우리 : $\dfrac{27}{150} = \dfrac{9}{50} = \dfrac{9}{2 \times 5^2}$

서연 : $\dfrac{3}{2 \times 3^2} = \dfrac{1}{2 \times 3}$

시우 : $\dfrac{27}{2^3 \times 3^2} = \dfrac{\boxed{\textbf{❷}}}{2^3}$

지성 : $\dfrac{15}{2^2 \times 5 \times 7} = \dfrac{3}{\boxed{\textbf{❸}} \times 7}$

따라서 유한소수로 나타낼 수 있는 숫자 카드를 들고 있는 학생은 우리, 시우이다.

답 ❶ 3^2 ❷ 3 ❸ 2^2

05 $\dfrac{x}{A}$가 유한소수가 되도록 하는 x의 값 구하기

분수 $\dfrac{x}{75}$를 소수로 나타내면 유한소수가 될 때, 다음 중 x의 값이 될 수 있는 가장 작은 두 자리의 자연수는?

① 10   ② 11   ③ 12

④ 13   ⑤ 14

Tip

$\dfrac{x}{A}$ 를 소수로 나타낼 때, 유한소수가 되려면

1 분모 A를 소인수분해한다.

2 x의 값이 될 수 있는 수는 분모의 소인수 중 2와 5를 제외한 소인수들의 곱의 배수이다.

풀이 답| ③

$\dfrac{x}{75} = \dfrac{x}{3 \times 5^2}$ 이므로 $\dfrac{x}{3 \times 5^2}$가 유한소수가 되려면 x는 ❶ 의 배수이어야 한다.

> x는 3의 배수이어야 분모에 있는 3을 없앨 수 있지.

따라서 x의 값이 될 수 있는 가장 작은 두 자리의 자연수는 ❷ 이다.

답 ❶ 3 ❷ 12

$\dfrac{A}{x}$가 유한소수가 되도록 하는 x의 값 구하기

분수 $\dfrac{14}{x}$를 소수로 나타내면 유한소수가 될 때, 다음 중 x의 값이 될 수 있는 것은?

① 18   ② 21   ③ 22

④ 24   ⑤ 35

Tip

$\dfrac{A}{x}$를 소수로 나타낼 때, 유한소수가 되려면 x의 값이 될 수 있는 수는 다음 중 하나를 만족한다.

(ⅰ) 소인수가 2 또는 5로만 이루어진 수

(ⅱ) 분자 A의 약수

(ⅲ) (ⅰ)과 (ⅱ)의 곱으로 이루어진 수

> 보기의 값을 x에 대입한 후
> 분수를 기약분수로 나타내어
> 유한소수인지 아닌지 판단해 봐.

풀이 답 | ⑤

① $x=18$일 때, $\dfrac{14}{18}=\dfrac{7}{9}=\dfrac{7}{3^2}$ ② $x=21$일 때, $\dfrac{14}{21}=\dfrac{2}{\boxed{❶}}$

③ $x=22$일 때, $\dfrac{14}{22}=\dfrac{7}{11}$ ④ $x=24$일 때, $\dfrac{14}{24}=\dfrac{7}{12}=\dfrac{\boxed{❷}}{2^2\times3}$

⑤ $x=35$일 때, $\dfrac{14}{35}=\dfrac{2}{\boxed{❸}}$

따라서 x의 값이 될 수 있는 것은 ⑤이다.

답 ❶ 3 ❷ 7 ❸ 5

순환소수가 되도록 하는 x의 값 구하기

$\dfrac{57}{3^2 \times 5 \times 11} \times x$가 순환소수로만 나타내어질 때, 다음 중 x의 값이 될 수 없는 것은?

① 6   ② 12   ③ 24

④ 33   ⑤ 54

Tip

1   $\dfrac{57}{3^2 \times 5 \times 11} \times x$를 기약분수로 나타낸다.

2   1에서 분모의 소인수 중 2 또는 5 이외의 소인수가 있으면 순환소수로만 나타내어진다.

> 보기의 값을 x에 대입한 후 기약분수로 나타내어 순환소수인지 아닌지 판단해도 돼.

풀이   답 | ④

$$\dfrac{57}{3^2 \times 5 \times 11} = \dfrac{19}{\boxed{\textbf{1}} \times 5 \times 11}$$ 이므로 $\dfrac{19}{3 \times 5 \times 11} \times x$가 순환소수가 되려면

x는 $\boxed{\textbf{2}}$ 의 배수가 아니어야 한다.

따라서 x의 값이 될 수 없는 것은 ④이다.

답 ❶ 3   ❷ 33

08 $\dfrac{x}{A}$ 가 유한소수가 될 때, $\dfrac{x}{A}$ 를 기약분수로 나타내기

분수 $\dfrac{x}{60}$ 를 소수로 나타내면 유한소수이고, 기약분수로 나타내면 $\dfrac{7}{y}$ 이 된다. x 가 $20 < x < 30$ 인 자연수일 때, x, y 의 값을 각각 구하시오.

Tip

$\dfrac{x}{60}$ 를 소수로 나타내면 유한소수이고, 기약분수로 나타내면 $\dfrac{7}{y}$ 이 되려면

(1) x 는 분모의 소인수 중 2와 5를 제외한 소인수들의 곱의 배수이어야 한다.

➡ $\dfrac{x}{60} = \dfrac{x}{2^2 \times 3 \times 5}$ 이므로 $\underline{x는\ 3의\ 배수}$ 이다.

(2) $\dfrac{x}{60} = \dfrac{7}{y}$ 이므로 $\underline{x는\ 7의\ 배수}$ 이어야 한다.

> x 는 3의 배수이면서 7의 배수이니까 21의 배수야.

풀이 답| $x = 21$, $y = 20$

$\dfrac{x}{60} = \dfrac{x}{2^2 \times 3 \times 5}$ 가 유한소수가 되려면 x 는 3의 배수이어야 한다.

또 $\dfrac{x}{60}$ 를 기약분수로 나타내면 $\dfrac{7}{y}$ 이므로 x 는 7의 배수이다.

즉 x 는 3과 7의 공배수인 ❶ ☐ 의 배수이고 $20 < x < 30$ 이므로

$x =$ ❷ ☐

따라서 $\dfrac{21}{60} = \dfrac{7}{20}$ 이므로 $y =$ ❸ ☐

답 ❶ 21 ❷ 21 ❸ 20

09 **순환소수를 분수로 나타내기** (1)

다음은 순환소수 $0.1\dot{2}\dot{7}$을 분수로 나타내는 과정이다. ①~⑤에 들어갈 수로 옳은 것은?

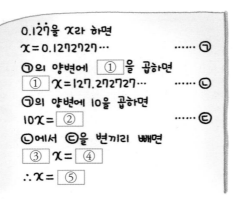

$0.1\dot{2}\dot{7}$을 x라 하면
$x = 0.1272727\cdots$ ...... ㉠
㉠의 양변에 ① 을 곱하면
① $x = 127.272727\cdots$ ...... ㉡
㉠의 양변에 10을 곱하면
$10x =$ ② ...... ㉢
㉡에서 ㉢을 변끼리 빼면
③ $x =$ ④
$\therefore x =$ ⑤

① 100

② $12.7272\cdots$

③ 990

④ 127

⑤ $\dfrac{8}{55}$

Tip

$x = 0.1\dot{2}\dot{7}$일 때, $0.1\dot{2}\dot{7}$을 분수로 나타낼 때에는 $1000x - 10x$를 이용한다.

풀이 답ㅣ③

$0.1\dot{2}\dot{7}$을 x라 하면 $x = 0.1272727\cdots$ ...... ㉠

㉠의 양변에 ①1000 을 곱하면 ①1000 $x = 127.272727\cdots$ ...... ㉡

㉠의 양변에 ❶ 을 곱하면 $10x =$ ②$1.272727\cdots$ ...... ㉢

㉡에서 ㉢을 변끼리 빼면

③990 $x =$ ④126

$\therefore x = \dfrac{126}{\text{❷}} =$ ⑤$\dfrac{7}{55}$

답 ❶ 10 ❷ 990

순환소수를 분수로 나타내기 (2)

기약분수 $\dfrac{a}{45}$ 를 소수로 나타내면 $0.5111\cdots$일 때, 자연수 a의 값은?

① 20   ② 21   ③ 22

④ 23   ⑤ 24

Tip

1 $0.5111\cdots$을 $0.5\dot{1}$로 나타낸다.

2 순환소수 $0.5\dot{1}$을 기약분수로 고친다.

3 2의 기약분수와 $\dfrac{a}{45}$ 를 비교하여 a의 값을 구한다.

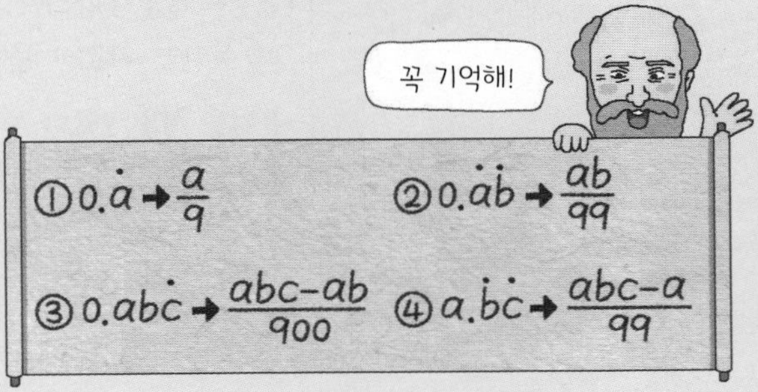

꼭 기억해!

① $0.\dot{a} \rightarrow \dfrac{a}{9}$ ② $0.\dot{a}\dot{b} \rightarrow \dfrac{ab}{99}$

③ $0.a\dot{b}\dot{c} \rightarrow \dfrac{abc-ab}{900}$ ④ $a.\dot{b}\dot{c} \rightarrow \dfrac{abc-a}{99}$

풀이 답 | ④

$0.5111\cdots=$ ❶ [　　　] 이므로

$0.5\dot{1} = \dfrac{51-5}{90} = \dfrac{46}{90} = \dfrac{❷ [　　]}{45}$

$\therefore a = $ ❸ [　　]

답 ❶ $0.5\dot{1}$ ❷ 23 ❸ 23

11 순환소수로 잘못 나타낸 기약분수

어떤 기약분수를 소수로 나타내는데 은혁이는 분모를 잘못 보아 $0.4\dot{7}$로 나타내었고, 유리는 분자를 잘못 보아 $0.1\dot{4}$로 나타내었다. 처음 기약분수를 순환소수로 바르게 나타내면?

① $0.\dot{1}\dot{3}$ ② $0.1\dot{4}$ ③ $0.1\dot{5}$

④ $0.5\dot{2}$ ⑤ $0.5\dot{2}$

Tip

아하! 그럼 은혁이는 분자를 바르게 봤고 유리는 분모를 바르게 봤네.

핵심 point!
• 분모를 잘못 보았다.
  ⇒ 분자는 바르게 보았다.
• 분자를 잘못 보았다.
  ⇒ 분모는 바르게 보았다.

풀이 답 | ④

$0.4\dot{7} = \dfrac{47}{99}$이고 은혁이는 분자는 바르게 보았으므로 처음 기약분수의 분자는 ❶ 이다.

$0.1\dot{4} = \dfrac{14-1}{90} = \dfrac{13}{90}$이고 유리는 ❷ 는 바르게 보았으므로 처음 기약분수의 분모는 90이다.

따라서 처음 기약분수는 $\dfrac{47}{90}$이고 순환소수로 나타내면 ❸ 이다.

답 ❶ 47 ❷ 분모 ❸ $0.5\dot{2}$

12 순환소수의 다른 표현

$\dfrac{1}{3}\left(\dfrac{1}{10}+\dfrac{1}{100}+\dfrac{1}{1000}+\cdots\right)$을 계산하여 기약분수로 나타내면 $\dfrac{1}{a}$일 때, 자연수 a의 값을 구하시오.

Tip

1 $\dfrac{1}{10}+\dfrac{1}{100}+\dfrac{1}{1000}+\cdots$을 순환소수 $0.\dot{1}$로 나타낸다.

2 순환소수 $0.\dot{1}$을 기약분수로 고친다.

3 2의 기약분수와 $\dfrac{1}{a}$을 비교하여 a의 값을 구한다.

풀이 답 | 27

$$\dfrac{1}{3}\left(\dfrac{1}{10}+\dfrac{1}{100}+\dfrac{1}{1000}+\cdots\right)=\dfrac{1}{3}\times\boxed{\text{❶}}=\dfrac{1}{3}\times\dfrac{1}{9}=\boxed{\text{❷}}$$

$$\therefore a=\boxed{\text{❸}}$$

답 ❶ $0.\dot{1}$ ❷ $\dfrac{1}{27}$ ❸ 27

순환소수를 포함한 방정식

$0.7\dot{8}=x-0.\dot{2}$을 만족시키는 x의 값을 순환소수로 나타내면?

① $1.\dot{1}$
② $1.0\dot{1}$
③ $1.\dot{0}\dot{1}$

④ $1.00\dot{1}$
⑤ $1.\dot{0}0\dot{1}$

Tip

두 순환소수 $0.7\dot{8}$, $0.\dot{2}$를 기약분수로 바꾼 후, x의 값을 구해 봐.

x의 값을 순환소수로 나타내면 되네.

풀이 답 | ③

$0.7\dot{8}=\dfrac{78}{99}=\dfrac{26}{33}$, $0.\dot{2}=$ ❶ ⬜ 이므로

$\dfrac{26}{33}=x-\dfrac{2}{9}$

$\therefore x=\dfrac{26}{33}+\dfrac{2}{9}=\dfrac{100}{99}$

따라서 ❷ ⬜ 을 순환소수로 나타내면 ❸ ⬜ 이다.

답 ❶ $\dfrac{2}{9}$ ❷ $\dfrac{100}{99}$ ❸ $1.\dot{0}\dot{1}$

14 유리수와 소수의 관계

다음은 네 학생이 유리수에 대하여 설명한 것이다. 바르게 설명한 학생을 모두 말하시오.

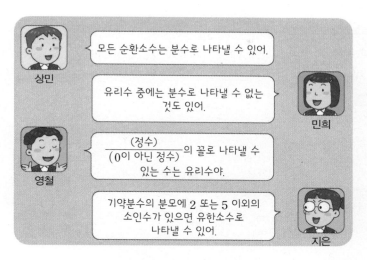

풀이 답 | 상민, 영철

민희 : ❶ [ ]는 모두 분수로 나타낼 수 있다.

지은 : 기약분수의 분모에 2 또는 5 이외의 소인수가 있으면 ❷ [ ]소수로 나타낼 수 없다.

답 ❶ 유리수 ❷ 유한

지수법칙

다음 중 옳지 <u>않은</u> 것을 모두 고르면? (정답 2개)

① $a^8 \times a^5 = a^{13}$

② $a^3 \div a^7 \times a^2 = \dfrac{1}{a^6}$

③ $(3ab^2)^3 = 27a^3b^6$

④ $(a^5)^2 \times (a^2)^5 = a^{20}$

⑤ $a^5 \div a^3 \div a^2 = 0$

Tip

지수의 차

$a^m \div a^n = \begin{cases} a^{m-n} & (m>n) \\ 1 & (m=n) \\ \dfrac{1}{a^{n-m}} & (m<n) \end{cases}$

$\times \quad a^m \div a^n = 0$

$\bigcirc \quad a^m \div a^n = 1$

실수하지 않도록 해.

풀이 답| ②, ⑤

② $a^3 \div a^7 \times a^2 = \dfrac{1}{\boxed{❶}} \times a^2 = \dfrac{1}{a^2}$

④ $(a^5)^2 \times (a^2)^5 = a^{10} \times a^{10} = \boxed{❷}$

⑤ $a^5 \div a^3 \div a^2 = a^2 \div a^2 = \boxed{❸}$

따라서 옳지 않은 것은 ②, ⑤이다.

답 ❶ a^4 ❷ a^{20} ❸ 1

16 지수법칙의 응용 – 소인수분해 이용

$2^{x-2} \times 4^2 = 256$일 때, 자연수 x의 값은?

① 4   ② 5   ③ 6

④ 7   ⑤ 8

Tip

1 밑이 2로 같아지도록 식을 변형한 후 지수법칙을 이용하여 정리한다.

2 $a^m = a^n$이면 $m = n$임을 이용한다.

풀이 답 | ③

$2^{x-2} \times 4^2 = 256$에서

$2^{x-2} \times (2^2)^2 = $ ❶

$2^{x-2} \times $ ❷ $= 2^8$

$2^{x-2+4} = 2^8$

$2^{x+2} = 2^8$

$x + 2 = $ ❸ 이므로

$x = 6$

$4 = 2^2$, $256 = 2^8$
임을 이용해.

답 ❶ 2^8 ❷ 2^4 ❸ 8

17 지수법칙의 응용 – 같은 수의 덧셈식

$2^3+2^3+2^3+2^3$을 2의 거듭제곱으로 나타내면?

① 2^5 ② 2^6 ③ 2^9

④ 2^{12} ⑤ 2^{81}

Tip

같은 수의 덧셈식은 곱셈식으로 나타낸 후 지수법칙을 이용한다.

$$a^n+a^n+\cdots+a^n=a^n\times b$$
$$\underbrace{}_{b개}$$

풀이 답 | ①

$$2^3+2^3+2^3+2^3=2^3\times\boxed{❶}$$
$$=2^3\times 2^2$$
$$=\boxed{❷}$$

답 ❶ 4 ❷ 2^5

지수법칙을 이용하면 간단하네요!!

$$2^3+2^3+2^3+2^3$$
$$=2^{3+3+3+3}$$

땡!

지수법칙은 곱셈식이고 이 문제는 덧셈식!

$$2^3+2^3+2^3+2^3$$
$$=2^3\times 4$$

18 지수법칙의 응용 – 문자를 사용하여 거듭제곱으로 나타내기

$A=5^x$일 때, 25^{x+1}을 A를 사용하여 나타내면?

① $5A$ ② $5A^2$ ③ $5A^3$

④ $25A$ ⑤ $25A^2$

Tip

1 25를 5의 거듭제곱으로 나타낸다.

2 $(a^m)^n=(a^n)^m$임을 이용하여 25^{x+1}을 A를 사용하여 나타낸다.

풀이 답 | ⑤

$$25^{x+1}=(5^2)^{x+1}$$
$$=5^{2x+2}$$
$$=5^{2x}\times\boxed{❶}$$
$$=(5^x)^2\times25$$
$$=\boxed{❷}A^2$$

$$25^{x+1}=25^x\times25$$
$$=(5^2)^x\times25$$
$$=(5^x)^2\times25$$
$$=25A^2$$
으로 풀어도 돼.

답 ❶ 5^2 **❷** 25

---

19   지수법칙의 응용 – 자릿수 구하기

$2^{10} \times 5^{12}$은 몇 자리의 자연수인가?

① 10자리   ② 11자리   ③ 12자리

④ 13자리   ⑤ 14자리

Tip

$2^n \times 5^n = (2 \times 5)^n = 10^n$임을 이용하여 주어진 수를 $a \times 10^n$의 꼴로 나타낸다.

(단, a, n은 자연수)

풀이 답 | ③

$$2^{10} \times 5^{12} = 2^{10} \times 5^{10} \times \boxed{①}$$
$$= 5^2 \times (2 \times 5)^{10}$$
$$= 25 \times 10^{10}$$

따라서 $2^{10} \times 5^{12}$은 $\boxed{②}$ 자리의 자연수이다.

2의 지수는 10, 5의 지수는 12이니까 지수의 크기가 작은 10에 맞추는 거야.

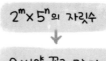

$2^m \times 5^n$의 자릿수

↓

$a \times 10^k$ 꼴로 고치기

↓

a가 l자리의 수이면 $a \times 10^k$는 $(l+k)$자리의 수

답 ① 5^2 ② 12

단항식의 곱셈과 나눗셈

다음 중 옳은 것은?

① $4x^4 \times (-3y^3) = 12x^4y^3$

② $-3a^2b \times (-5a^3b^2) = 15a^6b^3$

③ $-6x^4y^2 \div \dfrac{1}{3}xy^3 = -18x^3y$

④ $\dfrac{2}{3}a^3b^4 \div \dfrac{1}{9}a^3b^7 = \dfrac{3}{b^3}$

⑤ $\dfrac{x^3}{y^2} \div \left(-\dfrac{3x^2}{4y^5}\right) = -\dfrac{4xy^3}{3}$

나눗셈은
역수의 곱셈으로!

Tip

1 지수법칙을 이용하여 거듭제곱을 간단히 한다.

2 계수는 계수끼리, 문자는 문자끼리 계산한다.
  이때 나눗셈은 역수의 곱셈으로 바꾼다.

풀이 답| ⑤

① $4x^4 \times (-3y^3) = -12x^4y^3$

② $-3a^2b \times (-5a^3b^2) = 15a^5b^3$

③ $-6x^4y^2 \div \dfrac{1}{3}xy^3 = -6x^4y^2 \times \dfrac{\boxed{❶}}{xy^3} = -\dfrac{18x^3}{y}$

④ $\dfrac{2}{3}a^3b^4 \div \dfrac{1}{9}a^3b^7 = \dfrac{2}{3}a^3b^4 \times \dfrac{9}{a^3b^7} = \dfrac{\boxed{❷}}{b^3}$

⑤ $\dfrac{x^3}{y^2} \div \left(-\dfrac{3x^2}{4y^5}\right) = \dfrac{x^3}{y^2} \times \left(-\dfrac{4y^5}{3x^2}\right) = -\dfrac{4xy^3}{\boxed{❸}}$

따라서 옳은 것은 ⑤이다.

답 ❶ 3 ❷ 6 ❸ 3

21 단항식의 곱셈과 나눗셈의 혼합 계산

지헌이와 선미가 서로 반대편에서 징검다리를 밟으며 시냇물을 건너려고 한다. 지헌이와 선미가 순서대로 밟은 징검다리에 써있는 식을 계산한 결과를 각각 구하시오. (단, 순서를 건너 뛰지는 않는다.)

Tip

(1) 지헌이가 순서대로 밟은 징검다리에 써있는 식은 $12a^3b^2 \div 4a^2b^3 \times 2ab$이다.

(2) 선미가 순서대로 밟은 징검다리에 써있는 식은 $2ab \times 4a^2b^3 \div 12a^3b^2$이다.

풀이 답| 지헌 : $6a^2$, 선미 : $\dfrac{2}{3}b^2$

지헌 : $12a^3b^2 \div 4a^2b^3 \times 2ab = 12a^3b^2 \times \dfrac{1}{\boxed{❶}} \times 2ab = 6a^2$

선미 : $2ab \times 4a^2b^3 \div 12a^3b^2 = 2ab \times 4a^2b^3 \times \dfrac{1}{12a^3b^2} = \boxed{❷}$

답 ❶ $4a^2b^3$ ❷ $\dfrac{2}{3}b^2$

22 ⬜ 안에 알맞은 식 구하기

다음 ⬜ 안에 알맞은 식은?

$$x^4y^3 \times \boxed{} \div (-3x^2y^3) = x^2y$$

① $-3y^2$　　　　② $-3y$　　　　③ $-3x$

④ $-3xy^2$　　　　⑤ $-3x^2y$

Tip

(1) $A \times \boxed{} \div B = C \Rightarrow A \times \boxed{} \times \dfrac{1}{B} = C \Rightarrow \boxed{} = C \times \dfrac{1}{A} \times B$

(2) $A \div \boxed{} \times B = C \Rightarrow A \times \dfrac{1}{\boxed{}} \times B = C \Rightarrow \boxed{} = A \times B \times \dfrac{1}{C}$

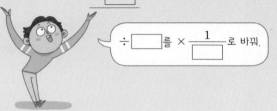

$\div \boxed{}$ 를 $\times \dfrac{1}{\boxed{}}$ 로 바꿔.

풀이 답 | ②

$x^4y^3 \times \boxed{} \div (-3x^2y^3) = x^2y$ 에서

$x^4y^3 \times \boxed{} \times \left(-\dfrac{1}{3x^2y^3} \right) = \boxed{❶}$

$\therefore \boxed{} = x^2y \times \dfrac{1}{\boxed{❷}} \times (-3x^2y^3) = \boxed{❸}$

답 ❶ x^2y　❷ x^4y^3　❸ $-3y$

23 도형에서 단항식의 곱셈과 나눗셈

오른쪽 그림과 같이 밑면인 원의 반지름의 길이가 $3a^2b$이고 높이가 h인 원뿔의 부피가 $18\pi a^5 b^7$일 때, 이 원뿔의 높이를 구하시오.

Tip

(1) (삼각형의 넓이)$=\dfrac{1}{2}\times$(밑변의 길이)$\times$(높이)

(2) (직사각형의 넓이)$=$(가로의 길이)$\times$(세로의 길이)

(3) (기둥의 부피)$=$(밑넓이)$\times$(높이)

(4) (뿔의 부피)$=\dfrac{1}{3}\times$(밑넓이)$\times$(높이)

자주 나오는 공식이야. 꼭 기억해.

풀이 답 | $6ab^5$

(원뿔의 부피)$=\dfrac{1}{3}\times\pi\times(3a^2b)^2\times h=18\pi a^5 b^7$에서

 $\times\pi\times 9a^4b^2\times h=18\pi a^5 b^7$

$3\pi a^4 b^2 h=18\pi a^5 b^7$

$\therefore h=\dfrac{18\pi a^5 b^7}{3\pi a^4 b^2}=$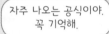

답 ❶ $\dfrac{1}{3}$ ❷ $6ab^5$

다항식의 덧셈과 뺄셈

$x-[y-\{3x+2-(2y-x+1)\}]$을 간단히 하면?

① $-x-3y-3$ ② $3x-3y-3$ ③ $3x-3y-1$

④ $3x+y+3$ ⑤ $5x-3y+1$

Tip

(1) (소괄호) ➡ {중괄호} ➡ [대괄호]의 순서로 괄호를 푼다.

(2) 괄호 앞에 ┌ ＋가 있으면 ➡ 괄호 안의 부호를 그대로
└ ─가 있으면 ➡ 괄호 안의 부호를 반대로

풀이 답| ⑤

$x-[y-\{3x+2-(2y-x+1)\}]$

$=x-\{y-(3x+2-2y+\boxed{❶}-1)\}$

$=x-\{y-(\boxed{❷}-2y+1)\}$

$=x-(y-4x+2y-1)$

$=x-(-4x+3y-1)$

$=x+4x-3y+\boxed{❸}$

$=5x-3y+1$

답 ❶ x ❷ $4x$ ❸ 1

잘못 계산한 식에서 바른 답 구하기

다음 대화를 읽고 물음에 답하시오.

(1) 어떤 식을 구하시오.

(2) 바르게 계산한 답을 구하시오.

Tip

어떤 식에 A를 더해야 할 것을 잘못하여 뺐더니 B가 되었다.

➡ (어떤 식)$-A=B$이므로 (어떤 식)$=B+A$

∴ (바르게 계산한 답)=(어떤 식)$+A$

풀이 답 | (1) $-2a^2+2a+7$ (2) a^2+a+12

(1) 어떤 식을 A라 하면

$A-(3a^2-a+5)=-5a^2+3a+2$

∴ $A=-5a^2+3a+2+(3a^2-a+5)=-2a^2+2a+$ **❶**

(2) 바르게 계산한 답은

$-2a^2+2a+7+(3a^2-a+5)=a^2+$ **❷** $+12$

답 ❶ 7 ❷ a

26 단항식과 다항식의 혼합 계산

$2x(x-1)+(2x^3-3x^2)\div \dfrac{x}{3}-(-7x^2+x-1)$을 간단히 하면?

① $x^2-10x-1$ 　　② $3x^2-12x+1$ 　　③ $3x^2+6x+1$

④ $15x^2-12x+1$ 　　⑤ $15x^2+6x+1$

Tip

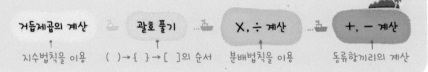

거듭제곱의 계산 　🚢　 괄호 풀기 　🚢　 ✕, ÷ 계산 　🚢　 ＋, － 계산

↑　　　　　　　　　　↑　　　　　　　　　　　↑　　　　　　　　　　　↑

지수법칙을 이용　　( )→{ }→[ ]의 순서　　분배법칙을 이용　　동류항끼리의 계산

풀이 답 | ④

$2x(x-1)+(2x^3-3x^2)\div \dfrac{x}{3}-(-7x^2+x-1)$

$=2x(x-1)+(2x^3-3x^2)\times \boxed{❶}-(-7x^2+x-1)$

$=2x^2-2x+6x^2-9x+\boxed{❷}-x+1$

$=\boxed{❸}x^2-12x+1$

답 ❶ $\dfrac{3}{x}$　❷ $7x^2$　❸ 15

27   도형에서 단항식과 다항식의 혼합 계산 (1)

오른쪽 그림과 같이 가로의 길이가 $2x$, 세로의 길이가 $3y$인 직사각형 ABCD에서 색칠한 부분의 넓이를 구하시오.

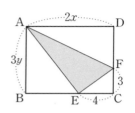

Tip

두 변 BE, DF의 길이를 각각 x, y의 식으로 나타내고 $\triangle$ECF의 넓이가 $\dfrac{1}{2} \times 4 \times 3 = 6$임을 이용하여 색칠한 부분의 넓이를 x, y의 식으로 나타낸다.

색칠한 부분의 넓이를 구하려면 직사각형 ABCD의 넓이에서 세 삼각형 ABE, AFD, ECF의 넓이를 빼면 돼.

풀이   답 | $3x + 6y - 6$

$\overline{BE} = 2x - 4$, $\overline{DF} = 3y - 3$이므로

(색칠한 부분의 넓이)

$=$(직사각형 ABCD의 넓이)$- \triangle ABE - \triangle AFD - \triangle ECF$

$= 2x \times \boxed{①} \quad - \dfrac{1}{2} \times (2x - 4) \times 3y - \dfrac{1}{2} \times \boxed{②} \quad \times (3y - 3) - \dfrac{1}{2} \times 4 \times 3$

$= 6xy - 3xy + \boxed{③} \quad - 3xy + 3x - 6$

$= 3x + 6y - 6$

답 ① $3y$ ② $2x$ ③ $6y$

도형에서 단항식과 다항식의 혼합 계산 (2)

다음 대화를 읽고 직육면체 모양의 수족관에 채워야 하는 물의 높이를 구하시오. (단, 수족관의 두께는 생각하지 않는다.)

Tip

(직육면체의 부피)=(가로의 길이)×(세로의 길이)×(높이)임을 이용한다.

풀이 답| $(3a+2b)$ m

$3a \times 4b^2 \times$ (물의 높이)$=36a^2b^2+24ab^3$에서

$\boxed{①} \times$ (물의 높이)$=36a^2b^2+24ab^3$

$\therefore$ (물의 높이)$=\dfrac{36a^2b^2+24ab^3}{12ab^2}=\boxed{②}$ (m)

답 ① $12ab^2$ ② $3a+2b$

29　식의 값 구하기

$A = 5x - 2y$, $B = 3x + 4y$일 때, $2(3A - 2B) - 3(A - 2B)$를 x, y의 식으로 나타내면?

① $9x - 14y$　　　　② $9x + 2y$　　　　③ $21x - 14y$

④ $21x + 2y$　　　　⑤ $39x + 10y$

Tip

$2(3A - 2B) - 3(A - 2B)$를 간단히 한 후 $A = 5x - 2y$, $B = 3x + 4y$를 대입하여 정리한다.

정리하지 않고 여기에
바로 대입하면
너무 복잡해.

풀이 답 | ④

$2(3A - 2B) - 3(A - 2B)$

$= 6A - 4B - 3A + 6B$

$= 3A + \boxed{❶}$

$= 3(5x - 2y) + 2(3x + 4y)$

$= 15x - 6y + \boxed{❷} + 8y$

$= \boxed{❸}\ x + 2y$

답 ❶ $2B$　❷ $6x$　❸ 21

x의 값이 -1, 0, 1, 2일 때, 부등식 $2x+3 \geq 5$의 해의 합을 구하려고 한다. 윤제와 현경이의 대화를 읽고 다음 물음에 답하시오.

휴~ 다 계산했어. 부등식 $2x+3 \geq 5$의 해는 [   ]이(가) 되겠네.

윤제

$x=-1$을 대입하면 $-2+3 \geq 5$
$x=0$을 대입하면 $0+3 \geq 5$
$x=1$을 대입하면 $2+3 \geq 5$
$x=2$를 대입하면 $4+3 \geq 5$

그럼 부등식 $2x+3 \geq 5$의 해의 합을 구할 수 있겠다!

현경

(1) 위의 대화에서 [   ] 안에 알맞은 수를 구하시오.

(2) 부등식 $2x+3 \geq 5$의 해의 합을 구하시오.

Tip

$x = ★$가 부등식의 해이다.

➡ $x = ★$을 주어진 부등식에 대입하면 부등식이 참이 된다.

풀이 답ㅣ (1) 1, 2 (2) 3

(1) 윤제의 풀이에서 $x=1$, 2일 때, 부등식이 [❶   ]이 되므로 부등식 $2x+3 \geq 5$의 해는 1, 2이다.

(2) 부등식 $2x+3 \geq 5$의 [❷   ]가 1, 2이므로 그 합은
$1+2=3$

답 ❶ 참 ❷ 해

부등식의 성질

$a < b$일 때, 다음 중 옳은 것은?

① $2a - 7 > 2b - 7$

② $-2a + 1 > -2b + 1$

③ $\dfrac{a}{3} - 4 > \dfrac{b}{3} - 4$

④ $-\dfrac{a}{4} + 3 < -\dfrac{b}{4} + 3$

⑤ $-3a - 2 < -3b - 2$

Tip

$a < b$일 때

(1) $a + c < b + c$, $a - c < b - c$

(2) $c > 0$이면 $ac < bc$, $\dfrac{a}{c} < \dfrac{b}{c}$

(3) $c < 0$이면 $ac > bc$, $\dfrac{a}{c} > \dfrac{b}{c}$

(3)의 경우는 시험에 잘 나와. 틀리기 쉬우니까 주의하자!

풀이 답 | ②

$a < b$이므로

① $2a < 2b$ ∴ $2a - 7$ ❶ $2b - 7$

② $-2a > -2b$ ∴ $-2a + 1 > -2b + 1$

③ $\dfrac{a}{3} < \dfrac{b}{3}$ ∴ $\dfrac{a}{3} - 4 < \dfrac{b}{3} -$ ❷

④ $-\dfrac{a}{4} > -\dfrac{b}{4}$ ∴ $-\dfrac{a}{4} + 3 > -\dfrac{b}{4} + 3$

⑤ $-3a >$ ❸   ∴ $-3a - 2 > -3b - 2$

따라서 옳은 것은 ②이다.

답 ❶ $<$ ❷ 4 ❸ $-3b$

32 일차부등식의 풀이

다음 중 부등식 $2x-3 \leq 4x+5$의 해를 수직선 위에 바르게 나타낸 것은?

①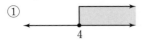
4

②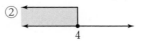
4

③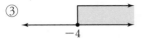
-4

④
-4

⑤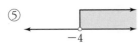
-4

풀이 답ㅣ③

$2x-3 \leq 4x+5$에서 $-2x \leq$ ❶ $\therefore x \geq -4$

따라서 부등식의 ❷ 를 수직선 위에 바르게 나타낸 것은 ③이다.

답 ❶ 8   ❷ 해

복잡한 일차부등식의 풀이

부등식 $\dfrac{x+3}{4} - \dfrac{2x-1}{3} > -1$을 만족시키는 자연수 x의 개수는?

① 5개   ② 4개   ③ 3개

④ 2개   ⑤ 1개

Tip

일차부등식을 풀 때

(1) 괄호가 있으면 분배법칙을 이용하여 괄호를 먼저 푼다.

(2) 계수가 소수이면 양변에 10의 거듭제곱을 곱하여 계수를 모두 정수로 바꾼다.

(3) 계수가 분수이면 양변에 분모의 최소공배수를 곱하여 계수를 모두 정수로 바꾼다.

풀이 답| ②

$\dfrac{x+3}{4} - \dfrac{2x-1}{3} > -1$의 양변에 **❶** 를 곱하면

$3(x+3) - 4(2x-1) > -12$, $-5x >$ **❷**   ∴ $x < 5$

따라서 부등식을 만족시키는 자연수 x는 1, 2, 3, 4의 **❸** 개이다.

답 ❶ 12   ❷ -25 ❸ 4

해가 주어진 일차부등식

일차부등식 $ax-3>4x+7$의 해가 $x<-2$일 때, 상수 a의 값은?

① -2 ② -1 ③ 0
④ 1 ⑤ 2

Tip

주어진 부등식을 $ax>b$의 꼴로
정리한 후 다음을 확인해.

(1) 주어진 해가 $x>k$이면 $a>0$이고 $\dfrac{b}{a}=k$

(2) 주어진 해가 $x<k$이면 $a<0$이고 $\dfrac{b}{a}=k$

풀이 답 | ②

$ax-3>4x+7$에서 $(a-4)x>$ **❶**   …… ㉠

㉠의 부등호의 방향과 해의 부등호의 방향이 다르므로

$a-4<0$ $\therefore x<\dfrac{10}{a-4}$

이때 부등식의 해가 $x<$ **❷** 이므로 $\dfrac{10}{a-4}=-2$

$10=-2(a-4), 2a=-2$ $\therefore a=$ **❸**

답 ❶ 10 ❷ -2 ❸ -1

부등식 $a-3x \geq -x+1$을 만족시키는 자연수 x가 1개일 때, 상수 a의 값의 범위는?

① $a>3$ ② $3<a<5$ ③ $3<a \leq 5$

④ $3 \leq a<5$ ⑤ $3 \leq a \leq 5$

Tip

부등식을 만족시키는 자연수인 해가 n개일 때

➡ 주어진 부등식을 정리하여

(1) $x<k$이면

$n<k \leq n+1$

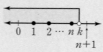

(2) $x \leq k$이면

$n \leq k<n+1$

풀이 답 | ④

$a-3x \geq -x+1$에서 $-2x \geq 1-a$ $\therefore x \leq \dfrac{a-1}{2}$

이때 부등식을 만족시키는 자연수 x가 **❶** 개이려면 오른쪽 그림과 같아야 하므로

$1 \leq \dfrac{a-1}{2} <$ **❷** , $2 \leq a-1<4$ $\therefore 3 \leq a <$ **❸**

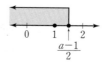

답 ❶ 1 **❷** 2 **❸** 5

$\dfrac{a-1}{2}=2$이면 부등식을 만족시키는 자연수 x가 2개가 돼.

36 평균에 대한 일차부등식의 활용

정수와 엄마의 대화를 읽고, 정수가 선물을 받으려면 수학 시험에서 몇 점 이상을 받아야 하는지 구하시오.

Tip

네 수 a, b, c, d의 평균은 $\dfrac{a+b+c+d}{4}$이다.

풀이 답| 92점

정수가 수학 시험에서 x점을 받는다고 하면

$$\dfrac{88+84+96+x}{\boxed{❶}} \geq 90$$

$268+x \geq 360 \qquad \therefore x \geq 92$

따라서 수학 시험에서 ❷ [   ] 점 이상을 받아야 한다.

답 ❶ 4 ❷ 92

37　최대 개수에 대한 일차부등식의 활용

수진이는 엄마와 함께 과일 가게에 들러서 한 개에 1500원하는 사과와 한 개에 500원 하는 귤을 합하여 15개를 사려고 한다. 전체 가격이 16000원 이하가 되게 하려면 사과를 최대 몇 개까지 살 수 있는지 구하시오.

Tip

(1) 두 물건 A, B를 합하여 n개를 살 때
➡ 물건 A를 x개 산다고 하면 물건 B는 $(n-x)$개를 살 수 있다.
(2) (A의 총 가격)+(B의 총 가격) ☐ (A, B 전체의 가격)
　　　　　　　　　　　　　　↑
　　　　　　　문제의 뜻에 맞게 부등호를 넣는다.

풀이 답 | 8개

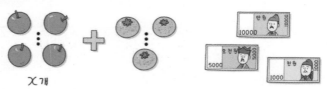

사과를 x개 산다고 하면 귤은 (**❶** ☐ $-x$)개 살 수 있으므로

$1500x+500(15-x)\leq$ **❷** ☐

$1500x+7500-500x\leq16000$

$1000x\leq8500$ 　 $\therefore x\leq\dfrac{17}{2}$

따라서 사과를 최대 **❸** ☐ 개까지 살 수 있다.

답 ❶ 15 　❷ 16000 　❸ 8

추가 요금에 대한 일차부등식의 활용

혁수는 어느 만화 대여점에서 만화책을 싸게 파는 내용을 안내하는 문구를 보고 만화책을 사려고 한다. 전체 만화책의 값이 15000원 이하가 되게 하려면 만화책을 최대 몇 권까지 살 수 있는지 구하시오.

Tip

(1) k개의 가격이 a원이고, k개를 초과하면 한 개당 가격이 b원일 때, x개의 가격
(단, $x > k$)

➡ $a + b(x - k)$(원) ┌── 문제의 뜻에 맞게 부등호를 넣는다.

(2) (기본 금액) + (추가되는 금액) ☐ (총 금액)

풀이 답 | 10권

만화책을 x권 산다고 하면 ❶⬜ 권을 초과한 권수는 $(x-5)$권이므로

❷⬜⬜⬜⬜ $+1200(x-5) \leq 15000$

$9000 + 1200x - 6000 \leq 15000$

$1200x \leq 12000$ ∴ $x \leq 10$

따라서 만화책을 최대 ❸⬜ 권까지 살 수 있다.

답 ❶ 5   ❷ 9000   ❸ 10

현재 예준이의 통장에는 40000원, 지원이의 통장에는 65000원이 들어 있다. 다음 달부터 매월 예준이는 5000원씩, 지원이는 3000원씩 예금한다면 예준이의 예금액이 지원이의 예금액보다 많아지는 것은 몇 개월 후부터인지 구하시오.

Tip

x개월 후의 예준이와 지원이의 예금액을 각각 생각해 봐.

현재 예금액이 a원이고 매월 b원씩 예금할 때, x개월 후의 예금액은 $(a+bx)$원이야.

풀이 답 | 13개월 후

x개월 후부터 예준이의 예금액이 ❶⬚ 이의 예금액보다 많아진다고 하면

$40000 +$ ❷⬚ $x > 65000 + 3000x$

$2000x > 25000$ ∴ $x > \dfrac{25}{2}$

따라서 예준이의 예금액이 지원이의 예금액보다 많아지는 것은 ❸⬚ 개월 후부터이다.

답 ❶ 지원 ❷ 5000 ❸ 13

유리한 방법을 선택하는 일차부등식의 활용

은수는 집 앞 꽃집과 꽃 도매시장의 두 곳 중 한 곳을 정해 카네이션을 사려고 한다. 다음 그림을 보고 카네이션을 몇 송이 이상 살 경우에 꽃 도매시장에서 사는 것이 유리한지 구하시오.

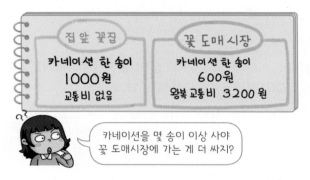

Tip

집 앞 꽃집에서 사는 것보다 꽃 도매시장에 가서 사는 것이 더 유리한 경우
➡ (집 앞 꽃집 가격)×(개수)>(꽃 도매시장 가격)×(개수)+(왕복 교통비)

풀이 답| 9송이

카네이션을 x송이 산다고 하면
$1000x >$ ❶⬜ $x + 3200$
$400x > 3200$ ∴ $x >$ ❷⬜
따라서 카네이션을 ❸⬜ 송이 이상 사면 꽃 도매시장에서 사는 것이 유리하다.

답 ❶ 600 ❷ 8 ❸ 9

어느 박물관의 입장료는 1인당 5000원이고, 20명 이상의 단체 관람객은 입장료의 30 %를 할인해 준다고 한다. 20명 미만의 단체가 입장하려고 할 때, 몇 명 이상이면 20명의 단체 입장권을 사는 것이 유리한지 구하시오.

Tip

x명이 입장한다고 할 때, 20명의 단체 입장료를 사는 것이 유리한 경우
➡ (x명의 입장료) > (20명의 단체 입장료) (단, $x < 20$)

1인당 5000원인 입장료를 20명 이상 입장하면 30 % 할인해 줄 경우
(20명의 단체 입장료) $= 5000 \times \left(1 - \dfrac{30}{100}\right) \times 20$ (원)

풀이 답 | 15명

x명이 입장한다고 하면

❶ ☐ $x > 5000 \times \dfrac{70}{100} \times$ ❷ ☐

$5000x > 70000$ ∴ $x > 14$

따라서 ❸ ☐ 명 이상이면 20명의 단체 입장권을 사는 것이 유리하다.

답 ❶ 5000 ❷ 20 ❸ 15

원가, 정가에 대한 일차부등식의 활용

원가가 8000원인 상품을 정가의 20 %를 할인하여 팔아서 원가의 10 % 이상의 이익을 얻으려고 한다. 이때 정가는 얼마 이상으로 정해야 하는지 구하시오.

Tip

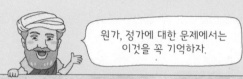

원가, 정가에 대한 문제에서는 이것을 꼭 기억하자.

(1) 원가가 x원인 물건에 a %의 이익을 붙인 정가 ➡ $x\left(1+\dfrac{a}{100}\right)$원

(2) 정가가 y원인 물건을 b % 할인한 판매 가격 ➡ $y\left(1-\dfrac{b}{100}\right)$원

(3) (이익)=(판매 가격)-(원가)

풀이 답| 11000원

정가를 x원이라 하면

$$\dfrac{80}{100}x - 8000 \geq \boxed{❶ \qquad\qquad} \times \dfrac{10}{100}$$

$4x - 40000 \geq 4000$

$4x \geq \boxed{❷ \qquad\qquad}$ ∴ $x \geq 11000$

따라서 정가는 $\boxed{❸ \qquad\quad}$원 이상으로 정해야 한다.

답 ❶ 8000 ❷ 44000 ❸ 11000

43 거리, 속력, 시간에 대한 일차부등식의 활용

기차가 출발하기 전까지 1시간의 여유가 있어서 이 시간 동안 상점에서 물건을 사오려고 한다. 물건을 사는 데 20분이 걸리고 시속 5 km로 걸을 때, 역에서 몇 km 이내에 있는 상점까지 다녀올 수 있는지 구하시오.

Tip

(가는 데 걸린 시간)+(물건을 사는 데 걸린 시간)+(오는 데 걸린 시간)
$$\leq (\text{제한 시간})$$

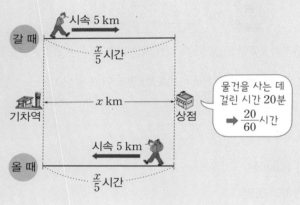

갈 때   시속 5 km $\dfrac{x}{5}$시간

기차역 ← x km → 상점   물건을 사는 데 걸린 시간 20분 ➡ $\dfrac{20}{60}$시간

올 때   시속 5 km $\dfrac{x}{5}$시간

풀이 답ㅣ$\dfrac{5}{3}$ km

역에서 상점까지의 거리를 x km라 하면

$$\dfrac{x}{5}+\dfrac{20}{60}+\boxed{\text{❶}} \leq 1$$

$$3x+5+3x \leq \boxed{\text{❷}} ,\ 6x \leq 10 \qquad \therefore\ x \leq \dfrac{5}{3}$$

따라서 역에서 $\boxed{\text{❸}}$ km 이내에 있는 상점까지 다녀올 수 있다.

답 ❶ $\dfrac{x}{5}$ ❷ 15 ❸ $\dfrac{5}{3}$

44 **농도에 대한 일차부등식의 활용**

10 %의 소금물 500 g에 물을 넣어서 5 % 이하의 소금물을 만들려고 한다. 이때 물을 몇 g 이상을 넣어야 하는지 구하시오.

Tip

물을 x g 더 넣는다고 하면
(10 %의 소금물 500 g에 들어 있는 소금의 양)+(물 x g에 들어 있는 소금의 양)
$\leq$(5 %의 소금물 $(500+x)$ g에 들어 있는 소금의 양)

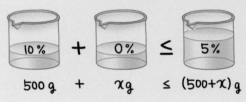

풀이 답| 500 g

물을 x g 더 넣는다고 하면
$$\frac{10}{100} \times 500 \leq \frac{\boxed{①}}{100} \times (500+x)$$
$5000 \leq 2500+5x, \quad -5x \leq -2500 \qquad \therefore x \geq \boxed{②}$
따라서 물을 500 g 이상 넣어야 한다.

답 ① 5 ② 500

특목고 대비

일등 전략

시험에 잘 나오는

대표 유형 ZIP

중 간 고 사 대 비

중학 수학 2-1

BOOK 1
중간고사 대비

이 책의 구성과 활용

주 도입

이번 주에 배울 내용이 무엇인지 안내하는 부분입니다. 재미있는 만화를 통해 앞으로 배울 학습 요소를 미리 떠올려 봅니다.

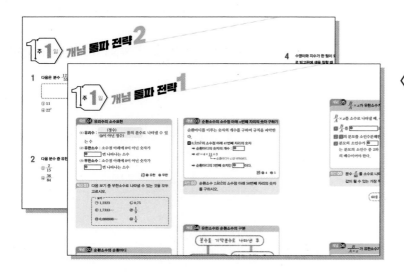

1일 개념 돌파 전략

성취기준별로 꼭 알아야 하는 핵심 개념을 익힌 뒤 문제를 풀며 개념을 잘 이해했는지 확인합니다.

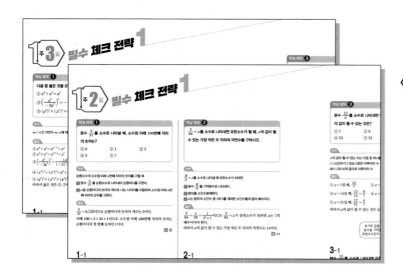

2일, 3일 필수 체크 전략

꼭 알아야 할 대표 유형 문제를 뽑아 쌍둥이 문제와 함께 풀어 보며 문제에 접근하는 과정과 방법을 체계적으로 익혀 봅니다.

주 마무리 코너

누구나 합격 전략
중간고사 종합 문제로 학습 자신감을 고취할 수 있습니다.

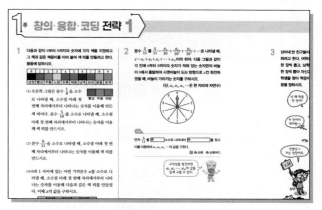

창의·융합·코딩 전략
융복합적 사고력과 문제 해결력을 길러 주는 문제로 구성하였습니다.

중간고사 마무리 코너

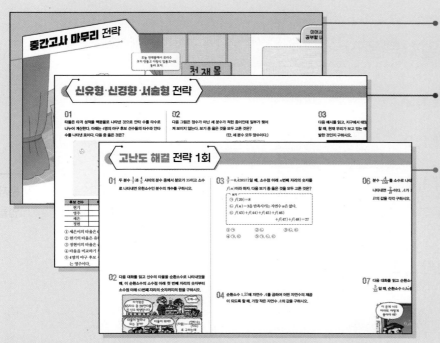

중간고사 마무리 전략
학습 내용을 만화로 정리하여 앞에서 공부한 내용을 한눈에 파악할 수 있습니다.

신유형·신경향·서술형 전략
신유형·서술형 문제를 집중적으로 풀며 문제 적응력을 높일 수 있습니다.

고난도 해결 전략
실제 시험에 대비할 수 있는 고난도 실전 문제를 2회로 구성하였습니다.

이 책의 차례

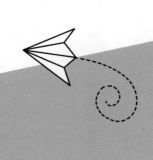

공부할 내용

❶ 유한소수와 무한소수
❷ 순환소수
❸ 지수법칙
❹ 단항식의 곱셈과 나눗셈

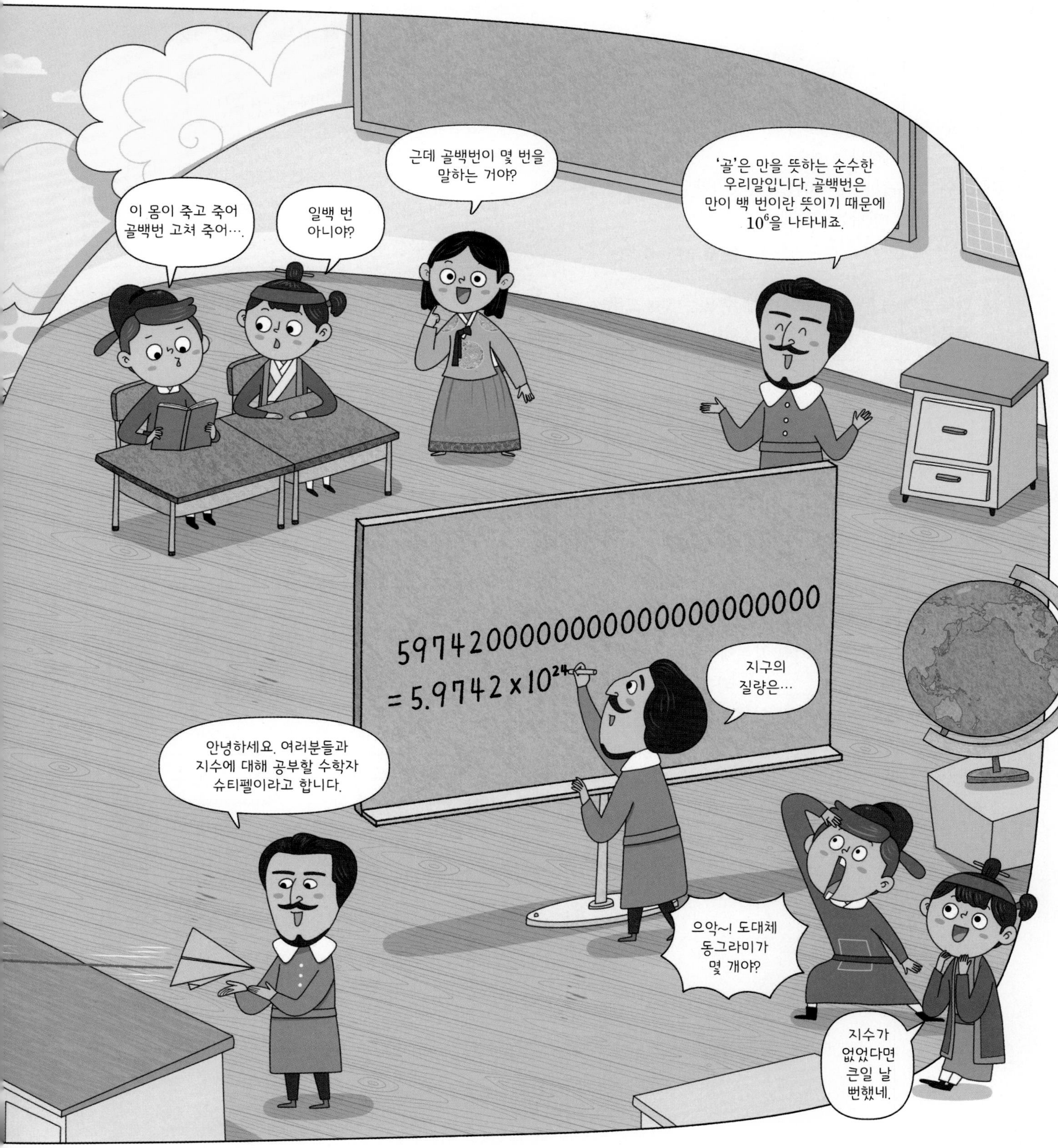

개념 01 유리수의 소수 표현

(1) **유리수** : $\dfrac{(정수)}{(0이\ 아닌\ 정수)}$ 꼴의 분수로 나타낼 수 있는 수

(2) **유한소수** : 소수점 아래에 0이 아닌 숫자가 ❶[＿＿＿＿] 번 나타나는 소수

(3) **무한소수** : 소수점 아래에 0이 아닌 숫자가 ❷[＿＿＿＿] 번 나타나는 소수

답 ❶ 유한 ❷ 무한

확인 01 다음 보기 중 무한소수로 나타낼 수 있는 것을 모두 고르시오.

┌─ 보기 ─────────────┐
ㄱ 1.2323   ㄴ 0.75

ㄷ 1.7333⋯   ㄹ $\dfrac{1}{9}$

ㅁ 0.080808⋯   ㅂ $\dfrac{1}{4}$
└──────────────────┘

개념 02 순환소수와 순환마디

(1) **순환소수** : 소수점 아래의 어떤 자리에서부터 일정한 숫자의 배열이 한없이 ❶[＿＿＿＿]되는 무한소수

(2) **순환마디** : 순환소수의 소수점 아래에서 ❷[＿＿＿＿]의 배열이 되풀이되는 가장 짧은 한 부분

(3) **순환소수의 표현** : 순환마디의 양 끝의 숫자 위에 점을 찍어 나타낸다.

답 ❶ 되풀이 ❷ 숫자

확인 02 다음 중 순환소수의 표현이 옳은 것은?

① $1.212121\cdots = 1.\dot{2}$

② $0.535353\cdots = 0.5\dot{3}\dot{5}$

③ $0.14222\cdots = 0.1\dot{4}\dot{2}$

④ $3.162162162\cdots = 3.\dot{1}6\dot{2}$

⑤ $2.472472472\cdots = 2.\dot{4}7\dot{2}$

개념 03 순환소수의 소수점 아래 n번째 자리의 숫자 구하기

순환마디를 이루는 숫자의 개수를 구하여 규칙을 파악한다.

예 $0.\dot{3}25\dot{7}$의 소수점 아래 47번째 자리의 숫자

➡ 순환마디의 숫자의 개수 : ❶[＿＿＿＿]

➡ $47 = 4 \times 11 + 3$
　　　　└→ 순환마디가 11번 반복된다.

➡ 순환마디의 3번째 숫자인 ❷[＿＿＿＿]이다.

답 ❶ 4 ❷ 5

확인 03 순환소수 $2.6\dot{5}\dot{2}$의 소수점 아래 50번째 자리의 숫자를 구하시오.

개념 04 유한소수와 순환소수의 구분

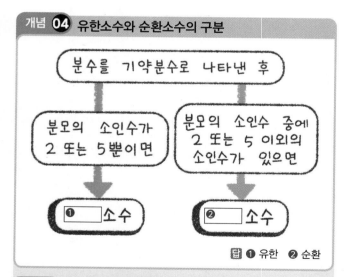

분수를 기약분수로 나타낸 후

분모의 소인수가 2 또는 5뿐이면 → ❶[＿＿＿]소수

분모의 소인수 중에 2 또는 5 이외의 소인수가 있으면 → ❷[＿＿＿]소수

답 ❶ 유한 ❷ 순환

확인 04 다음 분수 중 유한소수로 나타낼 수 있는 것은?

① $\dfrac{7}{12}$ ② $\dfrac{2}{28}$ ③ $\dfrac{9}{40}$

④ $\dfrac{4}{2 \times 3 \times 5}$ ⑤ $\dfrac{21}{2 \times 3^2 \times 7}$

개념 05 $\dfrac{B}{A} \times x$가 유한소수가 되도록 하는 x의 값 구하기

$\dfrac{B}{A} \times x$를 소수로 나타낼 때, 유한소수가 되려면

1 $\dfrac{B}{A}$를 ❶ [   ]로 나타낸다.

2 ❶의 분모를 소인수분해한다.

3 분모의 소인수가 ❷ [   ] 또는 5만 남아야 하므로 x 는 분모의 소인수 중 2와 5를 제외한 소인수들의 곱 의 배수이어야 한다.

답 ❶ 기약분수 ❷ 2

확인 05 분수 $\dfrac{x}{60}$를 소수로 나타내면 유한소수가 될 때, x의 값이 될 수 있는 가장 작은 자연수를 구하시오.

60을 소인수분해 해봐.

개념 06 $\dfrac{B}{A \times x}$가 유한소수가 되도록 하는 x의 값 구하기

$\dfrac{B}{A \times x}$를 소수로 나타낼 때, 유한소수가 되려면 x는

(ⅰ) 소인수가 2 또는 ❶ [   ]로만 이루어진 수

(ⅱ) 분자의 약수

(ⅲ) (ⅰ)과 (ⅱ)의 ❷ [   ]으로 이루어진 수

중 하나이어야 한다.

답 ❶ 5 ❷ 곱

확인 06 분수 $\dfrac{3}{5 \times a}$을 소수로 나타내면 유한소수가 될 때, 다음 중 a의 값이 될 수 없는 것은?

① 2   ② 3   ③ 5

④ 6   ⑤ 7

개념 07 순환소수를 분수로 나타내기 (1)

1 순환소수를 x로 놓는다.

2 양변에 ❶ [   ]의 거듭제곱을 곱하여 ❷ [   ] 부분이 같은 두 식을 만든다.

3 두 식을 변끼리 빼서 x의 값을 구한다.

답 ❶ 10 ❷ 소수

확인 07 다음 대화를 읽고 □ 안에 알맞은 수를 써넣으시오.

$1.5\dot{8}$을 분수로 고칠 수 있어?

$x = 1.5888\cdots$ 로 놓고 소수 부분이 같은 두 식을 만들어 계산하면 돼.

$$
\begin{array}{r}
\boxed{}\,x = 158.888\cdots \\
-)\ \ 10x = \ \ 15.888\cdots \\
\hline
\boxed{}\,x = 143
\end{array}
$$

$$\therefore x = \dfrac{143}{\boxed{}}$$

개념 08 순환소수를 분수로 나타내기 (2)

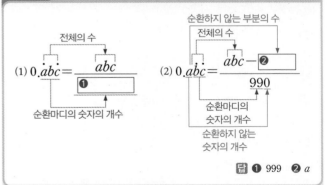

전체의 수

(1) $0.\dot{a}b\dot{c} = \dfrac{abc}{\text{❶}}$

순환마디의 숫자의 개수

순환하지 않는 부분의 수

전체의 수

(2) $0.a\dot{b}\dot{c} = \dfrac{abc - \text{❷}}{990}$

순환마디의 숫자의 개수

순환하지 않는 숫자의 개수

답 ❶ 999 ❷ a

확인 08 다음 중 순환소수를 분수로 나타내는 과정으로 옳 은 것은?

① $0.\dot{2}\dot{9} = \dfrac{29 - 2}{99}$ ② $0.5\dot{4}\dot{6} = \dfrac{546}{990}$

③ $0.4\dot{3} = \dfrac{43}{90}$ ④ $1.\dot{2}\dot{3} = \dfrac{123 - 1}{99}$

⑤ $1.4\dot{7} = \dfrac{147 - 1}{90}$

개념 09 유리수와 소수의 관계

(1) 정수가 아닌 유리수는 유한소수 또는 순환소수로 나타낼 수 있다.

(2) 유한소수와 순환소수는 $\boxed{❶}$ 로 나타낼 수 있으므로 모두 유리수이다.

참고 소수 $\begin{cases} \text{유한소수} \underline{\hspace{3cm}} \\ \text{무한소수} \begin{cases} \text{순환소수} \underline{\hspace{2cm}} ❷ \\ \text{순환하지 않는 무한소수 } - \text{ 유리수가} \\ \hspace{5cm} \text{아니다.} \end{cases} \end{cases}$

답 ❶ 분수 ❷ 유리수

확인 09

다음 중 옳지 <u>않은</u> 것을 모두 고르면? (정답 2개)

① 모든 유한소수는 유리수이다.

② 순환소수는 무한소수이다.

③ 순환하지 않는 무한소수는 유리수이다.

④ 순환소수 중에는 분수로 나타낼 수 없는 것도 있다.

⑤ 정수가 아닌 유리수는 유한소수 또는 순환소수로 나타낼 수 있다.

개념 10 지수법칙 (1)

m, n이 자연수일 때

① $a^m \times a^n = a^{m+n}$

② $(a^m)^n = \boxed{❶}$

③ $a^m \div a^n = \begin{cases} \boxed{❷} & (m > n) \\ 1 & (m = n) \ (\text{단}, a \neq 0) \\ \dfrac{1}{a^{n-m}} & (m < n) \end{cases}$

답 ❶ a^{mn} ❷ a^{m-n}

확인 10

다음 중 □ 안에 들어갈 수가 가장 큰 것은?

① $a^{\square} \times a^3 = a^5$

② $(a^{\square})^4 = a^{20}$

③ $x^3 \div x^6 = \dfrac{1}{x^{\square}}$

④ $x^3 \times x^5 \div x^4 = x^{\square}$

⑤ $(x^3)^2 \div x^4 = x^{\square}$

개념 ⑪ 지수법칙 (2)

l, m, n이 자연수일 때

① $(ab)^n = a^n \boxed{❶}$, $(a^m b^n)^l = a^{ml} b^{nl}$

② $\left(\dfrac{a}{b}\right)^n = \dfrac{a^n}{b^n}$, $\left(\dfrac{a^m}{b^n}\right)^l = \dfrac{\boxed{❷}}{b^{nl}}$ (단, $b \neq 0$)

답 ❶ b^n ❷ a^{ml}

확인 ⑪

$(3a^x)^3 = ya^{15}$일 때, x, y의 값을 각각 구하시오.

(단, x, y는 자연수)

실수하지 않도록 해.

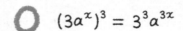

$\times$ $(3a^x)^3 = 3a^{3x}$

$\bigcirc$ $(3a^x)^3 = 3^3 a^{3x}$

개념 ⑫ 지수법칙의 응용 – 같은 수의 덧셈식

같은 수의 덧셈식은 $\boxed{❶}$ 식으로 나타낸 다음 $\boxed{❷}$ 을 이용한다.

$$\underbrace{a^n + a^n + \cdots + a^n}_{b개} = a^n \times b$$

답 ❶ 곱셈 ❷ 지수법칙

확인 ⑫

$3^4 + 3^4 + 3^4 = 3^a$일 때, 자연수 a의 값을 구하시오.

개념 13 지수법칙의 응용 – 자릿수 구하기

주어진 수의 자릿수는 수를 $a \times 10^n$의 꼴로 나타내어 구한다.

➡ $10^n = (2 \times 5)^n = 2^n \times$ ⬛❶⬛ 이므로 주어진 수를 소인수분해하여 소인수 2와 5의 ⬛❷⬛ 가 같게 묶는다.

➡ 주어진 수의 자릿수는 (a의 자릿수)$+n$

답 ❶ 5^n ❷ 지수

확인 13 $2^4 \times 5^5$이 n자리의 자연수일 때, n의 값을 구하시오.

개념 14 단항식의 곱셈

(1) 계수는 ⬛❶⬛ 끼리, 문자는 ⬛❷⬛ 끼리 곱한다.

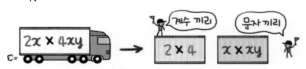

(2) 같은 문자끼리의 곱셈은 지수법칙을 이용한다.
이때 거듭제곱 ➡ 계수의 곱 ➡ 문자의 곱의 순서로 계산한다.

답 ❶ 계수 ❷ 문자

확인 14 $(-3x)^2 \times (-5xy)$를 간단히 하시오.

거듭제곱이 있는 경우에는 먼저 거듭제곱을 간단히 한 다음 계산해.

개념 15 단항식의 나눗셈

단항식의 나눗셈은 다음과 같이 두 가지 방법으로 할 수 있다.

방법 1 분수 꼴로 고친 후 계산한다. ➡ $A \div B = \dfrac{A}{B}$

Ⓐ$\div$Ⓑ $\quad 8a^2b \div 4a = \dfrac{8a^2b}{4a}$

$\downarrow \qquad\qquad\qquad = \dfrac{8}{4} \times \dfrac{a^2b}{a}$

$\dfrac{Ⓐ}{Ⓑ} \qquad\qquad\quad = $ ⬛❶⬛ ab

방법 2 나누는 식의 역수를 곱하여 계산한다. ➡ $A \div B = A \times \dfrac{1}{B}$

$3a^2b \div \dfrac{ab}{2} = 3a^2b \times \dfrac{2}{ab}$

$= 3 \times 2 \times a^2b \times \dfrac{1}{ab}$

$= $ ⬛❷⬛

Ⓐ$\div$Ⓑ
$\downarrow$
Ⓐ$\times\dfrac{1}{Ⓑ}$

답 ❶ 2 ❷ $6a$

확인 15 $\dfrac{2}{3}x^2y \div \dfrac{xy^2}{6}$을 간단히 하시오.

개념 16 단항식의 곱셈과 나눗셈의 혼합 계산

1 지수법칙을 이용하여 ⬛❶⬛ 을 간단히 한다.

2 나눗셈은 ⬛❷⬛ 또는 역수의 곱셈으로 바꾼다.

3 계수는 계수끼리, 문자는 문자끼리 계산한다.

답 ❶ 거듭제곱 ❷ 분수

확인 16 $(2x^3y^4)^2 \times (3x^2y)^2 \div x^4y^8$을 간단히 하시오.

1 다음은 분수 $\frac{121}{55}$ 을 유한소수로 나타내는 과정이다. $abcde$의 값은?

$$\frac{121}{55}=\frac{a}{5}=\frac{a\times b}{5\times b}=\frac{c}{d}=e$$

① 11
② 22
③ 11^3
④ 22^3
⑤ 22^4

문제 해결 전략

· 분수 $\frac{121}{55}$ 을 ❶ [   ] 로 나타내면 $\frac{11}{5}$ 이고 이 기약분수의 분모가 5이므로 분자가 10이 되도록 분모, 분자에 ❷ [   ] 를 곱해 준다.

답 ❶ 기약분수 ❷ 2

2 다음 분수 중 유한소수로 나타낼 수 있는 것은?

① $\frac{2}{15}$
② $\frac{4}{22}$
③ $\frac{14}{60}$
④ $\frac{36}{84}$
⑤ $\frac{27}{120}$

문제 해결 전략

· 기약분수의 ❶ [   ] 의 소인수가 2 또는 ❷ [   ] 뿐인 분수를 찾는다.

답 ❶ 분모 ❷ 5

3 다음 중 옳지 않은 것을 모두 고르면? (정답 2개)

① 기약분수로 나타내었을 때 분모의 소인수가 2 또는 5뿐이면 유한소수로 나타낼 수 있다.
② 유한소수와 순환소수는 분수로 나타낼 수 있다.
③ 순환소수 중에는 유리수가 아닌 것도 있다.
④ 무한소수는 모두 순환소수이다.
⑤ 모든 유한소수는 유리수이다.

문제 해결 전략

· 소수 ┌ 유한소수
　　　 └ 무한소수 ┌ ❶ [   ] 소수 ─ 유리수
　　　　　　　　　 └ 순환하지 않는 무한소수 ─ ❷ [   ] 가 아니다.

답 ❶ 순환 ❷ 유리수

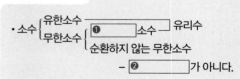

무한소수는 순환소수이다.

π, 0.101001000… 과 같이 순환하지 않는 무한소수도 있어.

4 수영이와 지수가 한 팀이 되어 빙고 게임을 하는데 수영이가 말한 규칙대로 빙고판에 색을 칠할 때, 다음 중 색칠해진 모양으로 옳은 것은?

① ② ③

④ ⑤

---

5 $\dfrac{1}{9}ab \times (-2a)^2 \times (-3ab^2)^3$을 간단히 하면?

① $-12a^6b^7$ ② $-\dfrac{12a^6}{b^7}$ ③ $-\dfrac{4a^6}{3b^7}$

④ $\dfrac{4a^6b^7}{3}$ ⑤ $12a^6b^7$

---

6 $\dfrac{3}{4}x^4y^3 \div \dfrac{1}{2}x^2y \div \dfrac{6x}{y} = ax^by^c$일 때, $a \times (b+c)$의 값을 구하시오.

(단, a, b, c는 자연수)

핵심 예제 ①

분수 $\dfrac{5}{37}$ 를 소수로 나타낼 때, 소수점 아래 100번째 자리의 숫자는?

① 0　　　　② 1　　　　③ 3

④ 5　　　　⑤ 7

전략

순환소수의 소수점 아래 n번째 자리의 숫자를 구할 때

1 분수 $\dfrac{5}{37}$ 를 순환소수로 나타내어 순환마디를 구한다.

2 n을 순환마디의 숫자의 개수로 나눈 나머지를 이용하여 소수점 아래 n번째 자리의 숫자를 구한다.

풀이

$\dfrac{5}{37}=0.\dot{1}3\dot{5}$ 이므로 순환마디의 숫자의 개수는 3이다.

이때 $100=3\times33+1$이므로 소수점 아래 100번째 자리의 숫자는 순환마디의 첫 번째 숫자인 1이다.

답 ②

1-1

다음 대화를 읽고 분수 $\dfrac{2}{27}$ 를 소수로 나타낼 때, 소수점 아래 41번째 자리의 숫자는?

① 0　　　　② 1　　　　③ 4

④ 7　　　　⑤ 9

핵심 예제 ②

$\dfrac{3}{84}\times x$ 를 소수로 나타내면 유한소수가 될 때, x의 값이 될 수 있는 가장 작은 두 자리의 자연수를 구하시오.

전략

$\dfrac{B}{A}\times x$ 를 소수로 나타낼 때 유한소수가 되려면

1 분수 $\dfrac{B}{A}$ 를 기약분수로 나타낸다.

2 분모를 소인수분해한다.

3 x는 분모의 소인수 중 2와 5를 제외한 소인수들의 곱의 배수이다.

풀이

$\dfrac{3}{84}=\dfrac{1}{28}=\dfrac{1}{2^2\times7}$ 이므로 $\dfrac{3}{84}\times x$ 가 유한소수가 되려면 x는 7의 배수이어야 한다.

따라서 x의 값이 될 수 있는 가장 작은 두 자리의 자연수는 14이다.

답 14

2-1

분수 $\dfrac{x}{2^2\times3^2\times5}$ 를 소수로 나타내면 유한소수가 될 때, x의 값이 될 수 있는 가장 작은 자연수는?

① 3　　　　② 5　　　　③ 7

④ 9　　　　⑤ 11

2-2

순환소수 $0.4\dot{6}$에 어떤 자연수 x를 곱하면 유한소수가 될 때, 가장 작은 두 자리의 자연수 x의 값을 구하시오.

핵심 예제 ❸

분수 $\dfrac{12}{x}$ 를 소수로 나타내면 유한소수가 될 때, 다음 중 x 의 값이 될 수 있는 것은?

① 7   ② 9   ③ 14

④ 15   ⑤ 21

전략

x의 값이 될 수 있는 수는 다음 중 하나를 만족한다.

(ⅰ) 소인수가 2 또는 5로만 이루어진 수 (ⅱ) 12의 약수

(ⅲ) (ⅰ)과 (ⅱ)의 곱으로 이루어진 수

풀이

① $x=7$일 때, $\dfrac{12}{7}$ ② $x=9$일 때, $\dfrac{12}{9}=\dfrac{4}{3}$

③ $x=14$일 때, $\dfrac{12}{14}=\dfrac{6}{7}$ ④ $x=15$일 때, $\dfrac{12}{15}=\dfrac{4}{5}$

⑤ $x=21$일 때, $\dfrac{12}{21}=\dfrac{4}{7}$

따라서 x의 값이 될 수 있는 것은 ④이다.

답 ④

 보기의 값을 x에 대입한 후 분수를 기약분수로 나타내어 유한소수인지 아닌지 판단해봐.

3-1

분수 $\dfrac{15}{x}$ 를 소수로 나타내면 유한소수가 될 때, 다음 중 x의 값이 될 수 없는 것은?

① 30   ② 21   ③ 12

④ 10   ⑤ 6

3-2

분수 $\dfrac{21}{2\times3\times a}$ 을 소수로 나타내면 순환소수가 될 때, 10 이하의 자연수 a의 값의 합을 구하시오.

핵심 예제 ❹

분수 $\dfrac{x}{70}$ 를 소수로 나타내면 유한소수이고, 기약분수로 나타내면 $\dfrac{3}{y}$ 이다. x가 $10<x<30$인 자연수일 때, x, y의 값을 각각 구하시오.

전략

$\dfrac{x}{70}$ 를 소수로 나타내면 유한소수이고, 기약분수로 나타내면 $\dfrac{3}{y}$ 이 되려면

(1) x는 분모의 소인수 중 2와 5를 제외한 소인수들의 곱의 배수이어야 한다.

➡ $\dfrac{x}{70}=\dfrac{x}{2\times5\times7}$ 이므로 x는 7의 배수이다.

(2) $\dfrac{x}{70}=\dfrac{3}{y}$ 이므로 x는 3의 배수이어야 한다.

풀이

$\dfrac{x}{70}=\dfrac{x}{2\times5\times7}$ 가 유한소수가 되려면 x는 7의 배수이어야 한다.

또 $\dfrac{x}{70}$ 를 기약분수로 나타내면 $\dfrac{3}{y}$ 이므로 x는 3의 배수이어야 한다.

즉 x는 7과 3의 공배수인 21의 배수이고 $10<x<30$이므로 $x=21$

따라서 $\dfrac{21}{70}=\dfrac{3}{10}$ 이므로 $y=10$

답 $x=21$, $y=10$

4-1

다음 대화를 읽고 ㉠에 알맞은 수를 써넣고, $x-y$의 값을 구하시오.

핵심 예제 5

기약분수 $\dfrac{a}{30}$를 소수로 나타내면 $0.3666\cdots$일 때, 자연수 a의 값은?

① 10 ② 11 ③ 12
④ 13 ⑤ 14

전략

1️⃣ $0.3666\cdots$을 $0.3\dot{6}$으로 나타내고 $0.3\dot{6}$을 기약분수로 고친다.

2️⃣ 1️⃣의 기약분수와 $\dfrac{a}{30}$를 비교하여 a의 값을 구한다.

풀이

$0.3666\cdots=0.3\dot{6}$이므로

$0.3\dot{6}=\dfrac{36-3}{90}=\dfrac{33}{90}=\dfrac{11}{30}$ $\therefore a=11$

답 ②

기억해두면 편리한 공식!

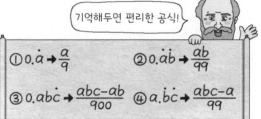
① $0.\dot{a} \to \dfrac{a}{9}$ ② $0.\dot{a}\dot{b} \to \dfrac{ab}{99}$

③ $0.a\dot{b}\dot{c} \to \dfrac{abc-ab}{900}$ ④ $a.\dot{b}\dot{c} \to \dfrac{abc-a}{99}$

5-1

분수 $\dfrac{x}{6}$를 소수로 나타내면 $1.8\dot{3}$일 때, 자연수 x의 값은?

① 7 ② 8 ③ 9
④ 10 ⑤ 11

5-2

$5.2\dot{9}=\dfrac{a}{10}$, $4.\dot{1}\dot{8}=\dfrac{b}{11}$일 때, $a-b$의 값은?

① 7 ② 9 ③ 11
④ 13 ⑤ 15

핵심 예제 6

어떤 기약분수를 소수로 나타내는데 지우는 분모를 잘못 보아 $1.1\dot{3}$으로 나타내었고, 영미는 분자를 잘못 보아 $1.\dot{4}$로 나타내었다. 이때 처음 기약분수를 순환소수로 바르게 나타내시오.

전략

기약분수를 소수로 나타낼 때

⑴ 분모를 잘못 보았다. ➡ 분자는 바르게 보았다.

⑵ 분자를 잘못 보았다. ➡ 분모는 바르게 보았다.

풀이

$1.1\dot{3}=\dfrac{113-11}{90}=\dfrac{102}{90}=\dfrac{17}{15}$이고 지우는 분자는 바르게 보았으므로 처음 기약분수의 분자는 17이다.

$1.\dot{4}=\dfrac{14-1}{9}=\dfrac{13}{9}$이고 영미는 분모는 바르게 보았으므로 처음 기약분수의 분모는 9이다.

따라서 처음 기약분수는 $\dfrac{17}{9}$이고 $\dfrac{17}{9}$을 순환소수로 나타내면 $1.\dot{8}$이다.

답 $1.\dot{8}$

6-1

어떤 기약분수 $\dfrac{a}{b}$를 소수로 나타내는데 분모를 잘못 보아 $0.\dot{6}\dot{3}$으로 나타내었고, 분자를 잘못 보아 $3.1\dot{7}$로 나타내었다. 이때 $a+b$의 값은?

① 52 ② 54 ③ 56
④ 61 ⑤ 63

6-2

어떤 기약분수를 소수로 나타내는 문제를 푸는데 우진이는 분모를 잘못 보아 답이 $2.2\dot{6}$이 되었고, 성훈이는 분자를 잘못 보아 답이 $2.\dot{2}\dot{3}$이 되었다. 이때 이 문제의 정답을 구하시오.

핵심 예제 7

$\dfrac{1}{4}(3+0.5+0.05+0.005+\cdots)$을 계산하여 기약분수로

나타내면 $\dfrac{a}{b}$일 때, $a+b$의 값은?

① 10   ② 17   ③ 34

④ 68   ⑤ 85

전략

1 $3+0.5+0.05+0.005+\cdots$을 $3.\dot5$로 나타낸다.

2 순환소수 $3.\dot5$를 기약분수로 고친다.

풀이

$\dfrac{1}{4}(3+0.5+0.05+0.005+\cdots)$

$=\dfrac{1}{4}\times3.\dot5=\dfrac{1}{4}\times\dfrac{35-3}{9}=\dfrac{1}{4}\times\dfrac{32}{9}=\dfrac{8}{9}$

따라서 $a=8$, $b=9$이므로

$a+b=8+9=17$

답 ②

7-1

$7\left(\dfrac{1}{10}+\dfrac{1}{10^2}+\dfrac{1}{10^3}+\cdots\right)$을 계산하여 순환소수로 나타내면?

① $0.00\dot7$ ② $0.00\dot7$ ③ $0.0\dot7$

④ $0.0\dot7$ ⑤ $0.\dot7$

7-2

다음 대화를 읽고 x의 값을 구하시오.

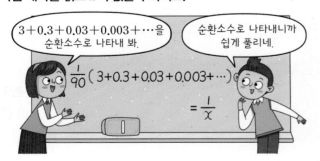

핵심 예제 8

$\dfrac{6}{11}=x+0.\dot2\dot1$을 만족시키는 x의 값을 순환소수로 나타내면?

① $0.00\dot3$ ② 0.03 ③ $0.0\dot3$

④ 0.3 ⑤ $0.\dot3$

전략

1 순환소수 $0.\dot2\dot1$을 기약분수로 바꾼 후 x의 값을 기약분수로 나타낸다.

2 1 에서 구한 기약분수를 순환소수로 나타낸다.

풀이

$\dfrac{6}{11}=x+0.\dot2\dot1$에서 $0.\dot2\dot1=\dfrac{21}{99}=\dfrac{7}{33}$이므로

$\dfrac{6}{11}=x+\dfrac{7}{33}$

$\therefore x=\dfrac{6}{11}-\dfrac{7}{33}=\dfrac{11}{33}=\dfrac{1}{3}=0.333\cdots=0.\dot3$

답 ⑤

8-1

$\dfrac{17}{30}=x+0.0\dot1$을 만족시키는 x의 값을 순환소수로 나타내면?

① $0.\dot3$ ② $0.\dot5$ ③ $0.3\dot5$

④ $0.3\dot5$ ⑤ $0.\dot30\dot5$

8-2

$\dfrac{7}{18}=x-0.1\dot5$를 만족시키는 x의 값을 순환소수로 나타내면?

① $0.5\dot4$ ② $0.5\dot4$ ③ $0.\dot5$

④ $0.5\dot6$ ⑤ $0.5\dot6$

1 순환소수 $0.2\dot{6}3\dot{5}$에서 소수점 아래 111번째 자리의 숫자를 구하시오.

Tip

소수점 아래 111번째 자리까지 순환마디의 숫자인 6, 3, ❶〇〇〇〇가 몇 번 반복되는지 생각한다. 이때 소수점 아래 첫 번째 자리의 숫자 ❷〇〇〇는 순환하지 않는다.

답 ❶ 5 ❷ 2

소수점 아래 첫 번째 자리의 숫자 2는 순환하지 않으므로 구하려는 숫자는 순환하는 부분의 110번째 숫자와 같아.

2 분수 $\dfrac{33}{5^2 \times 11 \times 13}$에 어떤 자연수 x를 곱하면 유한소수로 나타낼 수 있다고 할 때, 이를 만족시키는 두 자리의 자연수 x의 개수를 구하시오.

Tip

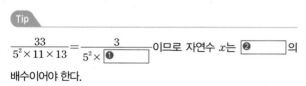

$\dfrac{33}{5^2 \times 11 \times 13} = \dfrac{3}{5^2 \times ❶\boxed{}}$이므로 자연수 x는 ❷〇〇〇의 배수이어야 한다.

답 ❶ 13 ❷ 13

3 다음 대화를 읽고 선생님의 질문에 답하시오.

Tip

먼저 두 분수의 분모를 각각 ❶〇〇〇〇〇하고 두 분수의 분모의 소인수가 ❷〇〇〇 또는 5만 남도록 하는 n의 값을 구한다.

답 ❶ 소인수분해 ❷ 2

4 분수 $\dfrac{x}{42}$를 소수로 나타내면 유한소수이고, 기약분수로 나타내면 $\dfrac{3}{y}$이다. x가 $50 < x < 70$인 자연수일 때, $x+y$의 값을 구하시오.

Tip

$\dfrac{x}{42} = \dfrac{x}{2 \times 3 \times 7}$이므로 x는 3과 7의 공배수인 ❶〇〇〇의 배수이다.

또 $\dfrac{x}{42} = \dfrac{3}{y}$이므로 x는 3의 배수이다.

따라서 x는 21과 3의 공배수인 ❷〇〇〇의 배수이다.

답 ❶ 21 ❷ 21

5 $0.\dot{5}\dot{4}=\dfrac{A}{11}$, $0.3\dot{2}\dot{7}=\dfrac{18}{B}$일 때, $\dfrac{B}{A}$를 순환소수로 나타내시오. (단, A, B는 자연수)

> **Tip**
>
> $0.\dot{5}\dot{4}$와 $0.3\dot{2}\dot{7}$을 각각 [❶   ]로 나타내어 A, [❷   ]의 값을 각각 구한다.
>
> **답** ❶ 기약분수 ❷ B

---

6 다음은 어떤 기약분수 $\dfrac{a}{b}$를 순환소수로 나타내는 문제에 대한 미주와 건이의 대화이다. 이때 기약분수 $\dfrac{a}{b}$를 순환소수로 바르게 나타내시오.

> **Tip**
>
> 미주는 [❶   ]를 제대로 보았고, 건이는 [❷   ]를 제대로 보았다.
>
> **답** ❶ 분자 ❷ 분모

---

7 다음은 $\dfrac{3}{10}+\dfrac{2}{10^3}+\dfrac{2}{10^5}+\dfrac{2}{10^7}+\cdots$ 을 계산하여 기약분수로 나타내는 과정이다. □ 안에 알맞은 것은?

> $x=\dfrac{3}{10}+\dfrac{2}{10^3}+\dfrac{2}{10^5}+\dfrac{2}{10^7}+\cdots$라 하자.
>
> x를 소수로 나타내면 $x=\boxed{①}$, 즉 $\boxed{②}$이므로 분수로 나타낼 수 있다. $\boxed{③}\,x-10x$의 값을 이용하여 기약분수로 나타내면
>
> $x=\dfrac{\boxed{⑤}}{\boxed{④}}$

① $0.3\dot{2}$ ② 유한소수

③ 100 ④ 999

⑤ 299

> **Tip**
>
> $\dfrac{3}{10}=0.3$, $\dfrac{2}{10^3}=$ [❶   ], $\dfrac{2}{10^5}=0.00002$,
>
> $\dfrac{2}{10^7}=0.0000002$, $\cdots$이므로 이를 이용하여 x를 [❷   ]로 나타낸다.
>
> **답** ❶ 0.002 ❷ 순환소수

---

8 $\dfrac{3}{4}<0.\dot{x}<\dfrac{5}{6}$를 만족시키는 자연수 x의 값을 구하시오.

> **Tip**
>
>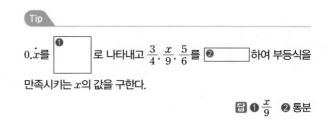
>
> $0.\dot{x}$를 [❶ □]로 나타내고 $\dfrac{3}{4}$, $\dfrac{x}{9}$, $\dfrac{5}{6}$를 [❷   ]하여 부등식을 만족시키는 x의 값을 구한다.
>
> **답** ❶ $\dfrac{x}{9}$ ❷ 통분

핵심 예제 ①

다음 중 옳은 것을 모두 고르면? (정답 2개)

① $x^8 \div x^4 = x^2$ 　　② $x^3 \times x^4 = x^{12}$

③ $\left(\dfrac{x^3}{-2y^2}\right)^3 = -\dfrac{x^9}{8y^6}$ 　④ $(x^2)^4 \div (x^5)^3 = x^7$

⑤ $(y^3)^2 \times (x^5)^2 \times (y^4)^2 = x^{10}y^{14}$

전략

$m < n$인 자연수 m, n에 대하여 $a^m \div a^n = \dfrac{1}{a^{n-m}}$임에 주의한다.

풀이

① $x^8 \div x^4 = x^{8-4} = x^4$

② $x^3 \times x^4 = x^{3+4} = x^7$

③ $\left(\dfrac{x^3}{-2y^2}\right)^3 = \dfrac{(x^3)^3}{(-2)^3 \times (y^2)^3} = -\dfrac{x^9}{8y^6}$

④ $(x^2)^4 \div (x^5)^3 = x^8 \div x^{15} = \dfrac{1}{x^{15-8}} = \dfrac{1}{x^7}$

⑤ $(y^3)^2 \times (x^5)^2 \times (y^4)^2 = y^6 \times x^{10} \times y^8 = x^{10} \times y^{6+8} = x^{10}y^{14}$

따라서 옳은 것은 ③, ⑤이다.

답 ③, ⑤

1-1

다음 중 옳은 것은?

① $x^2 \times (x^3 \times x^4) = x^{24}$ 　② $a^2 \div (a \times a^5) = a^6$

③ $\left(-\dfrac{a^2}{b^5}\right)^5 = -\dfrac{a^{10}}{b^{25}}$ 　④ $(3x^2y)^3 = 3x^6y^3$

⑤ $x^4 \div (x^5 \div x^3) = \dfrac{1}{x^4}$

1-2

$\left(-\dfrac{2x^a}{y^3}\right)^b = \dfrac{cx^{21}}{y^9}$일 때, $a+b+c$의 값을 구하시오.

(단, a, b, c는 상수)

핵심 예제 ②

$2^x \times 16 = 2^{12}, \ 3^y \div 9 = 3^{10}$일 때, $x+y$의 값은?

(단, x, y는 자연수)

① 18　　② 19　　③ 20

④ 21　　⑤ 22

전략

$16 = 2^4$이므로 $2^x \times 16$은 2의 거듭제곱으로 나타내고 $9 = 3^2$이므로 $3^y \div 9$는 3의 거듭제곱으로 나타낸다.

풀이

$2^x \times 16 = 2^x \times 2^4 = 2^{x+4} = 2^{12}$이므로

$x + 4 = 12$　　∴ $x = 8$

$3^y \div 9 = 3^y \div 3^2 = 3^{y-2} = 3^{10}$이므로

$y - 2 = 10$　　∴ $y = 12$

∴ $x + y = 8 + 12 = 20$

답 ③

2-1

다음 대화를 읽고 $4^{x+1} = 2^6, \ 8^x = 2^y$일 때, $x+y$의 값을 구하시오. (단, x, y는 자연수)

핵심 예제 ❸

$3^3+3^3+3^3=3^a$, $3^3 \times 3^3 \times 3^3=3^b$일 때, $a+b$의 값을 구하시오. (단, a, b는 자연수)

전략

★ $\underbrace{3^3 + 3^3 + 3^3}_{3개} = \boxed{3} \times 3^3$

★ $3^3 \times 3^3 \times 3^3 = 3^{3+3+3}$

지수 법칙

풀이

$3^3+3^3+3^3=3 \times 3^3=3^4$이므로 $a=4$

$3^3 \times 3^3 \times 3^3=3^{3+3+3}=3^9$이므로 $b=9$

$\therefore a+b=4+9=13$

답 13

3-1

$9^3+9^3+9^3=3^a$일 때, 자연수 a의 값은?

① 3   ② 4   ③ 5

④ 6   ⑤ 7

3-2

$2^4+2^4+2^4+2^4=2^a$, $3^b+3^b+3^b=3^5$, $(7^2)^3=7^c$일 때, $a+b-c$의 값을 구하시오. (단, a, b, c는 자연수)

핵심 예제 ❹

$2^3=A$라 할 때, 64^2을 A를 사용하여 나타내면?

① A^2 ② $3A^2$ ③ A^3

④ A^4 ⑤ $3A^4$

전략

1 64를 2의 거듭제곱으로 나타낸다.

2 $(a^m)^n=(a^n)^m$임을 이용하여 64^2을 A를 사용하여 나타낸다.

풀이

$64^2=(2^6)^2=2^{12}=(2^3)^4=A^4$

답 ④

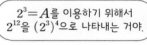
$2^3=A$를 이용하기 위해서 2^{12}을 $(2^3)^4$으로 나타내는 거야.

4-1

27을 3의 거듭제곱으로 나타내 봐.

$3^4=A$라 할 때, 27^8을 A를 사용하여 나타내면?

① A^2 ② A^3 ③ A^6

④ $3A^4$ ⑤ $2A^5$

4-2

$A=2^{x+1}$일 때, 16^x을 A를 사용하여 나타내면?

① $\dfrac{A^2}{8}$ ② $\dfrac{A^4}{8}$ ③ $\dfrac{A^3}{16}$

④ $\dfrac{A^4}{16}$ ⑤ $\dfrac{A^4}{32}$

핵심 예제 **5**

$4^9 \times 5^{13}$이 n자리의 자연수일 때, n의 값은?

① 13   ② 14   ③ 15

④ 16   ⑤ 17

전략

1️⃣ 4^9을 2의 거듭제곱으로 나타낸다.

➡ $4^9 = (2^2)^9 = 2^{18}$

2️⃣ 2의 지수는 18, 5의 지수는 13이므로 2와 5의 지수를 모두 13으로 같게 묶는다.

3️⃣ $4^9 \times 5^{13}$을 $a \times 10^{13}$ (a는 자연수) 꼴로 나타낸다.

풀이

$$\begin{aligned} 4^9 \times 5^{13} &= (2^2)^9 \times 5^{13} = 2^{18} \times 5^{13} \\ &= 2^5 \times 2^{13} \times 5^{13} \\ &= 2^5 \times (2^{13} \times 5^{13}) \\ &= 2^5 \times (2 \times 5)^{13} = 32 \times 10^{13} \end{aligned}$$

따라서 $4^9 \times 5^{13}$은 15자리의 자연수이므로 $n = 15$

답 ③

5-1

다음 대화를 읽고 n의 값을 구하시오.

핵심 예제 **6**

$6x^3y^4 \div 3x^4y^2 \times (-2xy)^2$을 간단히 하면?

① $-16xy^4$ ② $-8xy^4$ ③ $8xy^4$

④ $8x^2y^4$ ⑤ $16x^2y^4$

전략

1️⃣ 지수법칙을 이용하여 거듭제곱을 간단히 한다.

2️⃣ 계수는 계수끼리, 문자는 문자끼리 계산한다. 이때 나눗셈은 역수의 곱셈으로 바꾼다.

풀이

$$\begin{aligned} 6x^3y^4 \div 3x^4y^2 \times (-2xy)^2 &= 6x^3y^4 \times \frac{1}{3x^4y^2} \times 4x^2y^2 \\ &= 8xy^4 \end{aligned}$$

답 ③

(음수)² = (음수)이므로 ― 부호는 사라져.

6-1

다음 중 옳지 **않은** 것은?

① $2x^3 \times (-4y) = -8x^3y$

② $2x \times (-3x)^2 = 18x^3$

③ $8a^4 \div 4a^2b = \dfrac{2a^2}{b}$

④ $-2ab \div \dfrac{1}{3}a = -6a^2b$

⑤ $18b^3 \times \dfrac{1}{2}a^2b^3 \div ab^2 = 9ab^4$

6-2

$\dfrac{1}{3}x^4y^A \times 9x^By^2 \div 6x^3y^3 = Cx^6y$일 때, ABC의 값을 구하시오.

(단, A, B, C는 상수)

핵심 예제 7

다음 ☐ 안에 알맞은 식을 구하시오.

$$(4x^5y)^2 \div \boxed{} \times (-3x^2y^4) = 8x^4y^3$$

전략

$A \div \boxed{} \times B = C \Rightarrow A \times \dfrac{1}{\boxed{}} \times B = C \Rightarrow \boxed{} = A \times B \times \dfrac{1}{C}$

풀이

$(4x^5y)^2 \div \boxed{} \times (-3x^2y^4) = 8x^4y^3$에서

$(4x^5y)^2 \times \dfrac{1}{\boxed{}} \times (-3x^2y^4) = 8x^4y^3$

$\therefore \boxed{} = (4x^5y)^2 \times (-3x^2y^4) \div 8x^4y^3$

$\qquad = 16x^{10}y^2 \times (-3x^2y^4) \times \dfrac{1}{8x^4y^3} = -6x^8y^3$

답 $-6x^8y^3$

7-1

$-24x^3y \div 12xy^2 \times \boxed{} = 8x^2y^3$일 때, ☐ 안에 알맞은 식은?

① $-4y^4$ ② $-\dfrac{1}{4y^4}$ ③ $\dfrac{1}{4y^4}$

④ y^4 ⑤ $4y^4$

7-2

$(4x^2y)^3 \times \dfrac{x}{y^2} \div \boxed{} = (2x^2y)^2$일 때, ☐ 안에 알맞은 식은?

① $\dfrac{8x}{y}$ ② $\dfrac{16x}{y}$ ③ $\dfrac{16x^3}{y}$

④ $\dfrac{y}{16x^3}$ ⑤ $16x^3y$

핵심 예제 8

오른쪽 그림과 같이 밑면인 원의 반지름의 길이가 a^3b인 원기둥의 부피가 $8\pi a^8b^3$일 때, 이 원기둥의 높이를 구하시오.

전략

(원기둥의 부피)=(밑넓이)×(높이)임을 이용한다.

풀이

원기둥의 높이를 h라 하면

$\pi \times (a^3b)^2 \times h = 8\pi a^8b^3$에서

$\pi a^6b^2h = 8\pi a^8b^3$

$\therefore h = \dfrac{8\pi a^8b^3}{\pi a^6b^2} = 8a^2b$

답 $8a^2b$

8-1

민준이는 택배로 다음 그림과 같은 직육면체 모양의 상자를 받았다. 밑면의 가로의 길이가 $2x^2y$, 세로의 길이가 xy^2인 상자의 부피가 $9x^5y^3$일 때, 이 상자의 높이는?

이 상자의 부피가 $9x^5y^3$이면 높이는 얼마지?

① $\dfrac{9}{2}x$ ② $9x$ ③ $\dfrac{9}{2}x^2$

④ $\dfrac{9x}{2y}$ ⑤ $\dfrac{9x^2}{2y}$

1 다음 중 □ 안에 들어갈 수가 가장 큰 것은?

① $x^2 \times x^3 \times x^{\square} = x^8$ ② $(x^{\square} y^2)^4 = x^{12} y^8$

③ $\left(\dfrac{y^{\square}}{x^3}\right)^3 = \dfrac{y^{15}}{x^9}$ ④ $(x^{\square})^2 \times (x^3)^2 = x^{14}$

⑤ $x^5 \times x^4 \div x^{\square} = x^3$

> **Tip**
>
> 지수법칙을 이용하여 **❶** 을 정리한 후 **❷** 과 비교한다.
>
> 답 ❶ 좌변 ❷ 우변

2 $3^{x+1} \times 9^{x-1} = 81^{x-2}$일 때, 자연수 x의 값을 구하시오.

> **Tip**
>
> 좌변과 우변을 모두 **❶** 의 거듭제곱으로 나타낸 후 좌변의 지수와 우변의 **❷** 를 비교한다.
>
> 답 ❶ 3 ❷ 지수

9, 81 모두
3의 거듭제곱으로
나타낼 수 있어.

3 다음 대화를 읽고

$1 \times 2 \times 3 \times 4 \times 5 \times 6 \times 7 \times 8 = 2^a \times 3^b \times 5^c \times 7^d$

일 때, $a+b+c+d$의 값을 구하시오.

> **Tip**
>
> $1 \times 2 \times 3 \times 4 \times 5 \times 6 \times 7 \times 8$에서 2, 3, **❶** , 7이 몇 개씩 곱해져 있는지 구하기 위해 4, 6, **❷** 을 소인수분해한다.
>
> 답 ❶ 5 ❷ 8

4 $\dfrac{3^6}{2^3+2^3+2^3} \times \dfrac{8^3+8^3}{3^5+3^5+3^5+3^5}$ 을 간단히 하면?

① 2^4 ② 2^5 ③ 2^6

④ 3^4 ⑤ 3^5

> **Tip**
>
> 먼저 덧셈식을 곱셈식으로 바꾼 후 지수법칙을 이용하여 **❶** 의 거듭제곱과 **❷** 의 거듭제곱으로 나타낸다.
>
> 답 ❶ 2 ❷ 3

5 $A = 2^8 \times 3^2 \times 5^6$에 대하여 다음 물음에 답하시오.

(1) A를 $a \times 10^n$ 꼴로 나타낼 때, n의 최댓값과 그때의 a의 값을 각각 구하시오. (단, a, n은 자연수)

(2) A는 몇 자리의 자연수인지 구하시오.

Tip

2와 5의 지수를 **❶** 으로 같게 묶어 $a \times 10^n$ 꼴로 나타낸다.
이때 A의 **❷** 는 (a의 자릿수)$+n$이다.

답 **❶** 6 **❷** 자릿수

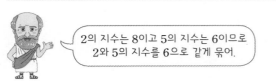

2의 지수는 8이고 5의 지수는 6이므로
2와 5의 지수를 6으로 같게 묶어.

6 $(-2xy^3)^3 \div \left(-\dfrac{1}{27}x^3y\right) \times \left(\dfrac{x^2}{3y^3}\right)^2$을 간단히 하면

Ax^By^C일 때, $A-B-C$의 값을 구하시오.

(단, A, B, C는 상수)

Tip

$(-2xy^3)^3$과 $\left(\dfrac{x^2}{3y^3}\right)^2$의 **❶** 을 계산하고

❷ 은 역수의 곱셈으로 바꾼 후 차례대로 계산한다.

답 **❶** 거듭제곱 **❷** 나눗셈

7 $(4x^5y)^2 \div \boxed{} \times (-3x^2y^4) = 8x^4y^3$일 때, $\boxed{}$ 안에 알맞은 식은?

① $-6x^8y^3$ ② $-6x^6y^2$ ③ $-4x^6y^3$

④ $4x^6y^3$ ⑤ $6x^8y^2$

Tip

$A \div \boxed{} \times B = C$에서 $\boxed{} = A \times B \times \dfrac{1}{\boxed{\textbf{❶}}}$

답 **❶** C

8 다음 대화를 읽고 민호가 남긴 물의 높이를 구하시오. (단, 컵은 원기둥 모양이고, 컵의 두께는 생각하지 않는다.)

Tip

(원기둥의 **❶**)=(밑넓이)$\times$(**❷**)임을 이용한다.

답 **❶** 부피 **❷** 높이

01 다음 대화를 읽고 선생님의 질문에 답하시오.

02 순환소수 $0.1\dot{0}\dot{7}$의 소수점 아래 첫 번째 자리의 숫자부터 소수점 아래 100번째 자리의 숫자까지의 합은?

① 263 ② 264 ③ 265
④ 266 ⑤ 267

03 분수 $\dfrac{21}{2^3 \times 5^2 \times a}$을 순환소수로만 나타낼 수 있을 때, a의 값이 될 수 있는 것은?

① 2 ② 3 ③ 6
④ 7 ⑤ 9

04 다음 중 순환소수 $x = 1.3222\cdots$에 대하여 바르게 이야기한 학생을 모두 말하시오.

05 $0.1 + 0.06 + 0.006 + 0.0006 + \cdots$을 계산하여 기약분수로 나타내면 $\dfrac{a}{b}$일 때, $a + b$의 값은?

① 5 ② 7 ③ 15
④ 35 ⑤ 105

06 다음 중 계산 결과가 나머지 넷과 <u>다른</u> 하나는?

① $a^9 \div a^6$ ② $a \times a^2$

③ $a^5 \div (a^7 \div a^5)$ ④ $(a^2)^3 \div (a^3)^3$

⑤ $(a^3)^5 \div (a^2)^4 \div (a^2)^2$

08 다음 중 옳지 <u>않은</u> 것은?

① $6x^4y^2 \div 3x^2y^3 = \dfrac{2x^2}{y}$

② $12x^4 \div 4x \div \dfrac{x^2}{3} = 9x$

③ $x^2 \times y \div (-xy) = -x$

④ $-12x^3y^2 \div 3x \times 2y = -8x^2y^3$

⑤ $x^2y^2 \times 4x \div (-2xy)^2 = \dfrac{1}{x}$

07 $4^5 \times 4^5 \times 4^5 = 4^x$, $4^5 + 4^5 + 4^5 + 4^5 = 4^y$일 때, $x+y$의 값을 구하시오.

밑이 같은 수를 곱하니까 지수법칙을 이용해.

$4^5 \times 4^5 \times 4^5$

같은 수를 4번 더하면 $4 \times$(더한 수)야.

$4^5 + 4^5 + 4^5 + 4^5$

09 어떤 식 A에 $-\dfrac{3}{2}a^3b^2$을 곱해야 할 것을 잘못하여 나누었더니 $10b$가 되었다. 이때 바르게 계산한 식을 구하시오.

10 다음 그림에서 정사각형의 넓이와 삼각형의 넓이가 서로 같을 때, 삼각형의 높이를 구하시오.

$6a^4b$

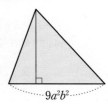

$9a^2b^2$

1 다음과 같이 0부터 9까지의 숫자에 각각 색을 지정하고 그 색과 같은 색종이를 이어 붙여 색 띠를 만들려고 한다. 물음에 답하시오.

0	1	2	3	4	5	6	7	8	9
검정	빨강	주황	노랑	초록	파랑	남색	보라	분홍	회색

(1) 오른쪽 그림은 분수 $\frac{1}{8}$ 을 소수로 나타낼 때, 소수점 아래 첫 번째 자리에서부터 나타나는 숫자를 이용해 만든 색 띠이다. 분수 $\frac{5}{16}$ 를 소수로 나타낼 때, 소수점 아래 첫 번째 자리에서부터 나타나는 숫자를 이용해 색 띠를 만드시오.

빨강 주황 파랑

(2) 분수 $\frac{6}{11}$ 을 소수로 나타낼 때, 소수점 아래 첫 번째 자리에서부터 나타나는 숫자를 이용해 색 띠를 만드시오.

(3) 0과 1 사이에 있는 어떤 기약분수 x 를 소수로 나타낼 때, 소수점 아래 첫 번째 자리에서부터 나타나는 숫자를 이용해 다음과 같은 색 띠를 만들었다. 이때 x 의 값을 구하시오.

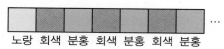

노랑 회색 분홍 회색 분홍 회색 분홍

2 분수 $\frac{5}{11}$ 를 $\frac{5}{11} = \frac{a_1}{10} + \frac{a_2}{10^2} + \frac{a_3}{10^3} + \cdots$ 로 나타낼 때, $x = a_1 + a_2 + a_3 + \cdots + a_{41}$ 이라 하자. 다음 그림과 같이 각 칸에 0부터 9까지의 숫자가 적혀 있는 숫자판의 바늘이 0에서 출발하여 시곗바늘이 도는 방향으로 x 칸 회전하였을 때, 바늘이 가리키는 숫자를 구하시오.

(단, $a_1, a_2, a_3, \cdots$ 은 한 자리의 자연수)

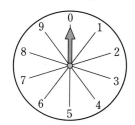

규칙성을 발견하면 $a_1, a_2, \cdots, a_{41}$ 의 값을 쉽게 구할 수 있지.

3 상아네 반 친구들이 소풍날 버스에서 같이 앉을 짝꿍을 정하려고 한다. 여학생들이 먼저 분수가 쓰여 있는 제비를 한 장씩 뽑고, 남학생들은 순환소수가 쓰여 있는 제비를 한 장씩 뽑아 자신과 같은 수가 쓰여 있는 제비를 뽑은 여학생을 찾아 짝꿍이 되기로 하였다. 다음 대화를 읽고 짝꿍을 정하시오.

Tip

남학생들이 들고 있는 순환소수를 **❶** ⬚ 로 바꾸어 같은 수를 들고 있는 **❷** ⬚ 을 찾는다.

답 **❶** 분수 **❷** 여학생

4 민수가 주어진 길을 따라갈 때, 갈림길에서 큰 수가 적힌 깃발이 있는 길을 따라 이동하려고 한다. 민수가 도착하게 되는 장소는 어디인지 구하시오.

Tip

$0.\dot{7}$과 **❶** ⬚ 의 크기를 **❷** ⬚ 하여 갈림길에서 방향을 정한다.

답 **❶** $0.7\dot{0}$ **❷** 비교

5 다음은 기원전 1800년경 이집트의 수학자 아메스가 쓴 세계에서 가장 오래된 수학책인 "파피루스"에 실려 있는 문제이다. 물음에 답하시오.

> 세 집의 각 처마마다 세 마리의 고양이가 살고 있고,
> 각각의 고양이는 생쥐 세 마리를 붙들고 있다.
> 또 각각의 생쥐는 보리 이삭 세 개를 붙들고 있고,
> 각각의 이삭에는 세 알의 보리 낱알이 달려 있다.

(1) 생쥐의 수를 거듭제곱으로 나타내시오.

(2) 보리 이삭의 수와 보리 낱알의 수를 각각 거듭제곱으로 나타내시오.

(3) 보리 낱알을 생쥐에게 똑같이 나누어 준다면 몇 알씩 나누어 주어야 하는지 구하시오.

> **Tip**
>
> 생쥐, 보리 이삭, 보리 **❶**⬚ 의 수를 각각 **❷**⬚ 의 거듭제곱으로 나타낸다.
>
> 답 ❶ 낱알 ❷ 3

6 다음은 컴퓨터에서 데이터 양의 단위에 대한 설명이다. $a \sim e$에 들어갈 수로 옳은 것은?

(단, ≒는 어림한 값을 나타낸다.)

바이트	킬로바이트	메가바이트	기가바이트	테라바이트
1 B $\xrightarrow{\times 2^{10}}$	**1 KB** $\xrightarrow{\times 2^{10}}$	**1 MB** $\xrightarrow{\times 2^{10}}$	**1 GB** $\xrightarrow{\times 2^{10}}$	**1 TB**

2^{10}에 가장 가까운 10의 거듭제곱은 a이므로

$$2^{10} ≒ 10^b \qquad \cdots\cdots \text{㉠}$$

$1\,\text{GB} = 2^c\,\text{KB}$이고, ㉠을 이용하면

$$1\,\text{GB} ≒ 10^d\,\text{KB} \qquad \cdots\cdots \text{㉡}$$

한편 최근 국내 연구진이 세계 최초로 500 TB를 저장할 수 있는 반도체 소재를 발견하였다. 이때 500 TB 용량을 ㉠, ㉡을 이용하여 설명하면

$$500\,\text{TB} ≒ 5 \times 10^e\,\text{KB}$$

① $a = 10000$ ② $b = 2$ ③ $c = 30$
④ $d = 9$ ⑤ $e = 11$

> **Tip**
>
> $2^{10} = 1024$이므로 **❶**⬚ 에 가장 가까운 **❷**⬚ 의 거듭제곱을 찾는다.
>
> 답 ❶ 1024 ❷ 10

7 진이는 단항식의 곱셈 또는 나눗셈의 계산을 이용하여 다음과 같은 단항식 미로를 통과하려고 한다. 출발점인 x^3y^2에서부터 시작하여 빨간색으로 표시된 경로를 따라 곱셈 또는 나눗셈의 계산을 수행하면서 미로를 지나갈 때, 도착점에서 얻을 수 있는 식은?

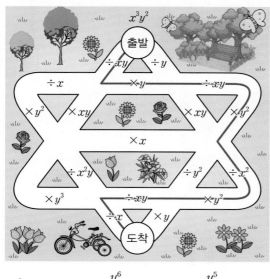

① x^2y ② $\dfrac{y^6}{x}$ ③ $\dfrac{y^5}{x^3}$

④ $\dfrac{y^4}{x^3}$ ⑤ x^2y^2

8 다음 대화를 읽고 □ 안에 알맞은 수를 구하시오.

개념 01 다항식의 덧셈과 뺄셈

(1) **다항식의 덧셈과 뺄셈**

  1 괄호를 푼다. 이때 뺄셈은 빼는 식의 각 항의 부호를 바꾸어 더한다.

  2 ❶   끼리 모아서 간단히 한다.

(2) **여러 가지 괄호가 있는 식의 계산**

  (소괄호) ➡ {중괄호} ➡ [❷   ]의 순서로 괄호를 푼다.

  답 ❶ 동류항 ❷ 대괄호

확인 01 다음 식을 간단히 하시오.

(1) $3(x+2y)-2(x-y)$

(2) $4x-[2y-\{3x-(2x+7y)\}]$

개념 02 이차식의 덧셈과 뺄셈

(1) **이차식**: x에 대한 다항식의 각 항의 차수 중 가장 큰 차수가 2인 다항식

(2) **이차식의 덧셈과 뺄셈**

  1 괄호를 푼다. 이때 뺄셈은 빼는 식의 각 항의 부호를 바꾸어 더한다.

  2 이차항은 이차항끼리, 일차항은 ❶   끼리, 상수항은 ❷   끼리 모아서 간단히 한다.

  답 ❶ 일차항 ❷ 상수항

확인 02 $3(x^2+2x+4)-(4x^2-3x-5)$를 간단히 하시오.

개념 03 단항식과 다항식의 곱셈

분배법칙을 이용하여 식을 전개한다.

➡ $A(B+C+D)=AB+AC+$ ❶ $\boxed{}$

$(A+B+C)D=AD+$ ❷ $\boxed{}+CD$

  답 ❶ AD ❷ BD

확인 03 $-2x(5x+y-1)=ax^2+bxy+cx$일 때, $a+b+c$의 값을 구하시오. (단, a, b, c는 상수)

개념 04 다항식과 단항식의 나눗셈

방법1 분수 꼴로 바꾸어 계산한다.

➡ $(A+B)\div D=\dfrac{A+B}{D}$

$=\dfrac{A}{D}+$ ❶ $\boxed{}$

방법2 나눗셈을 역수의 곱셈으로 바꾸어 계산한다.

➡ $(A+B)\div D=(A+B)\times$ ❷ $\boxed{}$

$=A\times\dfrac{1}{D}+B\times\dfrac{1}{D}$

  답 ❶ $\dfrac{B}{D}$ ❷ $\dfrac{1}{D}$

확인 04 $(6x^2y-3xy)\div(-3xy)$를 간단히 하시오.

개념 05 식의 값

1 주어진 식을 계산한다.

2 계산한 식의 문자에 주어진 수를 [❶   ]하여 식의 값을 구한다. 이때 대입하는 수가 음수인 경우에는 [❷   ]로 묶어서 대입한다.

답 ❶ 대입 ❷ 괄호

확인 05 $x=-1$, $y=1$일 때, $3x^2-8xy-2y^2$의 값을 구하시오.

개념 06 부등식의 뜻

부등식 : 부등호 $>$, [❶   ], $\leq$, $\geq$를 사용하여 수 또는 식의 [❷   ]를 나타낸 식

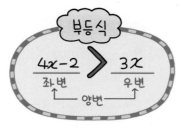

답 ❶ $<$ ❷ 대소 관계

확인 06 다음 보기 중 부등식인 것을 모두 고르시오.

┌ 보기 ┐
ㄱ $2x-7<3$ ㄴ $6x+4=-8$
ㄷ $-1<x\leq7$ ㄹ $7>4$
ㅁ $3x-2$ ㅂ $4+x>x+1$

개념 07 부등식의 해

$x=a$가 부등식의 해이다.

➡ $x=$[❶   ]를 부등식에 [❷   ]하면 부등식이 성립한다.

답 ❶ a ❷ 대입

확인 07 다음 부등식 중 $x=2$가 해인 것은?

① $x-2>0$ ② $3-x<0$ ③ $3x\leq5$
④ $-3x+1\geq0$ ⑤ $-5+4x\geq3$

개념 08 부등식의 성질

(1) $a<b$이면 $a+c<b+c$, $a-c$[❶   ]$b-c$

(2) $a<b$, $c>0$이면 $ac<bc$, $\dfrac{a}{c}<\dfrac{b}{c}$

(3) $a<b$, $c<0$이면 ac[❷   ]bc, $\dfrac{a}{c}$[❸   ]$\dfrac{b}{c}$

 부등식의 성질은 부등호가 $>$, $\leq$, $\geq$일 때에도 모두 성립해.

답 ❶ $<$ ❷ $>$ ❸ $>$

확인 08 $a>b$일 때, 다음 ☐ 안에 들어갈 부등호의 방향이 나머지 넷과 다른 하나는?

① $4a$☐$4b$ ② $-3a$☐$-3b$
③ $a+3$☐$b+3$ ④ $a-5$☐$b-5$
⑤ $\dfrac{2}{3}a-1$☐$\dfrac{2}{3}b-1$

개념 09 식의 값의 범위 구하기

$a < x \le b$일 때

(1) p ❶ [   ] 0이면 $pa < px \le pb$

(2) $p < 0$이면 $pb \le$ ❷ [   ] $< pa$

답 ❶ > ❷ px

확인 09 $-1 < x \le 2$일 때, $2x+1$의 값의 범위를 구하시오.

개념 10 일차부등식

일차부등식 : 부등식의 모든 항을 좌변으로 ❶ [   ] 하여 정리하였을 때

(일차식) < 0, (일차식) > 0, (일차식) ≤ 0, (일차식) ≥ 0 중 어느 하나의 꼴로 나타나는 ❷ [   ]

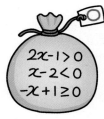

답 ❶ 이항 ❷ 부등식

확인 10 다음 중 일차부등식인 것은?

① $x+7=0$ ② $3x \ge 12$

③ $2x-1 < 13+2x$ ④ $5x-2 \le x^2$

⑤ $x^2-2x+1 = x^2-3$

개념 11 일차부등식의 풀이

❶ 미지수 x를 포함한 항은 좌변으로, 상수항은 ❶ [   ] 으로 이항한다.

❷ 양변을 정리하여 $ax < b$, $ax > b$, $ax \le b$, $ax \ge b$ $(a \ne 0)$ 중 어느 하나의 꼴로 만든다.

❸ 양변을 x의 계수 a로 나눈다. 이때 a가 ❷ [   ] 이면 부등호의 방향이 바뀐다.

답 ❶ 우변 ❷ 음수

확인 11 부등식 $3x+5 \le x+9$를 만족시키는 모든 자연수 x의 값의 합을 구하시오.

개념 12 복잡한 일차부등식의 풀이

(1) 괄호가 있으면 ❶ [   ] 법칙을 이용하여 괄호를 먼저 푼다.

참고 $a(b+c) = ab+ac$, $a(b-c) = ab-ac$

(2) 계수가 소수이면 양변에 10의 거듭제곱을 곱하여 계수를 모두 정수로 바꾼 후 푼다.

(3) 계수가 분수이면 양변에 분모의 최소공배수를 곱하여 계수를 모두 ❷ [   ] 로 바꾼 후 푼다.

답 ❶ 분배 ❷ 정수

확인 12 다음 부등식을 푸시오.

(1) $3(x+2) < 2(x+3)$

(2) $0.5x+0.2 < x-0.1$

(3) $\dfrac{x}{3}+1 \ge \dfrac{2}{5}x - \dfrac{3}{5}$

개념 ⑬ 수에 대한 일차부등식의 활용

(1) 차가 a인 두 정수

➡ x, $x+a$ 또는 $x-a$, ❶ ⬚

(2) 연속하는 세 정수

➡ $x-1$, ❷ ⬚, $x+1$ 또는 x, $x+1$, $x+2$

답 ❶ x ❷ x

확인 ⑬ 차가 4인 두 정수의 합이 12보다 작다고 한다. 두 정수 중 작은 수를 x라 할 때, x의 최댓값을 구하시오.

개념 ⑮ 도형에 대한 일차부등식의 활용

(1) (직사각형의 둘레의 길이)

= 2 × {(가로의 길이)+(세로의 길이)}

(2) (삼각형의 넓이)=$\dfrac{1}{2}$×(밑변의 길이)×(❶ ⬚)

(3) (사다리꼴의 넓이)

= ❷ ⬚ × {(윗변의 길이)+(아랫변의 길이)}

×(높이)

답 ❶ 높이 ❷ $\dfrac{1}{2}$

확인 ⑮ 윗변의 길이가 7 cm이고 높이가 4 cm인 사다리꼴이 있다. 이 사다리꼴의 넓이가 40 cm² 이상이 되게 하려면 사다리꼴의 아랫변의 길이는 몇 cm 이상이어야 하는지 구하시오.

개념 ⑭ 평균에 대한 일차부등식의 활용

(1) 두 수 a, b의 평균 ➡ $\dfrac{❶ \boxed{}}{2}$

(2) 세 수 a, b, c의 평균 ➡ $\dfrac{a+b+c}{❷ \boxed{}}$

답 ❶ $a+b$ ❷ 3

확인 ⑭ 주연이는 지난 달 시험에서 94점, 이번 달 시험에서 88점을 받았다. 다음 달 시험에서 몇 점 이상을 받아야 세 번의 시험 성적의 평균이 92점 이상이 되는지 구하시오.

개념 ⑯ 거리, 속력, 시간에 대한 일차부등식의 활용

(1) (속력)=$\dfrac{(❶ \boxed{})}{(시간)}$

(2) (거리)=(속력)×(시간)

(3) (시간)=$\dfrac{(거리)}{(❷ \boxed{})}$

답 ❶ 거리 ❷ 속력

확인 ⑯ 등산을 하는데 올라갈 때는 시속 2 km로 걷고, 내려올 때는 같은 길을 시속 4 km로 걸어서 3시간 이내에 등산을 마치려고 한다. 이때 최대 몇 km 지점까지 올라갔다 내려올 수 있는지 구하시오.

1 $\dfrac{-x+2y}{3}+\dfrac{3x-y}{2}$ 를 간단히 하면 $ax+by$일 때, $a-b$의 값을 구하시오. (단, a, b는 상수)

문제 해결 전략

· $\dfrac{-x+2y}{3}$ 와 $\dfrac{3x-y}{2}$ 의 ❶ [ ] 를 ❷ [ ] 으로 통분하여 간단히 한다.

답 ❶ 분모 ❷ 6

2 다음 식을 간단히 하시오.

$$\frac{24x^2-18xy}{3x}-\frac{10xy-15y^2}{5y}$$

문제 해결 전략

· 먼저 $\dfrac{24x^2-18xy}{3x}$ 와 $-\dfrac{10xy-15y^2}{5y}$ 을 각각 간단히 ❶ [ ] 한다. 이때 $-\dfrac{10xy-15y^2}{5y}$ 을 정리할 때에는 ❷ [ ] 를 이용한다.

답 ❶ 정리 ❷ 괄호

3 다음 중 문장에서 수량 사이의 관계를 부등식으로 나타낸 것으로 옳은 것은?

① 어떤 수 x의 3배에서 2를 뺀 값은 7보다 크거나 같다.
　➡ $3x-2\le7$
② 전체 학생 200명 중에서 남학생이 x명일 때, 여학생은 100명보다 많다. ➡ $x-200>100$
③ 시속 60 km로 x km를 달리면 50분보다 적게 걸린다.
　➡ $60x<50$
④ 한 개의 무게가 50 g인 물건 x개를 무게가 300 g인 바구니에 담았더니 전체 무게가 1 kg 미만이다. ➡ $50x+300<1$
⑤ x살인 형과 15살인 동생의 나이의 합은 30살보다 많다.
　➡ $x+15>30$

문제 해결 전략

· ② 전체 학생이 200명이고 남학생이 x명이면 여학생은 (❶ [ ])명이다.
③ (시간)$=\dfrac{\text{(거리)}}{(\text{❷ [ ]})}$ 임을 이용한다.
④

답 ❶ $200-x$ ❷ 속력

4 다음 부등식 중 부등식 $5x-3<12$와 해가 같은 것은?

① $2x<10$

② $x+2>2x-1$

③ $4x+1>4+3x$

④ $-2x-2>x+7$

⑤ $-5x>-2x-18$

> **문제 해결 전략**
>
> • $5x-3<12$의 ❶ 를 구하고 보기의 부등식을 각각 풀어 해를 ❷ 한다.
>
> 🔲 ❶ 해 ❷ 비교

5 다음 중 부등식 $2x-3(x-1)<12$의 해를 수직선 위에 바르게 나타낸 것은?

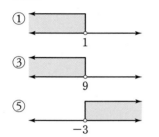

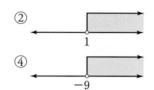

> **문제 해결 전략**
>
> • $2x-3(x-1)<12$에서 ❶ 를 풀어 일차부등식의 ❷ 를 구한다.
>
> 🔲 ❶ 괄호 ❷ 해

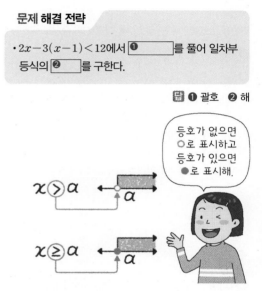

등호가 없으면 ○로 표시하고 등호가 있으면 ●로 표시해.

6 어떤 수 x의 2배에서 6을 뺀 수는 x에서 5를 뺀 것의 4배보다 작지 않다고 한다. 이때 x의 값 중 가장 큰 자연수를 구하시오.

> **문제 해결 전략**
>
> • (작지 않다)=(크거나 ❶)임을 이용하여 ❷ 을 세운다.
>
> 🔲 ❶ 같다 ❷ 부등식

7 현이가 등산을 하는데 올라갈 때는 시속 2 km로 걷고, 내려올 때는 올라갈 때보다 3 km 더 먼 길을 시속 4 km로 걸어서 3시간 이내에 산행을 마치려고 한다. 이때 최대 몇 km 지점까지 올라갈 수 있는지 구하시오.

> **문제 해결 전략**
>
> • x km 지점까지 올라갈 수 있다고 하면 ❶ 거리는 (❷) km이다.
>
> 🔲 ❶ 내려온 ❷ $x+3$

핵심 예제 ❶

$7x-[3x-y-\{-x+3y-(2x-y)\}]=ax+by$일 때, $a+b$의 값은? (단, a, b는 상수)

① -2 ② 0 ③ 2
④ 4 ⑤ 6

전략

좌변을 (소괄호) ➡ {중괄호} ➡ [대괄호]의 순서로 괄호를 푼다.

풀이

$$\begin{aligned}(좌변)&=7x-\{3x-y-(-x+3y-2x+y)\}\\&=7x-\{3x-y-(-3x+4y)\}\\&=7x-(3x-y+3x-4y)\\&=7x-(6x-5y)\\&=7x-6x+5y=x+5y\end{aligned}$$

따라서 $a=1$, $b=5$이므로 $a+b=1+5=6$

답 ⑤

1-1

$5a-[b-4a-\{2a+b-(5a-b)\}]$를 간단히 하면?

① $4a-b$ ② $4a+b$ ③ $5a+b$
④ $6a-b$ ⑤ $6a+b$

1-2

$5x-2\{x-y-(\boxed{}+y)\}=-x+4y$일 때, □ 안에 알맞은 식은?

① $-3x$ ② $-2x$ ③ $-x$
④ x ⑤ $2x$

핵심 예제 ❷

다음 식을 간단히 하시오.

$$(-8ab+4a^2b)\times\left(-\frac{1}{2b}\right)+(-ax+a^2x)\div\frac{x}{4}$$

전략

$\div\dfrac{x}{4}$를 $\times\dfrac{4}{x}$로 바꾸고 분배법칙을 이용하여 정리한다.

풀이

$$\begin{aligned}(주어진\ 식)&=(-8ab+4a^2b)\times\left(-\frac{1}{2b}\right)+(-ax+a^2x)\times\frac{4}{x}\\&=4a-2a^2-4a+4a^2\\&=2a^2\end{aligned}$$

답 $2a^2$

2-1

$3xy(2x^2y-3xy^2)-(6x^4y^4+3x^3y^5)\div3xy^2$을 간단히 하시오.

2-2

$x=2$, $y=-3$일 때, 현석이와 보람이 중 식의 값이 큰 식을 들고 있는 사람은 누구인지 말하시오.

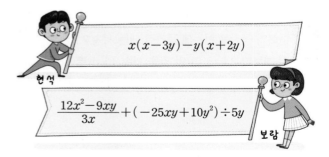

현석: $x(x-3y)-y(x+2y)$

보람: $\dfrac{12x^2-9xy}{3x}+(-25xy+10y^2)\div5y$

핵심 예제 ❸

오른쪽 그림과 같이 가로의 길이가 $2a$, 세로의 길이가 $2b$인 직사각형에서 색칠한 부분의 넓이를 구하시오.

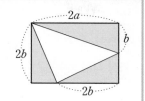

전략

세 삼각형의 밑변의 길이와 높이를 각각 a, b의 식으로 나타내어 색칠한 부분의 넓이를 a, b의 식으로 나타낸다.

풀이

(색칠한 부분의 넓이)
$$= \frac{1}{2} \times (2a-2b) \times 2b + \frac{1}{2} \times 2b \times b + \frac{1}{2} \times 2a \times b$$
$$= 2ab - 2b^2 + b^2 + ab$$
$$= 3ab - b^2$$

답 $3ab-b^2$

3-1

오른쪽 그림과 같이 밑면인 원의 반지름의 길이가 $3a$인 원기둥의 부피가 $9\pi a^4 - 27\pi a^2 b$일 때, 이 원기둥의 높이는?

① $a-3b$ ② $a+3b$
③ a^2-3b ④ a^2+3b
⑤ a^3-3b

3-2

다음 그림의 직사각형과 사다리꼴의 넓이가 같을 때, 직사각형의 세로의 길이를 구하시오.

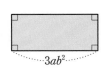
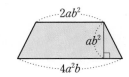

핵심 예제 ❹

$A=-2x+y$, $B=3x+5y$일 때,
$3(2A+B)-4(A+B)$를 x, y의 식으로 나타내면?

① $-7x-3y$ ② $-7x+3y$ ③ $7x-3y$
④ $7x+3y$ ⑤ $7x+6y$

전략

$3(2A+B)-4(A+B)$를 간단히 한 후 $A=-2x+y$, $B=3x+5y$를 대입하여 정리한다.

풀이

$3(2A+B)-4(A+B)=6A+3B-4A-4B$
$$=2A-B$$
$$=2(-2x+y)-(3x+5y)$$
$$=-4x+2y-3x-5y$$
$$=-7x-3y$$

답 ①

4-1

다음 대화를 읽고 $A=x+y$, $B=x-y$일 때,
$2A-(4A+3B)$를 x, y의 식으로 나타내시오.

4-2

$A=3x-2y$, $B=2x+y$일 때, 다음 식을 x, y의 식으로 나타내시오.

$$2(3A+2B)-2(2A-B)$$

핵심 예제 ❺

$0 < a < b$일 때, 다음 중 옳지 않은 것은?

① $-a > -b$ ② $a^2 < ab$

③ $2a+3 < 2b+3$ ④ $-\dfrac{a}{3}+2 > -\dfrac{b}{3}+2$

⑤ $1 > \dfrac{b}{a}$

전략

$a > 0$이고 $a < b$이므로 $a < b$의 양변에 a를 곱하거나 나누어도 부등호의 방향은 바뀌지 않는다.

풀이

② $a > 0$이고 $a < b$이므로 $a^2 < ab$

③ $a < b$이므로 $2a < 2b$ $\therefore 2a+3 < 2b+3$

④ $a < b$이므로 $-\dfrac{a}{3} > -\dfrac{b}{3}$ $\therefore -\dfrac{a}{3}+2 > -\dfrac{b}{3}+2$

⑤ $a > 0$이고 $a < b$이므로 $\dfrac{a}{a}=1 < \dfrac{b}{a}$

따라서 옳지 않은 것은 ⑤이다.

답 ⑤

5-1

$a > b$일 때, 다음 중 옳지 않은 것은?

① $-a < -b$ ② $a+3 > b+3$

③ $a-\dfrac{1}{2} > b-\dfrac{1}{2}$ ④ $\dfrac{a}{5}+1 > \dfrac{b}{5}+1$

⑤ $-2a-3 > -2b-3$

5-2

$-4a+3 < -4b+3$일 때, 다음 중 옳은 것은?

① $a < b$ ② $\dfrac{a}{2} < \dfrac{b}{2}$

③ $a-6 < b-6$ ④ $4-3a < 4-3b$

⑤ $\dfrac{1}{a} < \dfrac{1}{b}$

핵심 예제 ❻

부등식 $\dfrac{1}{2}x - \dfrac{2}{3} \geq \dfrac{2}{5}x - \dfrac{1}{6}$을 만족시키는 x의 값 중 가장 작은 정수는?

① 3   ② 4   ③ 5

④ 6   ⑤ 7

전략

주어진 부등식의 양변에 2, 3, 5, 6의 최소공배수인 30을 곱하여 x의 계수를 정수로 바꾼다.

풀이

$\dfrac{1}{2}x - \dfrac{2}{3} \geq \dfrac{2}{5}x - \dfrac{1}{6}$의 양변에 30을 곱하면

$15x - 20 \geq 12x - 5$

$3x \geq 15$ $\therefore x \geq 5$

따라서 x의 값 중 가장 작은 정수는 5이다.

답 ③

6-1

부등식 $3x - 2(4-x) \geq 7$을 풀면?

① $x \geq 3$ ② $x \leq 3$ ③ $x \geq 1$

④ $x \geq -1$ ⑤ $x \leq -3$

6-2

다음 대화를 읽고 부등식 $0.2(5x-3) \leq 0.3x + 1$을 만족시키는 자연수 x의 값의 합을 구하시오.

괄호도 있고 계수도 소수인데 어떻게 풀지?

일단 양변에 10을 곱해 봐. 1에도 10을 곱해야 하는 것을 잊지 말고~!

핵심 예제 7

부등식 $-4x+a>5$의 해가 $x<-4$일 때, 상수 a의 값을 구하시오.

전략

$-4x+a>5$에서 부등식의 해를 a의 식으로 나타내어 $x<-4$와 비교한다.

풀이

$-4x+a>5$에서 $-4x>5-a$ $\quad\therefore x<-\dfrac{5-a}{4}$

이때 부등식의 해가 $x<-4$이므로

$-\dfrac{5-a}{4}=-4$

$5-a=16$ $\quad\therefore a=-11$

답 -11

7-1

다음 미션지를 읽고 미션 장소가 어디인지 말하시오.

― 미션 ―
부등식 $ax+9<-3$의 해가 $x>4$일 때, 상수 a의 값이 적힌 놀이기구로 이동하시오.

핵심 예제 8

부등식 $x-a<7$을 만족시키는 자연수 x가 3개일 때, 상수 a의 값의 범위를 구하시오.

전략

부등식을 만족시키는 자연수가 3개가 되도록 부등식의 해를 수직선 위에 그려 본다.

풀이

$x-a<7$에서 $x<a+7$
이 부등식을 만족시키는 자연수 x가 3개이려면 오른쪽 그림과 같아야 하므로
$3<a+7\leq4$ $\quad\therefore -4<a\leq-3$

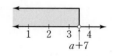

답 $-4<a\leq-3$

8-1

부등식 $3x+2a>7x$를 만족시키는 자연수 x가 2개일 때, 상수 a의 값의 범위는?

① $-2<a\leq-3$ ② $2<a\leq3$
③ $2\leq a<3$ ④ $4<a\leq6$
⑤ $4\leq a<6$

우선 주어진 부등식을 풀고 그 해의 범위에 자연수가 2개가 되도록 수직선 위에 그려봐.

8-2

부등식 $4x-1\leq2x-k$를 만족시키는 자연수 x가 4개일 때, 상수 k의 값의 범위를 구하시오.

1 다음 대화를 읽고 물음에 답하시오.

시험은 잘 봤어?

아니. $-x^2+6x-9$에서 어떤 식을 빼야 할 것을 잘못해서 더하였더니 $7x^2-x+3$이 되었어.

(1) 어떤 식을 구하시오.

(2) 바르게 계산한 식을 구하시오.

Tip

어떤 식을 A라 할 때, $-x^2+6x-9+$ ❶ $=7x^2-x+3$이 성립한다. 이때 바르게 계산한 식은 ❷ $-A$이다.

답 ❶ A ❷ $-x^2+6x-9$

2 $(9x^3-81xy^2)\div(-3x)-\dfrac{21x^3+7xy^2}{7x}=Ax^2+By^2$

일 때, $A+B$의 값을 구하시오. (단, A, B는 상수)

Tip

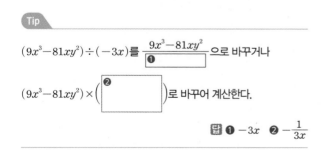

$(9x^3-81xy^2)\div(-3x)$를 $\dfrac{9x^3-81xy^2}{\boxed{❶}}$ 으로 바꾸거나

$(9x^3-81xy^2)\times\left(\boxed{❷}\right)$ 로 바꾸어 계산한다.

답 ❶ $-3x$ ❷ $-\dfrac{1}{3x}$

3 오른쪽 그림과 같이 가로의 길이가 $6b$, 세로의 길이가 $3a$인 직사각형에서 색칠한 부분의 넓이를 구하시오.

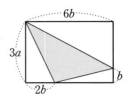

Tip

(색칠한 부분의 넓이)=(❶ $\boxed{}$ 의 넓이)
$\qquad\qquad\qquad$ −(색칠하지 않은 세 삼각형의 ❷ $\boxed{}$)

임을 이용한다.

답 ❶ 직사각형 ❷ 넓이

4 다음 중 옳지 <u>않은</u> 것은?

① $a<b$일 때, $-\dfrac{a}{2}>-\dfrac{b}{2}$

② $a-7\geq b-7$일 때, $a\geq b$

③ $a\leq b$일 때, $3-4a\leq 3-4b$

④ $a\leq b$일 때, $\dfrac{a+6}{5}\leq\dfrac{b+6}{5}$

⑤ $3a-4<6b-1$일 때, $-2a>-4b-2$

Tip

⑤에서 $3a-4<6b-1$의 양변에 ❶ $\boxed{}$ 를 더하면 $3a<6b+3$이고 $3a<6b+3$의 양변을 3으로 나누면 ❷ $\boxed{}<2b+1$임을 알 수 있다.

답 ❶ 4 ❷ a

양변에 음수를 곱하거나 나누면 부등호의 방향이 바뀜에 주의해야 해.

$\times$(음수)
$\div$(음수)

> <

5 초희, 성주, 현영이가 한 팀이 되어 초희의 카드를 보고 성주의 카드를 완성하고 성주의 카드를 보고 현영이의 카드를 완성하는 게임을 할 때, 성주와 현영이의 카드의 ☐ 안에 알맞은 수를 차례대로 써넣으시오.

초희　　　　　성주　　　　　현영

Tip

성주의 카드의 ☐ 안에 알맞은 수를 써넣으려면 $-3 \leq x \leq 2$의 각 변에 **❶**▢을 곱하고 현영이의 카드의 ☐ 안에 알맞은 수를 써넣으려면 성주의 카드에 적혀 있는 식의 각 변에 **❷**▢를 더한다.

답 **❶** -3　**❷** 2

6 부등식 $\dfrac{1}{5}(x+4) \leq 3.6-0.5x$를 만족시키는 자연수 x의 개수를 구하시오.

Tip

부등식의 양변에 **❶**▢을 곱하여 x의 계수를 **❷**▢로 바꾼다.

답 **❶** 10　**❷** 정수

7 x에 대한 일차부등식 $2x-3 \leq 5(x+1)-a$의 해를 수직선 위에 나타내면 오른쪽 그림과 같다. 이때 상수 a의 값을 구하시오.

Tip

부등식의 해가 $x \geq$ **❶**▢ 이므로 주어진 부등식의 **❷**▢를 구하여 비교한다.

답 **❶** -1　**❷** 해

8 부등식 $\dfrac{x+a}{3} \geq \dfrac{x}{2}+1$을 만족시키는 자연수 x가 3개일 때, 상수 a의 값의 범위는?

① $9 < a \leq 10$　　② $\dfrac{9}{2} \leq a < 5$

③ $\dfrac{9}{2} < a \leq 5$　　④ $2 \leq a < \dfrac{5}{2}$

⑤ $2 < a \leq \dfrac{5}{2}$

Tip

주어진 부등식의 **❶**▢를 a의 식으로 나타내고 부등식을 만족시키는 자연수가 3개가 되도록 부등식의 해를 **❷**▢ 위에 그려 본다.

답 **❶** 해　**❷** 수직선

핵심 예제 1

한 번에 800 kg까지 실을 수 있는 엘리베이터에 몸무게가 48 kg인 혁수가 1개에 40 kg인 상자를 여러 개 실어 운반하려고 한다. 한 번에 운반할 수 있는 상자는 최대 몇 개인지 구하시오.

전략

혁수의 몸무게와 상자 여러 개의 무게의 합이 800 kg 이하이어야 한다.

풀이

한 번에 상자를 x개 운반한다고 하면

$48 + 40x \le 800$, $40x \le 752$ $\quad \therefore x \le \dfrac{94}{5}$

따라서 한 번에 운반할 수 있는 상자는 최대 18개이다.

답 18개

핵심 예제 2

어느 사진관에서 사진 5장을 인화하는 가격은 4000원이고, 5장을 초과하여 인화하면 한 장당 1100원씩 추가된다고 한다. 총 가격이 6300원 이하가 되게 하려면 사진을 최대 몇 장까지 인화할 수 있는지 구하시오.

전략

사진을 x장 인화한다고 할 때, 5장을 초과한 사진은 $(x-5)$장이다.

풀이

사진을 x장 인화한다고 하면 5장을 초과한 사진은 $(x-5)$장이므로

$4000 + 1100(x-5) \le 6300$

$4000 + 1100x - 5500 \le 6300$, $1100x \le 7800$ $\quad \therefore x \le \dfrac{78}{11}$

따라서 사진을 최대 7장까지 인화할 수 있다.

답 7장

1-1

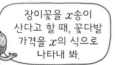

장미꽃을 x송이 산다고 할 때, 꽃다발 가격을 x의 식으로 나타내 봐.

한 다발에 3000원 하는 안개꽃 한 다발과 한 송이에 1200원 하는 장미꽃을 섞어 꽃다발을 만들려고 한다. 전체 가격이 10000원을 넘지 않게 하려고 할 때, 장미꽃을 최대 몇 송이까지 살 수 있는가?

① 3송이 　　② 4송이 　　③ 5송이
④ 6송이 　　⑤ 7송이

2-1

어느 주차장에서는 주차 시간이 30분 이하이면 주차 요금이 3000원이고, 30분이 지나면 1분마다 50원의 요금이 추가된다고 한다. 주차 요금이 8000원 이하가 되게 하려면 최대 몇 분 동안 주차할 수 있는가?

① 100분 　　② 130분 　　③ 150분
④ 180분 　　⑤ 200분

1-2

슬기가 최대 용량이 900 kg인 엘리베이터를 이용하여 한 개에 30 kg인 물건을 나르려고 한다. 슬기의 몸무게가 50 kg일 때, 엘리베이터에 물건을 한 번에 최대 몇 개까지 실을 수 있는지 구하시오.

한 번에 몇 개를 실을 수 있을까?

최대 용량 900kg

30kg
30kg
30kg

2-2

A 통신사의 한 휴대폰 데이터 요금제는 매달 데이터 300 MB가 무료이고, 300 MB를 넘으면 1 MB당 40원의 요금이 부과된다. 이 요금제를 한 달 동안 사용할 때, 데이터 요금이 8000원 이하가 되게 하려면 데이터를 최대 몇 MB까지 이용할 수 있는지 구하시오.

핵심 예제 ❸

현재 수아와 연수의 통장에는 각각 125000원, 140000원
이 예금되어 있다. 다음 달부터 매달 수아는 12000원씩, 연
수는 9000원씩 예금할 때, 수아의 예금액이 연수의 예금액
보다 많아지는 것은 몇 개월 후부터인가?

① 3개월 후   ② 4개월 후   ③ 5개월 후
④ 6개월 후   ⑤ 7개월 후

전략

(x개월 후 수아의 예금액)>(x개월 후 연수의 예금액)으로 부등식을 세운다.

풀이

x개월 후부터 수아의 예금액이 연수의 예금액보다 많아진다고 하면
$125000+12000x>140000+9000x$
$3000x>15000$ ∴ $x>5$
따라서 수아의 예금액이 연수의 예금액보다 많아지는 것은 6개월 후
부터이다.

답 ④

3-1

다음 승민이와 은주의 대화를 읽고 은주의 예금액이 승민이의 예
금액보다 많아지는 것은 몇 개월 후부터인지 구하시오.

핵심 예제 ❹

동네 가게에서 5500원 하는 물건을 도매 시장에 가면 5000
원에 살 수 있다고 한다. 도매 시장에 갔다 오면 2500원의
교통비가 든다고 할 때, 이 물건을 몇 개 이상 사는 경우 도
매 시장에서 사는 것이 유리한가?

① 2개   ② 3개   ③ 4개
④ 5개   ⑤ 6개

전략

(동네 가게에서 사는 가격)>(도매 시장에서 사는 가격)+(교통비)로 부등식
을 세운다.

풀이

물건을 x개 산다고 하면
$5500x>5000x+2500$, $500x>2500$ ∴ $x>5$
따라서 물건을 6개 이상 사는 경우 도매 시장에서 사는 것이 유리하
다.

답 ⑤

4-1

동네 꽃가게에서 한 송이에 2000원 하는 장미가 도매 시장에서
는 한 송이에 1500원이고, 도매 시장에 다녀오는 왕복 교통비는
3000원이라고 한다. 장미를 몇 송이 이상 사는 경우 도매 시장에
서 사는 것이 유리한가?

① 5송이   ② 6송이   ③ 7송이
④ 8송이   ⑤ 9송이

4-2

동네 서점에서 한 권에 10000원 하는 책을 인터넷 서점에서 10 %
할인하여 팔고 있다. 인터넷 서점에서 주문하면 2500원의 택배
비가 든다고 할 때, 동네 서점에서 사는 것보다 인터넷 서점에서
사는 것이 더 유리하려면 최소 몇 권 이상 주문해야 하는지 구하
시오.

핵심 예제 5

수학박물관의 입장료는 한 사람당 2000원이고 30명 이상의 단체인 경우에는 입장료의 30 %를 할인해 준다고 한다. 30명 미만의 단체가 입장하려고 할 때, 몇 명 이상이면 30명의 단체 입장권을 사는 것이 유리한지 구하시오.

전략

a원의 30 % 할인된 금액은 $\left(1-\dfrac{30}{100}\right)a=\dfrac{70}{100}a$(원)이다. 이를 이용하여 입장하는 사람 수를 x명이라 하면
(x명의 입장료)>(30명의 단체 입장권의 가격)으로 부등식을 세운다.

풀이

x명이 입장한다고 하면
$2000x>2000\times\dfrac{70}{100}\times30,\ 2000x>42000$ ∴ $x>21$
따라서 22명 이상이면 30명의 단체 입장권을 사는 것이 유리하다.

답 22명

5-1

입장료가 1000원인 공원에서 30명 이상 단체 입장을 하는 경우에는 입장료의 20 %를 할인해 준다고 한다. 30명 미만의 단체가 입장하려고 할 때, 몇 명 이상이면 30명의 단체 입장권을 사는 것이 유리한가?

① 24명　　　　② 25명　　　　③ 26명
④ 27명　　　　⑤ 28명

5-2

어느 미술관의 입장료는 1인당 3000원이고 50명 이상의 단체인 경우에는 10 %를 할인해 준다고 한다. 50명 미만의 단체가 입장하려고 할 때, 몇 명 이상이면 50명의 단체 입장권을 사는 것이 유리한지 구하시오.

핵심 예제 6

원가가 10000원인 모자를 정가의 20 %를 할인하여 팔아서 원가의 16 % 이상의 이익을 얻으려고 할 때, 정가를 최소 얼마 이상으로 정해야 하는가?

① 13000원　　　② 13500원　　　③ 14000원
④ 14500원　　　⑤ 15000원

전략

정가를 x원이라 하면 20 % 할인된 판매 가격은 $\left(1-\dfrac{20}{100}\right)x=\dfrac{80}{100}x$(원)이다. 이를 이용하여 (판매 가격)−(원가)≥(이익금)으로 부등식을 세운다.

풀이

정가를 x원이라 하면
$\dfrac{80}{100}x-10000\geq10000\times\dfrac{16}{100}$
$8x-100000\geq16000,\ 8x\geq116000$ ∴ $x\geq14500$
따라서 정가를 최소 14500원 이상으로 정해야 한다.

답 ④

6-1

원가가 12000원인 구두를 정가의 40 %를 할인하여 팔아서 원가의 10 % 이상의 이익을 얻으려고 한다. 이때 정가를 최소 얼마 이상으로 정해야 하는가?

① 22000원　　　② 23000원　　　③ 24000원
④ 25000원　　　⑤ 26000원

>> 정답과 풀이 **17**쪽

핵심 예제 **7**

기차가 출발하기 전까지 1시간의 여유가 있어서 이 시간 동안 상점에 가서 물건을 사오려고 한다. 기차역에서 상점까지 갈 때는 시속 2 km, 올 때는 시속 3 km로 걸어서 왕복하고 물건을 사는 데 20분이 걸린다고 한다. 역에서 몇 km 이내에 있는 상점까지 다녀올 수 있는지 구하시오.

전략

총 걸린 시간이 1시간 이하이어야 하므로
(왕복하여 걷는 시간)+(물건을 사는 데 걸린 시간) ≤1로 부등식을 세운다.

풀이

역에서 상점까지의 거리를 x km라 하면

$\dfrac{x}{2}+\dfrac{20}{60}+\dfrac{x}{3}\leq1$

$3x+2+2x\leq6,\ 5x\leq4$ $\therefore x\leq\dfrac{4}{5}$

따라서 역에서 $\dfrac{4}{5}$ km 이내에 있는 상점까지 다녀올 수 있다.

답 $\dfrac{4}{5}$ km

7-1

기차가 출발하기 전까지 1시간 30분의 여유가 있어서 이 시간 동안 상점에서 물건을 사오려고 한다. 물건을 사는데 15분이 걸리고 시속 4 km로 걸을 때, 역에서 몇 km 이내에 있는 상점까지 다녀올 수 있는가?

① 2.5 km   ② 2.6 km   ③ 2.7 km
④ 2.8 km   ⑤ 2.9 km

7-2

혁수가 11 km 거리의 등산로를 걷는데 처음에는 시속 5 km로 뛰다가 도중에 시속 3 km로 걸어서 3시간 이내에 도착하였다. 이때 뛰어간 거리는 최소 몇 km인지 구하시오.

핵심 예제 **8**

5 %의 소금물 300 g과 10 %의 소금물을 섞어서 8 % 이상의 소금물을 만들려고 한다. 이때 10 %의 소금물을 최소 몇 g 이상 섞어야 하는가?

① 350 g   ② 400 g   ③ 450 g
④ 500 g   ⑤ 550 g

전략

10 %의 소금물의 양을 x g이라 하면
(5 %의 소금물 300 g의 소금의 양)+(10 %의 소금물 x g의 소금의 양)
≥{8 %의 소금물 (300+x) g의 소금의 양}으로 부등식을 세운다.

풀이

10 %의 소금물의 양을 x g이라 하면

$\dfrac{5}{100}\times300+\dfrac{10}{100}\times x\geq\dfrac{8}{100}\times(300+x)$

$1500+10x\geq2400+8x,\ 2x\geq900$ $\therefore x\geq450$
따라서 10 %의 소금물을 최소 450 g 이상 섞어야 한다.

답 ③

8-1

12 %의 설탕물 200 g과 10 %의 설탕물을 섞어서 11 % 이하의 설탕물을 만들려고 한다. 이때 10 %의 설탕물을 최소 몇 g 이상 섞어야 하는지 구하시오.

1 한 개에 500원인 지우개와 한 개에 1500원인 볼펜을 합하여 10개를 사려고 한다. 전체 금액이 9000원 이하가 되게 하려면 볼펜을 최대 몇 자루까지 살 수 있는지 구하시오.

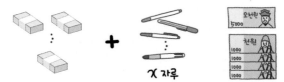

x 자루

> **Tip**
>
> 지우개와 볼펜의 전체 금액이 **❶** 원 이하이어야 하므로 (지우개의 가격)+(볼펜의 가격) **❷** 9000으로 부등식을 세운다.
>
> 답 ❶ 9000 ❷ ≤

2 현재 은지의 통장에는 40000원, 연재의 통장에는 15000원이 예금되어 있다. 다음 달부터 매달 은지는 3000원씩, 연재는 2000원씩 예금한다고 할 때, 은지의 예금액이 연재의 예금액의 2배보다 적어지는 것은 몇 개월 후부터인지 구하시오.

> **Tip**
>
> x개월 후 은지의 예금액은 **❶** $+3000x$이고 x개월 후 연재의 예금액은 $15000+$ **❷** 임을 이용하여 부등식을 세운다.
>
> 답 ❶ 40000 ❷ $2000x$

3 동네 가게에서 한 상자에 8000원 하는 포도를 도매 시장에서는 6000원에 판매하고 있다. 도매 시장에 다녀오는데 왕복 교통비가 3000원이 든다고 할 때, 포도를 몇 상자 이상 사는 경우 도매 시장에서 사는 것이 유리한지 구하시오.

> **Tip**
>
> (**❶** 에서 사는 가격)
> >(**❷** 에서 사는 가격)+(교통비)로 부등식을 세운다.
>
> 답 ❶ 동네 가게 ❷ 도매 시장

4 명수가 사진을 인화하기 위해 A, B 두 사진관의 광고지를 비교해 보고 있다. 사진을 7장 이상 인화하려고 할 때, 명수가 B 사진관을 이용하는 게 유리하려면 사진을 최소 몇 장 이상 인화해야 하는지 구하시오.

> **Tip**
>
> 사진 x장을 인화한다고 할 때, A 사진관을 이용하여 인화하는 가격은 **❶** 이고 **❷** 사진관을 이용하여 인화하는 가격은 $5000+300(x-7)$원이다.
>
> 답 ❶ $500x$ ❷ B

5 다은이네 집은 정수기를 새로 장만하려고 한다. 정수기를 구입하는 경우에는 정수기 가격 20만 원의 구입 비용과 매달 15000원의 유지비를 내고, 정수기를 대여하는 경우에는 매달 22000원의 대여료만 낸다고 한다. 정수기를 최소 몇 개월 이상 사용하면 구입하는 것이 유리한가?

① 29개월 ② 30개월 ③ 31개월
④ 32개월 ⑤ 33개월

Tip

(정수기를 구입하여 x개월 사용한 비용)$=200000+15000x$이고
(정수기를 대여하여 x개월 사용한 비용)$=$ ❶ [　　　　　] 임을 이용하여 ❷ [　　　　] 을 세운다.

답 ❶ $22000x$ ❷ 부등식

6 경민이와 다정이가 인터넷으로 박물관 단체 관람권을 예매하려고 한다. 몇 명 이상이면 50명의 단체 관람권을 사는 것이 유리한지 구하시오.

Tip

x명이 예매한다고 하면 ❶ [　　　　] 명의 단체 관람권의 가격이
❷ [　　　　] 명의 관람권보다 저렴해야 50명의 단체 관람권을 사는 것이 유리하다.

답 ❶ 50 ❷ x

7 원가가 12000원인 티셔츠를 정가의 30 %를 할인하여 팔려고 한다. 이 티셔츠로 정가의 10 % 이상의 이익을 얻으려면 정가를 최소 얼마 이상으로 정해야 하는가?

① 18000원 ② 20000원 ③ 22000원
④ 24000원 ⑤ 26000원

Tip

(판매 가격)$-($ ❶ [　　　　] $)=$(이익금)을 이용하여 부등식을 세운다.
이때 이익금은 ❷ [　　　　] 의 10 % 임에 주의한다.

답 ❶ 원가 ❷ 정가

8 등산을 하는데 올라갈 때 시속 2 km로 올라가서 30분 쉬고, 내려올 때는 같은 길을 시속 3 km로 내려와서 4시간 이내에 등산을 마치려고 한다. 최대 몇 km 지점까지 올라갈 수 있는가?

① 3.3 km ② 3.8 km ③ 4 km
④ 4.2 km ⑤ 5 km

Tip

(올라갈 때 걸리는 시간)$+($ ❶ [　　　　] $)$
$+$(내려올 때 걸리는 시간)$\leq$ ❷ [　　] 로 부등식을 세운다.

답 ❶ $\dfrac{30}{60}$ ❷ 4

01 $2(x^2-3x+2)-3(x^2-3x-4)$를 간단히 하였을 때, x^2의 계수를 A, 상수항을 B라 하자. 이때 $A+B$의 값을 구하시오.

02 $x=3, y=-2$일 때, 다음 식의 값을 구하시오.

$$(9x^2y^2-6xy^2)\div(-3xy)+(2x^2y-4xy)\div\frac{1}{2}x$$

03 다음 그림과 같은 직사각형 모양의 땅에 집과 밭이 있다. 이때 집을 제외한 밭의 넓이는?

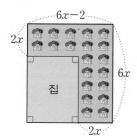

① $16x^2-4x$ ② $18x^2-4x$ ③ $18x^2-6x$
④ $20x^2-4x$ ⑤ $20x^2-8x$

04 다음 대화를 읽고 누가 매점을 다녀오게 될지 말하시오.

05 $a<b$일 때, 다음 중 옳지 <u>않은</u> 것은?

① $2a-\dfrac{1}{3}<2b-\dfrac{1}{3}$

② $-5a+1>-5b+1$

③ $-4(a+2)>-4(b+2)$

④ $\dfrac{2-a}{3}<\dfrac{2-b}{3}$

⑤ $\dfrac{2(1-a)}{-5}<\dfrac{2(1-b)}{-5}$

06 일차부등식 $2(x+3) \geq 5x-18$을 만족시키는 x의 값 중 가장 큰 정수를 구하시오.

07 x에 대한 일차부등식 $3x+2a \geq 5x$를 만족시키는 자연수 x가 4개일 때, 상수 a의 값의 범위는?

① $a \leq 4$ ② $4 < a \leq 5$ ③ $4 \leq a < 5$

④ $5 < a \leq 6$ ⑤ $5 \leq a < 6$

08 어느 축구 선수는 지난 세 경기에서 평점을 각각 7.6점, 8.4점, 6.9점을 받았다. 네 번째 경기에서 몇 점 이상을 받아야 네 번의 경기 평점의 평균이 8점 이상이 될 수 있는지 구하시오.

09 다음 그림은 어느 마술 도구 가게에서 파는 물건의 가격표이다. 마술 지팡이, 마술 모자, 마술 장미는 각각 한 개씩 사고 마술 동전은 여러 개를 산 금액이 20000원을 넘지 않게 하려면 마술 동전을 최대 몇 개까지 살 수 있는지 구하시오.

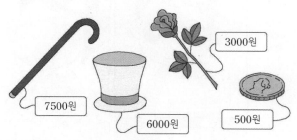

10 A 지점에서 14 km 떨어진 B 지점까지 가는데 처음에는 시속 3 km로 걷다가 도중에 시속 5 km로 뛰어서 4시간 이내에 도착하였다. 이때 걸어간 거리는 최대 몇 km인지 구하시오.

1 세영이가 가로의 길이가 x이고 세로의 길이가 y인 직사각형 모양의 종이를 다음 그림과 같이 접었을 때, 물음에 답하시오.

(1) $\overline{\text{GF}}$의 길이를 구하시오.

(2) $\overline{\text{GI}}$의 길이를 구하시오.

(3) 사각형 GFJI의 둘레의 길이를 구하시오.

Tip

(1) $\overline{\text{GF}}$의 길이는 $\overline{\text{EF}}-\overline{\text{EG}}$로 구한다.
　이때 $\overline{\text{EF}}=$ ❶ , $\overline{\text{EG}}=\overline{\text{ED}}$임을 이용한다.
(2) ❷ 의 길이는 $\overline{\text{GH}}-\overline{\text{IH}}$로 구한다.
　이때 $\overline{\text{GH}}=\overline{\text{EG}}$, $\overline{\text{IH}}=\overline{\text{CH}}=\overline{\text{GF}}$임을 이용한다.

답 ❶ $\overline{\text{AB}}$　❷ $\overline{\text{GI}}$

2 다음 그림과 같이 삼각기둥 모양의 그릇 A에 가득 들어 있는 물을 직육면체 모양의 그릇 B로 옮겼더니 전체 높이의 $\frac{1}{3}$만큼 채워졌다. 그릇 B의 높이를 구하려고 할 때, 물음에 답하시오. (단, 그릇의 두께는 생각하지 않는다.)

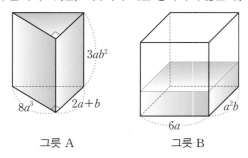

그릇 A　　　　　그릇 B

(1) 그릇 A에 들어 있는 물의 부피를 구하시오.

(2) 그릇 B에 들어 있는 물의 높이를 h라 할 때, h를 a, b의 식으로 나타내시오.

(3) 그릇 B의 높이를 구하시오.

Tip

(그릇 A에 ❶ 들어 있는 물의 부피)
＝(그릇 B에 들어 있는 물의 부피)
임을 이용하여 h를 a, b의 식으로 나타낸 후
(그릇 B의 높이)＝❷ ×(그릇 B에 들어 있는 물의 높이)
임을 이용한다.

답 ❶ 가득　❷ 3

3 다음 그림을 보고 물음에 답하시오.

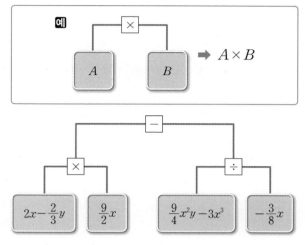

(1) 위 그림을 식으로 나타내시오.

(2) (1)에서 구한 식을 간단히 하시오.

> **Tip**
>
> 예를 이용하여 위 그림을 **①** 으로 먼저 나타내고 **②** 은 역수의 곱셈으로 바꾸어 식을 간단히 한다.
>
> 답 ❶ 식 ❷ 나눗셈

4

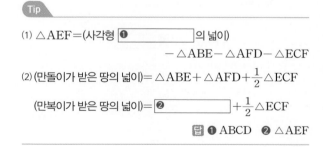

오른쪽 그림은 아버지가 두 형제에게 남긴 직사각형 모양의 땅을 사각형 ABCD로 나타낸 것이다. 다음 물음에 답하시오.

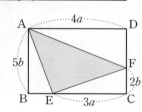

(1) $\triangle$AEF의 넓이를 구하시오.

(2) 아버지가 두 아들에게 준 땅의 넓이를 비교하시오.

> **Tip**
>
> (1) $\triangle$AEF=(사각형 **①** 의 넓이) $-\triangle$ABE$-\triangle$AFD$-\triangle$ECF
>
> (2) (만돌이가 받은 땅의 넓이)$=\triangle$ABE$+\triangle$AFD$+\dfrac{1}{2}\triangle$ECF
>
> (만복이가 받은 땅의 넓이)$=$ **②** $+\dfrac{1}{2}\triangle$ECF
>
> 답 ❶ ABCD ❷ $\triangle$AEF

5 상호네 반에서는 부등식의 성질을 이용하여 알맞은 경로를 따라가서 마지막에 나온 카드에 적힌 장소로 소풍을 가려고 한다. 소풍 장소로 어떤 장소가 선택될지 구하시오.

Tip

$a>b$일 때,

(1) $a+c>b+c$, $a-c>$ **❶**

(2) $c>0$이면 $ac>bc$, $\dfrac{a}{c}>\dfrac{b}{c}$

(3) $c<$ **❷** 이면 $ac<bc$, $\dfrac{a}{c}<\dfrac{b}{c}$

답 ❶ $b-c$ ❷ 0

6 다음은 장애인 전용 주차 구역에 대한 신문기사의 일부분이다. 물음에 답하시오.

> 장애인 전용 주차 구역 설치 의무화, 잘 시행되고 있나
> 법으로 정한 장애인 전용 주차 구역의 규격은 가로의 폭은 3.3 m 이상, 세로의 폭은 5 m 이상이고, 한 건물당 설치 대수는 건물 전체에 대한 법정 주차 구역 설치 대수의 2 % 이상이다.
> 그렇지만 법으로 정한 설치 대수와 규격을 정확히 지키는 곳은 많지 않은 실정이다.
> ⋮
> 〈○○ 일보〉

(1) 직사각형 모양의 장애인 전용 주차 구역을 아래 그림과 같이 10군데에 설치하려고 한다. 이 10군데의 둘레의 길이의 합을 x m라 할 때, x m의 최솟값을 구하시오.

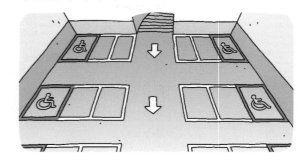

(2) 법정 주차 구역 설치 대수가 750인 어느 백화점에 설치해야 하는 장애인 전용 주차 구역의 대수를 x라 할 때, x의 값의 범위를 부등식으로 나타내시오.

Tip

신문기사의 내용 중 장애인 전용 주차 구역 설치 대수는 **❶** 주차 구역 설치 대수의 **❷** % 이상 임을 이용한다.

답 ❶ 법정 ❷ 2

7 다음은 어느 놀이공원의 입장권과 자유 이용권 요금을 나타낸 것이다. 이 놀이공원에서 놀이기구를 몇 번 이상 탈 경우 자유 이용권을 사는 것이 유리한지 구하려고 할 때, 물음에 답하시오.

입장권	자유 이용권
기본 요금 : 13000원 놀이기구 2번은 무료이고, 2번 초과시 한 번 탈 때마다 3000원	기본 요금 : 27000원 놀이기구 이용 무제한

(1) 놀이기구를 x번 탄다고 할 때, 일차부등식을 세우시오.

(2) (1)의 일차부등식을 푸시오.

(3) 놀이기구를 몇 번 이상 탈 경우 자유 이용권을 사는 것이 유리한지 구하시오.

> **Tip**
>
> (기본요금)+(❶ ⬜ 번을 초과하여 탄 놀이기구 요금)
> >(❷ ⬜ 요금)으로 부등식을 세운다.
>
> 답 ❶ 2 ❷ 자유 이용권

8 A 중학교 2학년 1반 학생들은 과학 시간에 다음 그림과 같은 순서로 실험을 하였다. 물음에 답하시오.

> **준비물**
> 3 %의 설탕물 400 g, 알코올램프, 삼발이, 설탕
>
> **과정 1.**
> 3 %의 설탕물 400 g이 든 비커를 알코올램프 위에 올려놓고 가열하여 물을 증발시킨다.
>
>
>
> **과정 2.**
> 증발시킨 물의 양만큼 설탕을 넣어준다.
>
>

(1) **과정 1**에서 증발시킨 물의 양을 x g이라 할 때, 다음 표의 빈칸에 알맞은 것을 써넣으시오.

	설탕물의 양(g)	설탕의 양(g)
실험 전	400	$400 \times \dfrac{\square}{100} = \square$
과정 1		
과정 2	$400 - x + \square = \square$	

(2) 실험 결과 설탕물의 농도가 5 % 이상이 되었다고 할 때, **과정 1**에서 물을 몇 g 이상 증발시켰는지 구하시오.

> **Tip**
>
> **과정 1**에서 실험 전보다 설탕물의 양은 x g 줄고 ❶ ⬜ 의 양은 줄어들지 않는다. **과정 2**에서 **과정 1** 이후보다 설탕물과 설탕의 양은 각각 ❷ ⬜ g 늘어난다.
>
> 답 ❶ 설탕 ❷ x

이어서 공부할 내용

❶ 신유형 · 신경향 · 서술형 전략
❷ 고난도 해결 전략

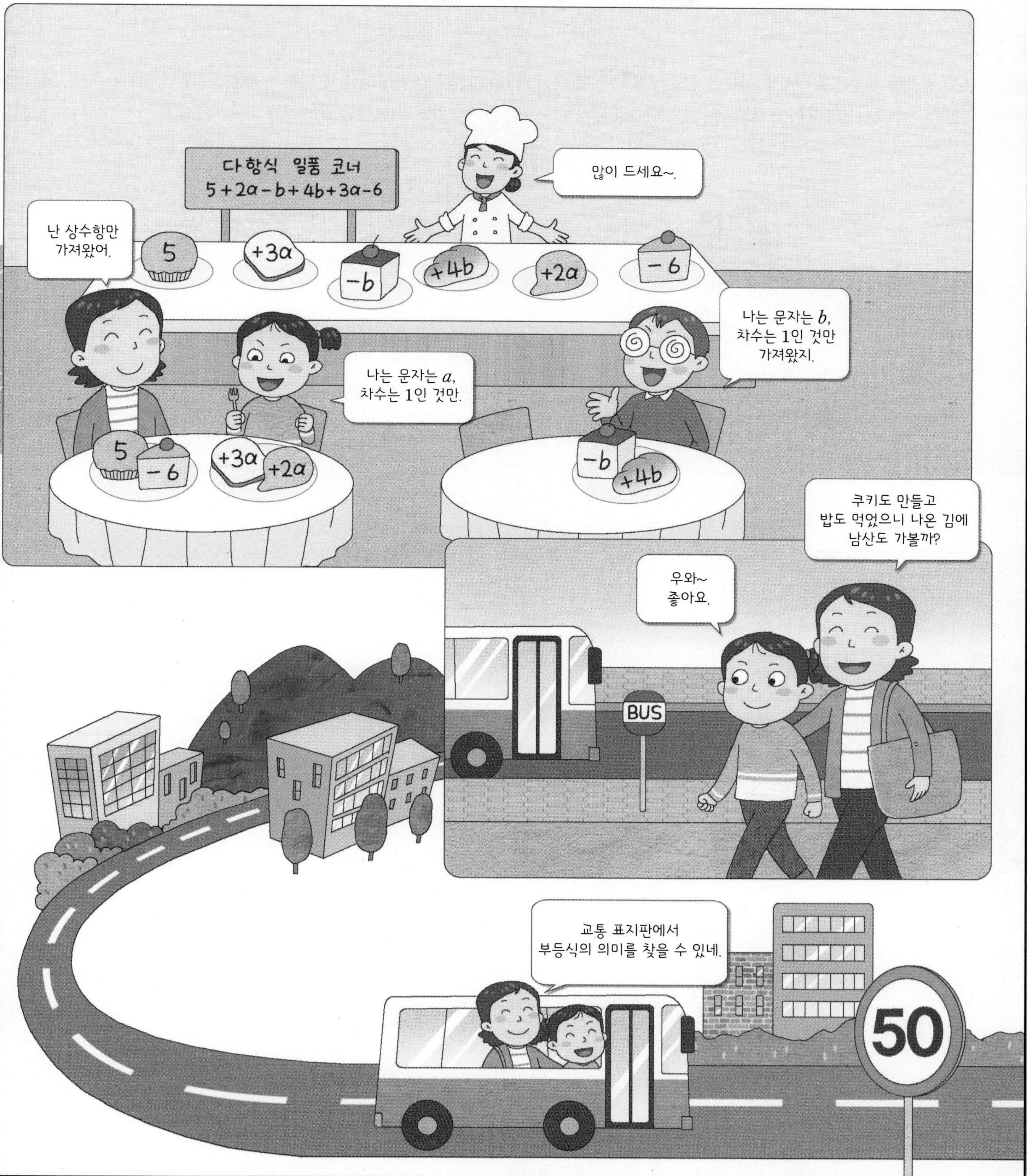

01

타율은 타격 성적을 백분율로 나타낸 것으로 안타 수를 타수로 나누어 계산한다. 아래는 4명의 야구 후보 선수들의 타수와 안타 수를 나타낸 표이다. 다음 중 옳은 것은?

후보 선수	타수	안타 수	타율
현기	11	7	
영주	8	5	
세은	6	4	
정현	25	16	

① 세은이의 타율은 0.6이다.

② 현기의 타율은 유한소수이다.

③ 정현이의 타율은 순환소수이다.

④ 타율을 비교하기 위해서는 분수보다 소수가 편리하다.

⑤ 4명의 야구 후보 선수들 중 타율이 가장 높은 후보 선수는 영주이다.

Tip

4명의 야구 후보 선수들의 ❶ [　　　]을 각각 구하여 유한소수 또는 ❷ [　　　]소수로 나타낼 수 있는지 확인한다.

🔑 ❶ 타율 ❷ 순환

02

다음 그림은 정수가 아닌 세 분수가 적힌 종이인데 일부가 찢어져 보이지 않는다. 보기 중 옳은 것을 모두 고른 것은?

(단, 세 분수 모두 양수이다.)

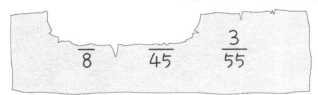

$$\frac{\ }{8} \qquad \frac{\ }{45} \qquad \frac{3}{55}$$

보기

㉠ 세 분수 중 적어도 하나는 유한소수이다.

㉡ 순환소수는 두 개 이상이다.

㉢ 순환소수는 한 개뿐이다.

㉣ 유한소수는 최대 두 개일 수 있다.

① ㉠, ㉡　　　② ㉠, ㉣　　　③ ㉢, ㉣

④ ㉠, ㉡, ㉣　　　⑤ ㉠, ㉢, ㉣

Tip

세 분수의 분모를 소인수분해하여 소인수가 2와 5뿐이면 ❶ [　　　]소수로 나타낼 수 있고 2와 5 이외의 소인수가 있다면 순환소수가 될 수 있다. 이때 세 분수는 ❷ [　　　]가 아닐 수 있으므로 약분이 가능한지 확인한다.

🔑 ❶ 유한 ❷ 기약분수

03

다음 예시를 읽고, 지구에서 태양까지의 거리를 1.5×10^8 km라 할 때, 현재 우리가 보고 있는 태양의 빛은 몇 초 전에 태양을 출발한 것인지 구하시오.

┌ 예시 ┐

지구에서 금성까지의 거리는 4.5×10^7 km이다. 빛의 속도인 초속 3.0×10^5 km로 지구에서 금성까지 날아간다면 지구에서 금성까지 가는 데 몇 초가 걸리는지 구하시오.

풀이

지구에서 금성까지의 거리는 4.5×10^7 km이고 빛의 속도는 초속 3.0×10^5 km이므로

$$(4.5 \times 10^7) \div (3.0 \times 10^5) = \frac{4.5 \times 10^7}{3.0 \times 10^5}$$
$$= 1.5 \times 10^2$$
$$= 150(초)$$

따라서 지구에서 금성까지 가는 데 150초가 걸린다.

Tip

태양의 빛이 지구까지 오는 데 걸리는 **❶**⬚은
$\dfrac{(지구에서\ 태양까지의\ 거리)}{(빛의\ ❷⬚)}$ 이다.

답 ❶ 시간 ❷ 속도

04

다음과 같이 계산기에 있는 $\boxed{x^y}$ 버튼을 사용하면 거듭제곱으로 나타낸 수의 값을 구할 수 있다. 예를 들어 5^4의 값을 구하려면 $\boxed{5} \rightarrow \boxed{x^y} \rightarrow \boxed{4} \rightarrow \boxed{=}$ 을 순서대로 누르면 된다.

유라가 계산기의 버튼을 아래와 같이 눌러 나온 값을 계산하여 4^a로 나타내었을 때, 자연수 a의 값을 구하시오.

$\boxed{(} \rightarrow \boxed{1} \rightarrow \boxed{6} \rightarrow \boxed{x^y} \rightarrow \boxed{3} \rightarrow \boxed{)} \rightarrow \boxed{x^y} \rightarrow \boxed{2} \rightarrow \boxed{=}$

Tip

계산기에서
$\boxed{(} \rightarrow \boxed{1} \rightarrow \boxed{6} \rightarrow \boxed{x^y} \rightarrow \boxed{3} \rightarrow \boxed{)} \rightarrow \boxed{x^y} \rightarrow \boxed{2} \rightarrow \boxed{=}$ 을 누르면
❶⬚이다.
이때 나온 값을 **❷**⬚의 꼴로 나타낸다.

답 ❶ $(16^3)^2$ ❷ 4^a

05

다음 그림과 같이 직사각형을 반으로 자르기를 반복하여 5개의 직사각형으로 분할하였다.

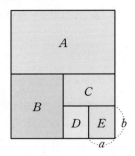

이때 직사각형 E의 가로의 길이는 a, 세로의 길이는 b라 하자. 분할된 5개의 직사각형 중 두 도형 A와 B를 붙여서 아래 그림과 같은 도형을 만들었을 때, 이 도형의 둘레의 길이를 구하시오.

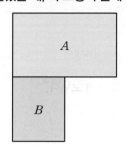

06

다음 그림에서 집, 약국, 문구점, 학교 네 지점이 한 선분 위에 있다. 집에서 문구점까지의 거리는 $10x^2-5xy$, 약국에서 학교까지의 거리는 $4x^2+3xy$이고 약국에서 문구점까지의 거리는 집에서 문구점까지 거리의 $\frac{2}{5}$배이다. 집에서 학교까지의 거리를 구하려고 할 때, 물음에 답하시오.

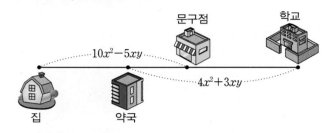

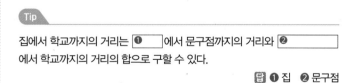

(1) 약국에서 문구점까지의 거리를 구하시오.

(2) 문구점에서 학교까지의 거리를 구하시오.

(3) 집에서 학교까지의 거리를 구하시오.

07

다음과 같이 어느 커피 전문점에서 6600원짜리 프라푸치노를 반값에 할인해 주는 행사를 하고 있다. 판매자가 정가를 반값으로 할인하여 팔아도 원가의 10 % 이상의 이익을 얻으려고 할 때, 원가를 얼마 이하로 정해야 하는가?

HAPPY HOUR!!

절반 가격으로 프라푸치노를 즐기실 수 있는 해피아워가 시작됩니다!

*행사 기간 : 20○○년 ○월 ○일~○월 ○일
*행사 시간 : 오후 3시~5시

① 3000원   ② 3200원   ③ 3400원
④ 3600원   ⑤ 3800원

> **Tip**
>
> ❶ 보기 를 x원이라 하고, (판매 가격)−(원가)≥(❷ 보기)을 이용하여 부등식을 세운다.
>
> 답 ❶ 원가   ❷ 이익금

08

캠핑카 물탱크를 청소하기 위해 다음 단계에 따라 물을 흘려 보냈더니 〈3단계〉 이후 물탱크에 10 L 이상의 물이 남아 있었다. 처음 물탱크에 들어 있는 물의 양이 몇 L 이상인지 구하려고 할 때, 물음에 답하시오.

> 〈1단계〉 처음 물탱크에 들어 있는 물의 양 x L에서 5 L의 물을 흘려 보낸다.
> 〈2단계〉 남은 물의 양의 $\frac{2}{3}$를 흘려 보낸다.
> 〈3단계〉 2 L의 물을 흘려 보낸다.

(1) 〈3단계〉 이후 물탱크에 남은 물의 양에 대한 일차부등식을 세우시오.

(2) (1)의 일차부등식을 풀어 처음 물탱크에 들어 있는 물의 양이 몇 L 이상인지 구하시오.

> **Tip**
>
> 〈2단계〉에서는 〈1단계〉 이후 남은 물의 양의 $\frac{2}{3}$를 흘려보내므로 남은 ❶ 보기 의 양은 〈1단계〉 이후 남은 물의 양의 ❷ 보기 이다.
>
> 답 ❶ 물   ❷ $\frac{1}{3}$

01 두 분수 $\frac{1}{7}$과 $\frac{4}{5}$ 사이의 분수 중에서 분모가 35이고 소수로 나타내면 유한소수인 분수의 개수를 구하시오.

03 $\frac{3}{7}=0.\dot{4}2857\dot{1}$일 때, 소수점 아래 n번째 자리의 숫자를 $f(n)$이라 하자. 다음 보기 중 옳은 것을 모두 고른 것은?

> 보기
> ㉠ $f(20)=8$
> ㉡ $f(n)=3$을 만족시키는 자연수 n은 없다.
> ㉢ $f(43)+f(44)+f(45)+f(46)$
> $\qquad +f(47)+f(48)=27$

① ㉠ 　② ㉡ 　③ ㉡, ㉢
④ ㉠, ㉢ 　⑤ ㉠, ㉡, ㉢

02 다음 대화를 읽고 신수의 타율을 순환소수로 나타내었을 때, 이 순환소수의 소수점 아래 첫 번째 자리의 숫자부터 소수점 아래 63번째 자리의 숫자까지의 합을 구하시오.

04 순환소수 $1.\dot{2}\dot{7}$에 자연수 A를 곱하여 어떤 자연수의 제곱이 되도록 할 때, 가장 작은 자연수 A의 값을 구하시오.

05 $\frac{33}{40 \times x}$을 소수로 나타내면 유한소수가 된다. x가 $20 < x < 30$인 자연수일 때, x의 값을 모두 구하시오.

06 분수 $\dfrac{A}{150}$를 소수로 나타내면 유한소수이고, 기약분수로 나타내면 $\dfrac{2}{B}$이다. A가 $10 < A < 20$인 자연수일 때, A, B의 값을 각각 구하시오.

07 다음 대화를 읽고 순환소수 $0.\dot{a}\dot{b}$를 기약분수로 나타내면 $\dfrac{5}{33}$일 때, 순환소수 $0.\dot{b}\dot{a}$를 기약분수로 나타내시오.

(단, a, b는 한 자리의 자연수)

08 $2 + \dfrac{4}{10^2} + \dfrac{4}{10^3} + \dfrac{4}{10^4} + \cdots = \dfrac{a}{b}$일 때, $a+b$의 값을 구하시오. (단, a, b는 서로소)

09 어떤 자연수 A에 6.25를 곱해야 할 것을 잘못하여 $6.2\dot{5}$를 곱하였더니 그 계산 결과가 정답보다 0.5만큼 크게 나왔다. 이때 자연수 A의 값을 구하시오.

10 $\dfrac{1}{6} < 0.\dot{x} < \dfrac{1}{2}$을 만족시키는 자연수 x의 개수를 구하시오.

11 한 자리의 자연수 a, b에 대하여 $0.a\dot{b}+0.b\dot{a}=\dfrac{1}{3}$일 때, $a+b$의 값은?

① -3 ② -1 ③ 1
④ 3 ⑤ 5

$0.a\dot{b}$를 $\dfrac{ab-a}{90}$로 나타낼 때, ab는 두 자리의 자연수를 의미하므로 $0.a\dot{b}=\dfrac{10a+b-a}{90}$로 계산하도록 해!

12 다음 대화를 읽고 $144^4=2^a\times3^b$일 때, $a+b$의 값을 구하시오. (단, a, b는 상수)

144를 4번 곱해야 하나?

무조건 계산하는게 아니고 먼저 144를 소인수분해해 봐.

1학년 때 배운 소인수분해가 계속 이용되는 구나.

13 $\dfrac{2^3+2^3}{9^2+9^2+9^2}\times\dfrac{3^6+3^6+3^6}{8^2+8^2+8^2+8^2}$을 간단히 하시오.

14 $2^3=a$, $3^2=b$일 때, 96^3을 a, b를 사용하여 나타내면?

① ab^5 ② $3a^2b^4$ ③ $3a^5b$
④ $9a^4b^2$ ⑤ $9a^5b^2$

15 $20^4\times5^5$이 n자리의 자연수일 때, n의 값을 구하시오.

16 다음 대화를 읽고 바르게 계산한 식을 구하시오.

18 다음 그림과 같이 밑면인 원의 반지름의 길이가 $2r$, 높이가 $4h$인 원기둥 모양의 그릇에 가득 들어 있는 물을 밑면인 원의 반지름의 길이가 $3r$인 원뿔 모양의 그릇에 부었더니 물이 넘치지 않고 가득 찼다. 이때 원뿔 모양의 그릇의 높이를 h의 식으로 바르게 나타낸 것은?

(단, 그릇의 두께는 생각하지 않는다.)

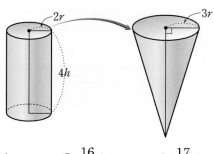

① $\dfrac{15}{2}h$ ② $\dfrac{16}{3}h$ ③ $\dfrac{17}{4}h$

④ $\dfrac{18}{5}h$ ⑤ $\dfrac{19}{6}h$

17 $x^A y^3 \div (-xy^2)^B \times (2xy)^2 = Cx^5 y$일 때, ABC의 값을 구하시오. (단, A, B, C는 상수)

19 오른쪽 그림과 같이 $\angle C = 90°$인 직각삼각형 ABC를 선분 AC를 축으로 하여 1회전시킬 때 생기는 회전체의 부피를 구하시오.

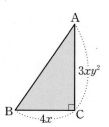

01 정우가 가로, 세로, 대각선에 놓인 세 다항식의 합이 모두 같아지도록 만들려고 할 때, A에 들어갈 다항식을 구하시오.

가로, 세로, 대각선에 놓인 세 다항식의 합이 모두 $3x^2+3x-6$이 되도록 만들었어!

x^2-5		$2x^2+x-3$
	A	x^2+2x+1

정우   성준

02 다항식 A에 $2x-4$를 더한 식을 $-4x$에 곱하면 $4x^2-8xy-12x$일 때, 다항식 A는?

① $-3x+2y+7$ ② $-2x+3y+7$

③ $2x+2y-7$ ④ $3x-2y+7$

⑤ $3x+2y+7$

03 오른쪽 그림과 같은 사다리꼴의 넓이가 $5a^3b^2+2a^2b^3$일 때, 이 사다리꼴의 윗변의 길이를 구하시오.

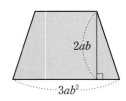

04 오른쪽 그림은 부피가 $2a^2+4ab$인 큰 직육면체 위에 부피가 $2a^2-2ab$인 작은 직육면체를 올려놓은 것이다. 이때 전체의 높이 h를 구하시오.

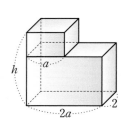

05 $a>b>0$, $c<0$일 때, 다음 중 □ 안에 들어갈 부등호의 방향이 나머지 넷과 다른 하나는?

① $\dfrac{a}{b}$ □ $\dfrac{a}{c}$ ② $\dfrac{1}{7}a$ □ $\dfrac{1}{7}b$

③ $ab-c$ □ b^2-c ④ $2a-5$ □ $2b-5$

⑤ $-4a+3$ □ $-4b+3$

06 부등식 $3x-5 \leq ax+1-8x$가 x에 대한 일차부등식이 되도록 하는 상수 a의 값이 <u>아닌</u> 것은?

① 2 　　　　② 5 　　　　③ 7

④ 10 　　　 ⑤ 11

07 다음 대화를 읽고 진구가 잘못 푼 일차부등식을 바르게 푸시오.

$2(0.3x-0.5) \leq 0.\dot{3}x \Rightarrow 2(3x-5) \leq 3x$

순환소수가 있잖아.

순환소수가 있으면 어떻게 풀지??

순환소수를 분수로 바꾼 다음 계산해 봐.

08 부등식

$\dfrac{4x-1}{3}+a \leq x+2$의 해를

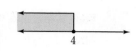

4

수직선 위에 나타내면 오른쪽 그림과 같을 때, 상수 a의 값을 구하시오.

09 $a<1$일 때, x에 대한 일차부등식 $ax+1 < x-3a+4$의 해는?

① $x < -3$ 　　② $x > -3$ 　　③ $x > 0$

④ $x < 3$ 　　　⑤ $x > 3$

10 다음 두 부등식의 해가 서로 같을 때, 상수 a의 값을 구하시오.

$$7x+8>5x-2, \quad ax-4<x-3$$

11 부등식 $1-\dfrac{3-x}{2}\geq 2x+a$를 만족시키는 자연수 x가 존재하지 않도록 하는 상수 a의 값의 범위는?

① $a>-2$ ② $a\geq-2$ ③ $a=-2$

④ $a<-2$ ⑤ $a\leq-2$

12 수지와 준기는 사탕을 각각 35개, 6개 가지고 있다. 수지가 준기에게 사탕을 몇 개 주어도 준기가 가진 것의 3배보다 많을 때, 수지는 준기에게 사탕을 최대 몇 개까지 줄 수 있는지 구하시오.

13 수영은 1분에 85 kcal, 줄넘기는 1분에 90 kcal만큼 열량이 소모되는 운동이다. 지금까지 가은이는 10분 동안 수영을, 나은이는 5분 동안 줄넘기를 했고 앞으로도 각자 하던 운동을 계속한다고 할 때, 나은이가 소모한 열량이 가은이가 소모한 열량보다 커지는 것은 몇 분 후부터인가?

① 60분 후   ② 70분 후   ③ 80분 후

④ 90분 후   ⑤ 100분 후

14 유준이네 어머니께서는 공기청정기를 장만하려고 하는데 구입할 경우에는 40만 원의 구입 비용과 매달 12000원의 유지비가 들고, 대여할 경우에는 매달 25000원의 대여비가 든다고 한다. 공기청정기를 구입해서 몇 개월 이상 사용해야 대여하는 것보다 유리한지 구하시오.

15 소진이는 어떤 인터넷 쇼핑몰에서 한 개에 5000원인 학용품을 여러 개 구입하려고 한다. 두 가지 쿠폰 중 한 가지만 사용가능하다고 할 때, 학용품을 몇 개 이상 구입해야 A 쿠폰을 사용하는 것이 더 유리한지 구하시오.

16 음료수 한 병을 형과 동생이 나누어 마시려고 하는데 형은 들어 있는 양의 $\frac{1}{3}$을 마시고, 동생은 형이 마시고 남아 있는 음료수의 $\frac{1}{5}$을 마셨다. 마지막에 남아 있는 음료수의 양이 320 mL 이상이라고 할 때, 처음에 병에 들어 있던 음료수의 양은 최소 몇 mL 이상인가?

① 450 mL   ② 500 mL   ③ 550 mL

④ 600 mL   ⑤ 650 mL

17 준서는 친구와의 약속시간이 9시라서 8시 25분에 집을 나와 시속 4 km로 걷는 중이었다. 집에서 약속 장소까지 $\frac{1}{3}$이 되는 지점까지 갔다가 친구에게 줄 물건을 집에 놓고 온 것을 알고 그때부터 시속 5 km의 속력으로 집으로 되돌아갔다. 물건을 가져오는데 5분이 소요되었고 시속 5 km의 속력으로 걸었더니 약속 장소에 늦지 않게 도착할 수 있었다. 이때 약속 장소는 집에서부터 몇 km 이내에 있는가?

① $\frac{10}{7}$ km   ② $\frac{3}{2}$ km   ③ $\frac{15}{7}$ km

④ $\frac{30}{13}$ km   ⑤ $\frac{17}{4}$ km

내신 고득점을 위한 필수 심화 학습서

중학 일등전략

전과목 시리즈

체계적인 시험대비

주 3일, 하루 6쪽 구성
총 2~3주의 분량으로
빠르고 완벽하게 시험 대비!

1등을 위한 공부법

탄탄한 중학 개념 기본기에
실전 문제풀이의 감각을 더해
어떠한 상황에도 자신감 UP!

문제유형 완전 정복

기출문제 분석을 통해
개념 확인 유형부터 서술형,
고난도 유형까지 다양하게 마스터!

완벽한 1등 만들기! 전과목 내신 대비서

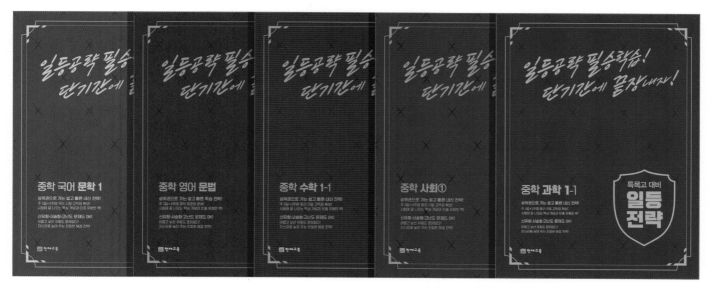

국어: 예비중~중3(문학1~3/문법1~3)
영어: 중2~3
수학: 중1~3(학기용)

사회: 중1~3(사회①, 사회②, 역사①, 역사②)
과학: 중1~3(학기용)

book.chunjae.co.kr

교재 내용 문의 ···················· 교재 홈페이지 ▶ 중학 ▶ 교재상담
교재 내용 외 문의 ················· 교재 홈페이지 ▶ 고객센터 ▶ 1:1문의
발간 후 발견되는 오류 ·············· 교재 홈페이지 ▶ 중학 ▶ 학습지원 ▶ 학습자료실

일등공략 필승학습!
단기간에 끝장내자!

중학 수학 2-1

BOOK 2
기말고사대비

특목고 대비
일등
전략

천재교육

시험에 잘 나오는

대표 유형 ZIP

중학 수학 2-1

BOOK 2
기 말 고 사 대 비

특목고 대비
일등
전략

천재교육

시험에 잘 나오는

대표 유형 ZIP

중학 수학
2-1
기 말 고 사 대 비

이 책의 차례

시험에 잘 나오는
대표 유형을
기출 문제로 확인해 봐.

일차방정식의 해 또는 계수가 문자로 주어진 경우

일차방정식 $3x - ay = 8$의 한 해가 $(4, 4)$일 때, 상수 a의 값은?

① -5 ② -1 ③ 1

④ 5 ⑤ 10

Tip

주어진 해를 일차방정식에 대입하여 상수 a의 값을 구한다.

방정식의 해는 이렇게 나타낼수 있어.

① $\begin{cases} x=4 \\ y=4 \end{cases}$

② $x=4, \; y=4$

③ $(x, y) = (4, 4)$

풀이 답 | ③

$x = \boxed{①}$, $y = 4$를 $3x - ay = 8$에 대입하면

$\boxed{②} - 4a = 8$, $-4a = -4$ ∴ $a = \boxed{③}$

답 ❶ 4 ❷ 12 ❸ 1

연립방정식의 풀이 – 대입법

연립방정식 $\begin{cases} y = -x + 3 & \cdots\cdots ㉠ \\ 3x - 2y = 9 & \cdots\cdots ㉡ \end{cases}$ 를 풀기 위해 ㉠을 ㉡에 대입하여 정

리하였더니 $ax = 15$가 되었다. 이때 상수 a의 값을 구하시오.

Tip

대입법 연립방정식의 두 방정식 중 한 방정식을 $x = (y$에 대한 식) 또는 $y = (x$에 대한 식)으로 바꾸어 다른 방정식에 대입하여 한 미지수를 없앤 후 해를 구하는 방법

대입법
$\begin{cases} x = 2y \\ x + 3y = 10 \end{cases}$

$\Downarrow$

$2y + 3y = 10$

한 미지수를 소거해!

풀이 답 | 5

㉠을 ㉡에 대입하면

$3x - 2 \times (\boxed{❶ \qquad}) = 9$

$3x + 2x - 6 = 9, \ 5x = 15$

$\therefore a = \boxed{❷}$

답 ❶ $-x + 3$ ❷ 5

연립방정식의 풀이 – 가감법

다음은 대현이가 연립방정식 $\begin{cases} 3x-y=6 & \cdots\cdots \text{㉠} \\ x-2y=-3 & \cdots\cdots \text{㉡} \end{cases}$ 을 푼 후에 그 풀이

과정에 대해 아윤이에게 질문한 것이다. 대현이의 풀이에서 잘못된 부분을 찾고, 연립방정식의 해를 구하시오.

오늘 수업 시간에 쪽지 시험을 봤는데 틀렸어. 그런데 어디가 잘못됐는지 모르겠어.

어! 저기서 실수를 했구나. 실수를 한 부분은······

㉠×2를 하면 6x-2y=6 ···㉢
㉡-㉢을 하면 -5x=-9

∴x=$\frac{9}{5}$, y=$\frac{12}{5}$

Tip

가감법 연립방정식의 각 방정식의 양변에 적당한 수를 곱하거나 나누어서 x 또는 y 의 계수의 절댓값을 같게 만든 후, 두 방정식을 변끼리 더하거나 빼어서 해를 구하는 방법

풀이 답 | 풀이 참조, 해 : $x=3,\ y=3$

잘못된 부분은 ㉠×2를 할 때, 우변에는 2를 곱하지 [❶] 것이다.

따라서 연립방정식의 해를 구하면 다음과 같다.

㉠×2를 하면

$6x-2y=12$ ·······㉢

㉡-㉢을 하면

$-5x=-15$ ∴ $x=$ [❷]

$x=3$을 ㉠에 대입하면

$9-y=6$ ∴ $y=$ [❸]

답 ❶ 않은 ❷ 3 ❸ 3

연립방정식 $\begin{cases} 2x+3y=11 \\ mx-2y=-5 \end{cases}$ 의 해가 일차방정식 $x-y=-2$를 만족시킬 때, 상수 m의 값을 구하시오.

Tip

이 문제는 어떻게 풀어?

주어진 연립방정식의 해는 세 일차방정식을 모두 만족시키니까 연립방정식 $\begin{cases} 2x+3y=11 \\ x-y=-2 \end{cases}$의 해와 같아.

풀이 답ㅣ1

주어진 연립방정식의 ❶ 는 세 일차방정식을 모두 ❷ 시키므로

연립방정식 $\begin{cases} 2x+3y=11 & \cdots\cdots\text{㉠} \\ \boxed{❸} & \cdots\cdots\text{㉡} \end{cases}$의 해와 같다.

㉠＋㉡×3을 하면

$5x=5$ ∴ $x=1$

$x=1$을 ㉡에 대입하면

$1-y=-2$ ∴ $y=3$

$x=1, y=3$을 $mx-2y=-5$에 대입하면

$m-6=-5$ ∴ $m=1$

답 ❶ 해 ❷ 만족 ❸ $x-y=-2$

일차방정식의 해의 조건이 주어진 경우

다음 대화를 읽고 상수 a의 값을 구하시오.

Tip

x의 값이 y의 값보다 a만큼 크다. ➡ $x=y+a$

풀이 답| 4

x의 값이 y의 값보다 4만큼 크므로 $x=$ ❶ ⬚

$\begin{cases} 4x+y=11 & \cdots\cdots ㉠ \\ x= ❷ \boxed{} & \cdots\cdots ㉡ \end{cases}$ 에서

㉡을 ㉠에 대입하면

$4(y+4)+y=11,\ 5y=-5$　∴ $y=-1$

$y=-1$을 ㉡에 대입하면 $x=-1+4=3$

$x=3,\ y=-1$을 $x-y=a$에 대입하면 $a=$ ❸ ⬚

답 ❶ $y+4$　❷ $y+4$　❸ 4

06   해가 서로 같은 두 연립방정식

두 연립방정식 $\begin{cases} -3x+2y=1 \\ 5x+ay=9 \end{cases}$, $\begin{cases} bx-4y=-3 \\ 3x+4y=11 \end{cases}$ 의 해가 서로 같을 때, a, b

의 값을 각각 구하시오. (단, a, b는 상수)

Tip

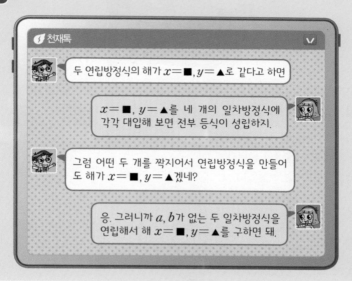

💬 천재톡

두 연립방정식의 해가 $x=\blacksquare$, $y=\blacktriangle$로 같다고 하면

$x=\blacksquare$, $y=\blacktriangle$를 네 개의 일차방정식에 각각 대입해 보면 전부 등식이 성립하지.

그럼 어떤 두 개를 짝지어서 연립방정식을 만들어도 해가 $x=\blacksquare$, $y=\blacktriangle$겠네?

응. 그러니까 a, b가 없는 두 일차방정식을 연립해서 해 $x=\blacksquare$, $y=\blacktriangle$를 구하면 돼.

풀이 답ㅣ $a=2$, $b=5$

$\begin{cases} -3x+2y=1 & \cdots\cdots \text{㉠} \\ \boxed{❶} & \cdots\cdots \text{㉡} \end{cases}$ 에서

㉠+㉡을 하면 $6y=12$ $\therefore y=2$

$y=2$를 ㉠에 대입하면 $-3x+4=1$, $-3x=-3$ $\therefore x=1$

$x=1$, $y=2$를 $5x+ay=9$, $bx-4y=-3$에 각각 대입하면

$5+2a=9$, $b-8=-3$ $\therefore a=\boxed{❷}$, $b=5$

답 ❶ $3x+4y=11$ ❷ 2

계수 또는 상수항을 잘못 보고 구한 해

다음을 보고 재민이가 잘못 본 수 m의 값을 구하시오.

Tip

(1) 계수나 상수를 잘못 보고 풀었다.
   ➡ 잘못 본 값을 a로 놓는다.
(2) a, b를 바꾸어 놓고 풀었다.
   ➡ a 대신 b, b 대신 a로 바꾼 새로운 연립방정식을 만든다.

풀이 **답 |** -3

$$\begin{cases} 2x+y=3 & \cdots\cdots ㉠ \\ x-y=9 & \cdots\cdots ㉡ \end{cases}$$

㉠에서 3을 m으로 잘못 보았으므로

$2x+y=\boxed{①}$ $\qquad \cdots\cdots ㉢$

$x=2$를 ㉡에 대입하면

$2-y=9$ $\qquad \therefore y=-7$

$x=2, y=-7$을 ㉢에 대입하면

$4-7=m$ $\qquad \therefore m=\boxed{②}$

답 ❶ m **❷** -3

괄호가 있는 연립방정식

연립방정식 $\begin{cases} 3x-4(x+2y)=5 \\ 2(x-y)=3-5y \end{cases}$ 를 풀면?

① $x=-3, y=1$ ② $x=-1, y=3$

③ $x=3, y=-1$ ④ $x=3, y=1$

⑤ $x=4, y=2$

Tip

괄호가 나오면 분배법칙을 이용하여 괄호를 풀고
동류항끼리 간단히 정리한 후 연립방정식을 푼다.

$\begin{cases} 2(x-y)+3x=2 \\ 7x-3(2x-y)=14 \end{cases}$ → $\begin{cases} 2x-2y+3x=2 \\ 7x-6x+3y=14 \end{cases}$ → $\begin{cases} 5x-2y=2 \\ x+3y=14 \end{cases}$ → $x=2, y=4$

괄호를 푼다.   동류항끼리 간단히 정리한다.

풀이 답| ③

$\begin{cases} 3x-4(x+2y)=5 \\ 2(x-y)=3-5y \end{cases}$ → $\begin{cases} \boxed{❶} & \cdots\cdots ㉠ \\ 2x+3y=3 & \cdots\cdots ㉡ \end{cases}$

㉠×2+㉡을 하면

$-13y=13$ ∴ $y=\boxed{❷}$

$y=-1$을 ㉠에 대입하면

$-x+8=5$ ∴ $x=3$

답 ❶ $-x-8y=5$ **❷** -1

계수가 분수 또는 소수인 연립방정식

다음은 어느 수학 퀴즈 프로그램의 일부이다. 민영이가 어느 문을 선택해야 상품을 받을 수 있는지 말하시오.

Tip

(1) 계수가 분수인 경우

→ 양변에 분모의 최소공배수를 곱하여 계수를 정수로 바꾼다.

(2) 계수가 소수인 경우

→ 양변에 10의 거듭제곱을 곱하여 계수를 정수로 바꾼다.

풀이 답| ③

$$\begin{cases} 0.3x - 0.2y = 1 & \cdots\cdots ㉠ \\ \dfrac{2}{3}x + \dfrac{1}{4}y = \dfrac{5}{6} & \cdots\cdots ㉡ \end{cases}$$

㉠×10을 하면 $3x - 2y =$ ⬛**❶**⬛ $\quad\cdots\cdots$ ㉢

㉡×12를 하면 $8x + 3y =$ ⬛**❷**⬛ $\quad\cdots\cdots$ ㉣

㉢, ㉣을 연립하여 풀면 $x = 2, y = -2$

따라서 민영이가 선택해야 하는 문은 ③이다.

답 ❶ 10 ❷ 10

10 $A=B=C$ 꼴의 방정식

방정식 $2x+y+2=3x+2y-4=4$를 푸시오.

Tip

참고 $A=B=C$ 꼴에서 C가 상수일 때에는 $\begin{cases} A=C \\ B=C \end{cases}$ 꼴로 바꾸어 푸는 것이 가장 편리하다.

풀이 답| $x=-4$, $y=10$

$\begin{cases} 2x+y+2=4 \\ \boxed{❶ }=4 \end{cases}$ → $\begin{cases} 2x+y=2 & \cdots\cdots ㉠ \\ 3x+2y=8 & \cdots\cdots ㉡ \end{cases}$

㉠×2−㉡을 하면 $x=-4$

$x=-4$를 ㉠에 대입하면

$-8+y=2$ $\qquad \therefore y=\boxed{❷ }$

답 ❶ $3x+2y-4$ ❷ 10

11 해가 특수한 연립방정식 – 해가 없는 경우

다음과 같이 일차방정식이 적혀 있는 4장의 카드가 있다. 이중 두 장의 카드에 적혀 있는 일차방정식을 한 쌍으로 하여 연립방정식을 풀었을 때, 해가 없는 카드를 고르시오.

ㄱ
$2x + y = 3$

ㄴ
$3x - y = 4$

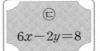
ㄷ
$6x - 2y = 8$

ㄹ
$6x + 3y = 4$

Tip

(1) 두 일차방정식을 변형하였을 때, 미지수의 계수는 각각 같고 상수항은 다르면 해가 없다.

(2) 연립방정식 $\begin{cases} ax + by = c \\ a'x + b'y = c' \end{cases}$ 에서 $\dfrac{a}{a'} = \dfrac{b}{b'} \neq \dfrac{c}{c'}$ 이면 해가 없다.

풀이 답| ㉠, ㉣

$\begin{cases} 2x + y = 3 \\ 6x + 3y = 4 \end{cases}$ 에서 $\dfrac{2}{6} = \dfrac{1}{3} \neq \dfrac{\boxed{❶}}{\boxed{❷}}$ 이므로 해가 없다.

따라서 해가 없는 카드는 ㉠, ㉣이다.

답 ❶ 3 ❷ 4

해가 특수한 연립방정식 – 해가 무수히 많은 경우

다음 대화를 읽고 민정이가 무엇을 잘못 생각했는지 생각해 보고 연립방정식의 해를 구하시오.

연립방정식 $\begin{cases} x+y=2 \\ x+3y=-2x+6 \end{cases}$ 의 해는 뭘까?

$x=1, y=1$일 때 두 식이 모두 참이니까 풀어 볼 것도 없이 이게 답이에요.

과연 그럴까? 다시 풀어봐~

Tip

(1) 두 일차방정식을 변형하였을 때, 미지수의 계수와 상수항이 각각 같으면 해가 무수히 많다.

(2) 연립방정식 $\begin{cases} ax+by=c \\ a'x+b'y=c' \end{cases}$ 에서 $\dfrac{a}{a'}=\dfrac{b}{b'}=\dfrac{c}{c'}$ 이면 해가 없다.

풀이 답| 해가 무수히 많다.

$\begin{cases} x+y=2 \\ x+3y=-2x+6 \end{cases}$ 에서 $\begin{cases} x+y=2 \\ 3x+3y=6 \end{cases}$

이때 $\dfrac{1}{3}=\dfrac{1}{3}$ **①** $\dfrac{2}{6}$ 이므로 해가 **②** .

답 ① $=$ **②** 무수히 많다.

13 개수에 대한 문제

다음 대화를 읽고 1인용 자전거와 2인용 자전거는 각각 몇 대씩 있는지 구하시오.

Tip

1인용 자전거의 수를 x대, 2인용 자전거의 수를 y대라 하면

$$\begin{cases} x+y=(\text{전체 자전거의 수}) \\ x+2y=(\text{전체 사람의 수}) \end{cases}$$

풀이 답| 1인용 자전거 : 8대, 2인용 자전거 : 12대

1인용 자전거의 수를 x대, 2인용 자전거의 수를 y대라 하면

$$\begin{cases} x+y=\boxed{❶} \\ x+\boxed{❷}=32 \end{cases} \qquad \therefore x=8, y=12$$

따라서 1인용 자전거는 8대, 2인용 자전거는 12대 있다.

답 ❶ 20 ❷ $2y$

14 가격에 대한 문제

다음 대화를 읽고 ☐ 안에 알맞은 수를 구하시오.

Tip

A, B의 가격 사이의 관계가 주어질 때

→ A, B의 한 개의 가격을 각각 x원, y원으로 놓고 연립방정식을 세운다.

풀이 답 | 1500, 1000

김밥 1인분에 x원, 떡볶이 1인분에 y원이라 하면

$\begin{cases} 3x+2y= \boxed{①} \\ 4x+3y=9000 \end{cases}$ ∴ $x=1500,\ y=\boxed{②}$

따라서 ☐ 안에 알맞은 수는 1500, 1000이다.

답 ① 6500 ② 1000

15 계단에 대한 문제

준호와 정인이는 가위바위보를 하여 이긴 사람은 3계단씩 올라가고, 진 사람은 2계단씩 내려가기로 했다. 얼마 후 준호는 처음 위치보다 1계단 내려와 있고, 정인이는 처음 위치보다 14계단 올라가 있었다. 이때 정인이가 이긴 횟수를 구하시오. (단, 비기는 경우는 없었다.)

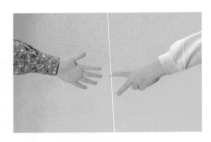

Tip

A, B 두 사람이 가위바위보를 하여 계단을 올라갈 때 (단, 비기는 경우는 없다.)

	이긴 횟수(회)	진 횟수(회)
A	x	y
B	y	x

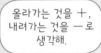

올라가는 것을 $+$, 내려가는 것을 $-$로 생각해.

풀이 답 | 8회

준호가 이긴 횟수를 x회, 정인이가 이긴 횟수를 y회라 하면

$$\begin{cases} 3x-2y= \boxed{①} \\ \boxed{②} \, x+3y=14 \end{cases} \quad \therefore x=5, \ y=8$$

따라서 정인이가 이긴 횟수는 $\boxed{③}$ 회이다.

답 ① -1 ② -2 ③ 8

16 증가, 감소에 대한 문제

천재중학교의 올해 신입생 수는 작년에 비하여
남학생은 15 % 증가하고, 여학생은 10 % 감소
하여 전체 신입생 수는 작년보다 2명이 증가한
482명이 되었다고 한다. 이때 올해 여학생 수를
구하시오.

Tip

작년 남학생 수를 x명, 여학생 수를 y명이라 하면

	남학생	여학생	합계
작년	x명	y명	480명
	15 % 증가	10 % 감소	2명 증가
올해	$\left(x+\dfrac{15}{100}x\right)$명	$\left(y-\dfrac{10}{100}y\right)$명	482명

연립방정식의 해 x, y를
구한 후, 그 값을 그대로
답으로 쓰는 실수를 많이
하는데 구해야 하는 값은
올해 여학생 수임에
주의해!

풀이 답 | 252명

작년 남학생 수를 x명, 여학생 수를 y명이라 하면

$$\begin{cases} x+y=480 \\ \dfrac{15}{100}x \boxed{①} -\dfrac{10}{100}y=2 \end{cases} \qquad \therefore x=200, y=280$$

따라서 올해 여학생 수는

$$\boxed{②} -\dfrac{10}{100}\times 280=280-28=252(명)$$

17 일에 대한 문제

진우네는 나무 울타리에 페인트 칠을 새로 하려고 한다. 아버지와 진우가 같이 칠하면 8일 걸리는 일을 아버지가 먼저 10일 동안 칠한 후 나머지를 진우가 4일 동안 하여 끝마쳤다. 이 일을 진우가 혼자서 하면 며칠이 걸리는지 구하시오.

Tip

전체 일의 양을 1로 생각하고, 한 사람이 하루에 할 수 있는 일의 양을 미지수로 정하여 연립방정식을 세운다.

풀이 답 | 24일

전체 일의 양을 ❶ ⬚ 이라 하고 아버지가 하루에 할 수 있는 일의 양을 x, 진우가 하루에 할 수 있는 일의 양을 y라 하면

$$\begin{cases} 8x+8y=1 \\ 10x+4y=1 \end{cases} \quad \therefore x=\frac{1}{12},\ y=\frac{1}{24}$$

따라서 이 일을 진우가 혼자서 하면 ❷ ⬚ 일이 걸린다.

답 ❶ 1 ❷ 24

18 **거리, 속력, 시간에 대한 문제 – 도중에 속력이 바뀌는 경우**

규찬이네 집에서 학교까지의 거리는 2.1 km이다. 규찬이가 집을 출발하여 학교에 가는데 처음에는 매분 50 m의 속력으로 걸어가다가 늦을 것 같아 매분 100 m의 속력으로 뛰어서 총 34분이 걸렸다. 이때 규찬이가 뛴 거리는?

① 300 m   ② 500 m   ③ 800 m

④ 1000 m   ⑤ 1300 m

Tip

- (거리)=(속력)×(시간)
- (속력)=$\dfrac{(거리)}{(시간)}$ · (시간)=$\dfrac{(거리)}{(속력)}$

거리 ÷ 속력 × 시간

도중에 속력이 바뀌는 게 포인트야~
걸어간 거리를 x m, 뛰어간 거리를 y m로 놓고 식을 세워 봐.

풀이 답 | ③

규찬이가 걸은 거리를 x m, 뛴 거리를 y m라 하면

$$\begin{cases} x+y=2100 \\ \dfrac{x}{50}+\boxed{①}=34 \end{cases} \qquad \therefore\ x=1300,\ y=800$$

따라서 규찬이가 뛴 거리는 $\boxed{②}$ m이다.

답 ① $\dfrac{y}{100}$ ② 800

19 거리, 속력, 시간에 대한 문제 - 서로 만나는 경우

둘레의 길이가 1500 m인 호수가 있다. 인혁이와 효재가 호수의 둘레를 동시에 같은 지점에서 출발하여 같은 방향으로 돌면 30분 후에 처음으로 다시 만나고, 반대 방향으로 돌면 6분 후에 처음으로 다시 만난다고 한다. 인혁이의 속력이 효재의 속력보다 빠를 때, 효재의 속력을 구하시오.

Tip

(1) 같은 방향으로 돌 때

(호수의 둘레의 길이)
=(A가 걸은 거리)−(B가 걸은 거리)

(2) 반대 방향으로 돌 때

(호수의 둘레의 길이)
=(A가 걸은 거리)+(B가 걸은 거리)

풀이 답| 분속 100 m

인혁이의 속력을 분속 x m, 효재의 속력을 분속 y m라 하면

$\begin{cases} 30x \boxed{①} 30y = 1500 \\ 6x + 6y = 1500 \end{cases}$ ∴ $x = 150, y = 100$

따라서 효재의 속력은 분속 ❷ [   ] m이다.

답 ❶ − ❷ 100

20	**거리, 속력, 시간에 대한 문제 – 강물과 배**

다음은 A 마을과 B 마을에 사는 두 친구의 통화 내용이다. A 마을과 B 마을 사이의 거리가 뱃길로 8 km일 때, 정지한 물에서 배의 속력을 구하시오.

(단, 강물의 속력은 일정하다.)

Tip

정지한 물에서의 배의 속력을 시속 x km, 강물의 속력을 시속 y km라 하면
(강을 거슬러 올라갈 때의 속력)=시속 $(x-y)$ km
(강을 따라 내려올 때의 속력)=시속 $(x+y)$ km

풀이 답 | 시속 10 km

정지한 물에서의 배의 속력을 시속 x km, 강물의 속력을 시속 y km라 하면

$$\begin{cases} x-y=8 \\ \dfrac{2}{3}(x \boxed{\text{❶}} \ y)=8 \end{cases} \rightarrow \begin{cases} x-y=8 \\ x+y=12 \end{cases} \quad \therefore x=10, y=2$$

따라서 정지한 물에서 배의 속력은 시속 $\boxed{\text{❷}}$ km이다.

답 ❶ $+$ ❷ 10

농도에 대한 문제

6 %의 소금물과 2 %의 소금물을 섞어서 5 %의 소금물 300 g을 만들려고 한다. 이때 6 %의 소금물은 몇 g을 섞어야 하는지 구하시오.

Tip

농도가 다른 두 소금물을 섞어도 소금의 양은 변하지 않아.

- $(소금물의 농도) = \dfrac{(소금의 양)}{(소금물의 양)} \times 100 \ (\%)$

- $(소금의 양) = (소금물의 양) \times \dfrac{(소금물의 농도)}{100}$

풀이 답 | 225 g

6 %의 소금물을 x g, 2 %의 소금물을 y g 섞는다고 하면

$$\begin{cases} x+y=300 \\ \dfrac{6}{100}x + \dfrac{2}{100}y = \dfrac{5}{100} \times \boxed{\ ❶\ } \end{cases} \rightarrow \begin{cases} x+y=300 \\ 3x+y=750 \end{cases}$$

$\therefore x=225, \ y=75$

따라서 6 %의 소금물은 $\boxed{\ ❷\ }$ g을 섞어야 한다.

답 ❶ 300 ❷ 225

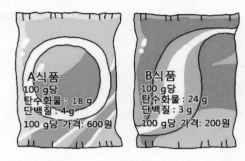

22 식품의 영양소에 대한 문제

다음 표는 A 식품과 B 식품
100 g에 들어 있는 탄수화물
과 단백질의 양을 각각 나타
낸 것이다. A, B 두 식품 만
으로 탄수화물 252 g과 단백
질 35 g을 섭취하려면 B 식
품은 몇 g을 먹어야 하는가?

식품　영양소	탄수화물(g)	단백질(g)
A	18	4
B	24	3

① 900 g   ② 850 g   ③ 800 g
④ 750 g   ⑤ 700 g

Tip

표에 나와 있는 탄수화물과 단백질의 양은 100 g에 들어 있는 양이므로 1 g에 들어
있는 양을 먼저 구해야 한다.

풀이 답| ①

A 식품을 x g, B 식품을 y g 먹는다고 하면

$$\begin{cases} \dfrac{18}{100}x + \dfrac{24}{100}y = 252 \\ \dfrac{4}{100}x + \dfrac{3}{100}y = 35 \end{cases} \rightarrow \begin{cases} 3x + 4y = 4200 \\ 4x + 3y = 3500 \end{cases} \quad \therefore\ x = 200,\ y = \boxed{❶}$$

따라서 B 식품은 $\boxed{❷}$ g을 먹어야 한다.

답 ❶ 900   ❷ 900

함숫값

일차함수 $f(x)=-3x+b$에서 $f(-1)=1$일 때, $2f(-2)+f(1)$의 값을 구하시오.

Tip

함숫값 함수 $y=f(x)$에서 x의 값에 따라 하나로 정해지는 y의 값 [기호] $f(x)$

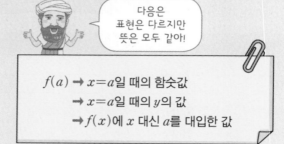

다음은 표현은 다르지만 뜻은 모두 같아!

$f(a)$ ➜ $x=a$일 때의 함숫값
➜ $x=a$일 때의 y의 값
➜ $f(x)$에 x 대신 a를 대입한 값

풀이 답 | 3

$f(-1)=3+b=1$ $\therefore b=$ ❶

즉 $f(x)=-3x-2$이므로

$f(-2)=6-2=4,\ f(1)=-3-2=-5$

$\therefore 2f(-2)+f(1)=2\times4+(-5)=$ ❷

답 ❶ -2 ❷ 3

24 일차함수의 그래프의 평행이동

일차함수 $y=ax$의 그래프를 y축의 방향으로 -3만큼 평행이동하였더니
일차함수 $y=-2x+b$의 그래프가 되었다. 이때 $a+b$의 값을 구하시오.

(단, a, b는 상수)

Tip

(1) **평행이동** 한 도형을 일정한 방향으로 일정한 거리
만큼 이동하는 것

(2) 일차함수 $y=ax$의 그래프를 y축의 방향으로 b만큼 평행이동
→ $y=ax+b$
① $b>0$: y축의 양의 방향으로 이동 　② $b<0$: y축의 음의 방향으로 이동

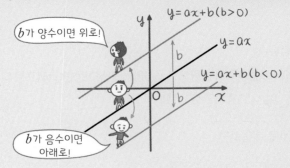

풀이 답ㅣ -5

$y=ax$의 그래프를 y축의 방향으로 -3만큼 평행이동한 그래프는 $y=ax-3$
따라서 $a=\boxed{❶}$, $b=-3$이므로
$a+b=-2+(-3)=\boxed{❷}$

답 ❶ -2 ❷ -5

일차함수의 그래프의 x절편, y절편

일차함수 $y=\dfrac{5}{6}x$의 그래프를 y축의 방향으로 -5만큼 평행이동한 그래프의 x절편을 a, y절편을 b라 할 때, $a+b$의 값을 구하시오.

Tip

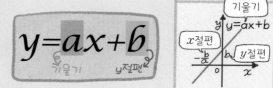 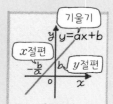

(1) x**절편** 일차함수의 그래프가 x축과 만나는 점의 x좌표
　→ $y=0$일 때의 x의 값
(2) y**절편** 일차함수의 그래프가 y축과 만나는 점의 y좌표
　→ $x=0$일 때의 y의 값

풀이 답 | 1

$y=\dfrac{5}{6}x$의 그래프를 y축의 방향으로 -5만큼 평행이동한 그래프를 나타내는 일차함

수의 식은 $y=$ ❶ ☐

위 식에 $y=0$을 대입하면

$0=\dfrac{5}{6}x-5$, $\dfrac{5}{6}x=5$　∴ $x=$ ❷ ☐

따라서 $a=6$, $b=-5$이므로
$a+b=6+(-5)=1$

답 ❶ $\dfrac{5}{6}x-5$　❷ 6

26 세 점을 지나는 직선의 기울기

세 점 $(-4, 1), (2, a), (4, 3)$이 한 직선 위에 있을 때, a의 값을 구하시오.

Tip

세 점 A, B, C가 한 직선 위에 있다.
→ (직선 AB의 기울기)=(직선 BC의 기울기)=(직선 AC의 기울기)

풀이 답ㅣ$\dfrac{5}{2}$

두 점 $(-4, 1), (4, 3)$을 지나는 직선의 기울기는

$$\dfrac{3-1}{4-(-4)}=\boxed{①}$$

두 점 $(2, a), (4, 3)$을 지나는 직선의 기울기는

$$\dfrac{3-a}{4-2}=\dfrac{3-a}{2}$$

이때 $\dfrac{1}{4}=\boxed{②}$ 이므로

$$12-4a=2, \quad -4a=-10 \qquad \therefore a=\dfrac{5}{2}$$

답 ❶ $\dfrac{1}{4}$ ❷ $\dfrac{3-a}{2}$

일차함수의 그래프와 좌표축으로 둘러싸인 도형의 넓이

일차함수 $y=-\dfrac{3}{4}x+3$의 그래프가 x축, y축과 만나는 점을 각각 A, B라

할 때, $\triangle$AOB의 넓이를 구하시오. (단, 점 O는 원점)

Tip

일차함수 $y=ax+b$의 그래프와 x축, y축으로 둘러싸인 도형의 넓이 구하기

오른쪽 그림에서 $(x$절편$)=-\dfrac{b}{a}$, $(y$절편$)=b$이므로

색칠한 부분의 넓이는

$\dfrac{1}{2}\times\left|-\dfrac{b}{a}\right|\times|b|$

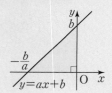

풀이 답 | 6

일차함수 $y=-\dfrac{3}{4}x+3$의 그래프의

x절편은 **❶** , y절편은 3이므로

A$(4, 0)$, B$(0, 3)$

$\therefore \triangle$AOB$=\dfrac{1}{2}\times4\times3=$ **❷**

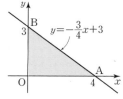

답 ❶ 4 ❷ 6

일차함수 $y = ax + b$의 그래프의 성질

다음을 보고 바르게 대답한 학생을 모두 고르시오.

Tip

일차함수 $y = ax + b$에 대하여

(1) $a > 0$ ➡ 오른쪽 위로 향하는 직선

　　$a < 0$ ➡ 오른쪽 아래로 향하는 직선

(2) $b > 0$ ➡ y절편이 양수

　　$b < 0$ ➡ y절편이 음수

풀이 답 | 세오, 혜미

진웅 : 기울기는 ❶ ⬚ 이다.

미선 : 그래프가 오른쪽 아래로 향하므로 x의 값이 증가할 때, y의 값은 ❷ ⬚

　　　한다.

따라서 바르게 대답한 학생은 세오, 혜미이다.

답 ❶ $-\dfrac{5}{2}$　❷ 감소

29 일차함수 $y=ax+b$의 그래프와 a, b의 부호

일차함수 $y=-ax+b$의 그래프가 오른쪽 그림
과 같을 때, 다음 중 옳은 것은?

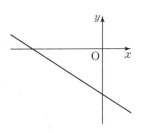

① $a>0$, $b>0$ 　　② $a>0$, $b<0$

③ $a<0$, $b>0$ 　　④ $a<0$, $b=0$

⑤ $a<0$, $b<0$

Tip

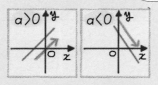

일차함수의 그래프가 오른쪽 위로
향하는지 오른쪽 아래로 향하는지는
a의 부호로 알 수 있어.

일차함수 $y=ax+b$의 그래프의 개형

$a>0$, $b>0$	$a>0$, $b<0$	$a<0$, $b>0$	$a<0$, $b<0$

풀이 답| ②

그래프가 오른쪽 아래로 향하므로 $-a$ ❶ 　 0 　 ∴ $a>0$

y절편이 음수이므로 b ❷ 　 0

답 ❶ $<$ 　 ❷ $<$

일차함수의 그래프의 평행과 일치

두 일차함수 $y=\dfrac{1}{2}x+b+3$, $y=ax-3$의 그래프가 서로 일치할 때, ab의 값은? (단, a, b는 상수)

① -6 ② -3 ③ 1

④ 3   ⑤ 6

Tip

두 일차함수 $y=ax+b$와 $y=a'x+b'$의 그래프에서

(1) 평행 → $a=a'$, $b\neq b'$ (2) 일치 → $a=a'$, $b=b'$

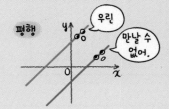

풀이 답 | ②

두 일차함수의 그래프가 서로 일치하려면 기울기와 y절편이 각각 ❶〔   〕하므로

$\dfrac{1}{2}=a$, $b+3=-3$ $\therefore a=\dfrac{1}{2}$, $b=-6$

$\therefore ab=\dfrac{1}{2}\times(-6)=$❷〔   〕

답 ❶ 같아야 ❷ -3

일차함수의 식 구하기 – 기울기와 y절편

해수욕장 관리인은 해수욕장 개장을 준비하면서 다음과 같이 해안선과 평행하게 안전선을 설치하려고 한다. 해수욕장 도면을 좌표평면 위에 그렸더니 해안선은 두 점 $(2, 2)$, $(-2, 4)$를 지나는 직선이었다. 이때 안전선을 나타내는 직선을 그래프로 하는 일차함수의 식을 구하시오.

Tip

기울기가 a이고 y절편이 b인 직선을 그래프로 하는 일차함수의 식

$\Rightarrow y = ax + b$

기울기 ◂┘   └▸ y절편

풀이 답 | $y = -\dfrac{1}{2}x + 6$

해안선을 나타내는 직선의 기울기는 $\dfrac{4-2}{-2-2} =$ ❶

따라서 안전선을 나타내는 일차함수의 식은 $y =$ ❷

답 ❶ $-\dfrac{1}{2}$ ❷ $-\dfrac{1}{2}x + 6$

32 **일차함수의 식 구하기 – 기울기와 한 점의 좌표**

기울기가 3이고 점 $(1, 5)$를 지나는 직선이 점 $(-a, -1)$을 지날 때, a의 값을 구하시오.

> '지나는 점'이 나오면 대입!

Tip

기울기가 a이고 점 (x_1, y_1)을 지나는 직선을 그래프로 하는 일차함수의 식
→ $y=ax+b$로 놓고 $x=x_1, y=y_1$을 대입하여 b의 값을 구한다.

풀이 답 | 1

기울기가 3이므로 $y=3x+b$로 놓고 $x=1, y=5$를 대입하면
$5=3\times1+b$　∴ $b=2$
따라서 구하는 일차함수의 식은 $y=$ ❶
위의 식에 $x=-a, y=-1$을 대입하면
$-1=-3a+2, 3a=3$　∴ $a=$ ❷

답 ❶ $3x+2$ ❷ 1

33 일차함수의 식 구하기 – 서로 다른 두 점의 좌표

다음은 수지가 두 점 $(-1, 4)$, $(1, 2)$를 지나는 직선을 그래프로 하는 일차함수의 식을 구하는 과정이다. 잘못된 부분을 찾아 바르게 고치시오.

Tip

두 점 (x_1, y_1), (x_2, y_2)를 지나는 직선을 그래프로 하는 일차함수의 식

→ (기울기)$=\dfrac{y_2-y_1}{x_2-x_1}=a$이므로 $y=ax+b$로 놓고 $x=x_1$, $y=y_1$을 대입하여 b의

값을 구한다.

└→ $x=x_2$, $y=y_2$를 대입해도 된다.

풀이 답ㅣ풀이 참조

x의 값이 -1에서 1까지 2만큼 증가할 때, y의 값은 4에서 2까지 2만큼 **❶** 하

므로 (기울기)$=\dfrac{-2}{2}=-1$

이때 구하는 일차함수의 식을 $y=-x+b$라 하면 이 직선은 점 $(1, 2)$를 지나므로

$2=-1+b$ ∴ $b=3$

따라서 구하는 일차함수의 식은 $y=$ **❷**

답 ❶ 감소 **❷** $-x+3$

34 일차함수의 식 구하기 – x절편, y절편

x절편과 y절편이 각각 -6, -3인 직선이 점 $(2k, k+5)$를 지날 때, k의 값을 구하시오.

Tip

x절편과 y절편이 주어지면 서로 다른 두 점의 좌표가 주어진 경우와 같아.

> x절편이 m ➡ 점 $(m, 0)$을 지난다.
> y절편이 n ➡ 점 $(0, n)$을 지난다.

┌─ 두 점 $(m, 0)$, $(0, n)$을 지난다.

x절편이 m, y절편이 n인 직선을 그래프로 하는 일차함수의 식

➡ (기울기)$=\dfrac{n-0}{0-m}=-\dfrac{n}{m}$이므로 $y=-\dfrac{n}{m}x+n$

풀이 답 | -4

두 점 $(-6, 0)$, $(0, -3)$을 지나므로

(기울기)$=\dfrac{-3-0}{0-(-6)}=$ ❶ ☐

y절편이 -3이므로 구하는 일차함수의 식은 $y=-\dfrac{1}{2}x-3$

위의 식에 $x=2k$, $y=k+5$를 대입하면

$k+5=-k-3$, $2k=-8$ $\therefore k=$ ❷ ☐

답 ❶ $-\dfrac{1}{2}$ ❷ -4

35 온도에 대한 일차함수의 활용

온도가 50 ℃인 물은 시간이 5분 지날 때마다 온도가 10 ℃씩 내려간다고 한다. x분 후의 물의 온도를 y ℃라 할 때, 물의 온도가 30 ℃가 되는 것은 몇 분 후인지 구하시오.

Tip

시간이 5분 지날 때마다 물의 온도는 a ℃씩 내려간다.

→ 시간이 1분 지날 때마다 물의 온도는 $\dfrac{a}{5}$ ℃씩 내려가므로

시간이 x분 지날 때, 물의 온도의 변화량은 $-\dfrac{a}{5}x$ ℃

온도가 올라가면 ＋,
온도가 내려가면 ―

풀이 답| 10분

시간이 5분 지날 때마다 물의 온도가 10 ℃씩 내려가므로 시간이 1분 지날 때마다 물의 온도는 ❶ ℃씩 내려간다.

$\therefore y = 50 - 2x$

$y = 50 - 2x$에 $y = 30$을 대입하면

$30 = 50 - 2x$ $\quad \therefore x = 10$

따라서 물의 온도가 30 ℃가 되는 것은 ❷ 분 후이다.

답 ❶ 2 ❷ 10

오른쪽 그림과 같은 직사각형 ABCD에서
점 P가 점 D를 출발하여 선분 DC를 따라
매초 2 cm의 속력으로 점 C까지 움직인다.
점 P가 점 D를 출발한 지 x초 후의 △ADP
의 넓이를 y cm²라 할 때, x와 y 사이의 관
계를 식으로 나타내시오. (단, $0 < x \le 3$)

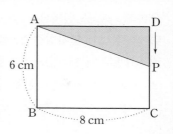

Tip

예 오른쪽 그림과 같은 직사각형 ABCD에서 점 P가 선분
AD 위를 매초 0.2 cm의 속력으로 점 A에서 점 D까지
움직일 때, x초 후의 △ABP의 넓이를 구하시오.

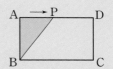

1 x초 후에 $\overline{AP}$의 길이 → $0.2x$ cm

2 △ABP의 넓이를 y cm²라 하면

$$y = \frac{1}{2} \times \overline{AP} \times \overline{AB} = \frac{1}{2} \times 0.2x \times \overline{AB} = 0.1x \times \overline{AB}$$

풀이 답| $y = 8x$

x초 후에 점 P는 $2x$ cm만큼 움직이므로

$\overline{DP} = \boxed{❶}$ (cm)

$\triangle ADP = \frac{1}{2} \times \overline{AD} \times \overline{DP}$이므로

$y = \frac{1}{2} \times 8 \times 2x$　　　∴ $y = \boxed{❷}$

답 ❶ $2x$　❷ $8x$

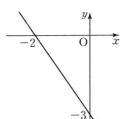

37 일차함수와 일차방정식의 관계

오른쪽 그림은 일차함수 $y=ax+b$의 그래프이다. 이 직선과 일차방정식 $mx+2y+6=0$의 그래프가 일치할 때, 상수 m의 값은?

① -3 ② -2

③ -1 ④ 2

⑤ 3

Tip

일차방정식과 일차함수의 관계

풀이 답 | ⑤

일차함수 $y=ax+b$의 그래프가 두 점 $(-2, 0)$, $(0, -3)$을 지나므로

$$a=\frac{-3-0}{0-(-2)}=-\frac{3}{2}, b=-3 \qquad \therefore y=-\frac{3}{2}x-3 \qquad \cdots\cdots ㉠$$

$mx+2y+6=0$에서 $2y=-mx-6$ $\therefore y=-\frac{m}{2}x-3 \qquad \cdots\cdots ㉡$

㉠, ㉡이 일치하므로

$$-\frac{3}{2}=\boxed{❶} \qquad \therefore m=\boxed{❷}$$

답 ❶ $-\dfrac{m}{2}$ ❷ 3

38 일차방정식의 그래프와 계수의 부호

일차방정식 $-x+ay+b=0$의 그래프가 오른
쪽 그림과 같을 때, 다음 중 옳은 것은?

(단, a, b는 상수)

① $a<0, b<0$ ② $a>0, b<0$
③ $a<0, b>0$ ④ $a>0, b>0$
⑤ $a>0, b=0$

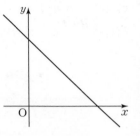

Tip

일차방정식 $ax+by+c=0$의 그래프의 모양

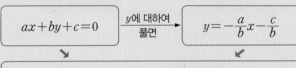

그래프를 이용하면
기울기와 y절편의
부호를 알 수 있지.

풀이 답 ③

$-x+ay+b=0$에서 $ay=x-b$

$\therefore y=\dfrac{1}{a}x-\dfrac{b}{a}$

따라서 (기울기)$=\dfrac{1}{a}$ ❶ $\boxed{}$ 0, (y절편)$=-\dfrac{b}{a}$ ❷ $\boxed{}$ 0이므로

$a<0, b>0$

답 ❶ $<$ ❷ $>$

39 일차방정식의 그래프의 성질

다음은 일차방정식 $x-2y-4=0$의 그래프에 대하여 4명의 학생들이 수업 시간에 발표하는 모습이다. 바르게 설명한 학생을 모두 고르시오.

$$ax+by+c=0 \xrightarrow{\;y\text{에 대하여}\atop\text{풀면}\;} y=-\frac{a}{b}x-\frac{c}{b}$$

① 기울기 : $-\dfrac{a}{b}$

② x절편 : $y=0$을 대입 ➡ $-\dfrac{c}{a}$

③ y절편 : $x=0$을 대입 ➡ $-\dfrac{c}{b}$

풀이 답| 민준, 예림

$x-2y-4=0$에서 $-2y=-x+4$ $\therefore y=\dfrac{1}{2}x-2$

지나 : x절편은 4이고 y절편은 **❶**⬚ 이다.

선호 : 일차함수 $y=$⬚**❷** x의 그래프와 평행하다.

답 ❶ -2 ❷ $\dfrac{1}{2}$

좌표축에 평행한 직선의 방정식

두 점 $(2a+3, 2)$, $(3a-4, -3)$을 지나는 직선이 y축에 평행할 때, a의 값
을 구하시오.

Tip

(1) 방정식 $x=p$(p는 상수)의 그래프
  ① x좌표가 항상 p인 직선
  ② 점 $(p, 0)$을 지나고 y축에 평행한 직선
  ③ 점 $(p, 0)$을 지나고 x축에 수직인 직선

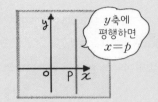

(2) 방정식 $y=q$(q는 상수)의 그래프
  ① y좌표가 항상 q인 직선
  ② 점 $(0, q)$를 지나고 x축에 평행한 직선
  ③ 점 $(0, q)$를 지나고 y축에 수직인 직선

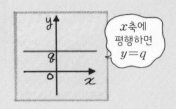

 $x=0$의 그래프는 y축이고,
$y=0$의 그래프는 x축이다.

풀이 답 | 7

직선 위의 두 점의 ❶ ⬜ 좌표가 서로 ❷ ⬜⬜⬜⬜ 하므로

$2a+3=3a-4$, $-a=-7$ $\therefore a=7$

답 ❶ x ❷ 같아야

연립방정식 $\begin{cases} 2x+ay=1 \\ bx+2y=8 \end{cases}$ 에서 두 일차방정식

의 그래프가 오른쪽 그림과 같을 때, $a+b$의

값을 구하시오. (단, a, b는 상수)

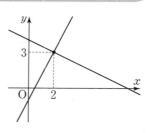

Tip

연립방정식의 해와 두 일차함수의 그래프

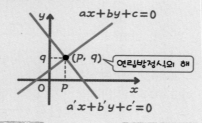

풀이 답 | 0

두 그래프의 교점의 좌표가 $(2, 3)$이므로

연립방정식의 해는 $x=$ ❶ , $y=$ ❷

$x=2$, $y=3$을 $2x+ay=1$에 대입하면

$4+3a=1$, $3a=-3$ ∴ $a=-1$

$x=2$, $y=3$을 $bx+2y=8$에 대입하면

$2b+6=8$, $2b=2$ ∴ $b=1$

∴ $a+b=-1+1=0$

42 **연립방정식의 해의 개수와 두 그래프의 위치 관계**

연립방정식 $\begin{cases} ax-3y-6=0 \\ -3x-y=b \end{cases}$ 의 해가 무수히 많을 때, $a+b$의 값을 구하시

오. (단, a, b는 상수)

Tip

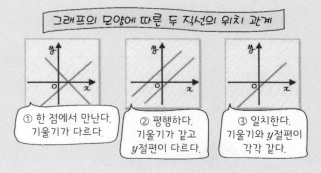

그래프의 모양에 따른 두 직선의 위치 관계

① 한 점에서 만난다.
기울기가 다르다.

② 평행하다.
기울기가 같고
y절편이 다르다.

③ 일치한다.
기울기와 y절편이
각각 같다.

풀이 답 | -7

$\begin{cases} ax-3y-6=0 \\ -3x-y=b \end{cases}$ 에서 $\begin{cases} y=\dfrac{a}{3}x-2 \\ y=-3x-b \end{cases}$

연립방정식의 해가 무수히 많으려면 두 그래프가 ❶ 해야 하므로

❷ $\boxed{} =-3,\ -2=-b$ $\quad \therefore a=-9,\ b=2$

$\therefore a+b=-9+2=-7$

답 ❶ 일치 ❷ $\dfrac{a}{3}$

43 직선이 선분과 만날 조건

오른쪽 그림과 같이 두 점 $A(-4, 6)$, $B(-1, 7)$
에 대하여 직선 $y = ax + 2$가 선분 AB와 만나도
록 하는 상수 a의 값의 범위는?

① $-5 \leq a \leq -1$ 　　② $-4 \leq a \leq -\dfrac{5}{4}$

③ $-\dfrac{5}{4} \leq a \leq 4$ 　　④ $-1 \leq a \leq 5$

⑤ $1 \leq a \leq 5$

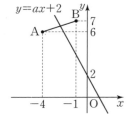

Tip

풀이 답 ①

직선 $y = ax + 2$가

(i) 점 $A(-4, 6)$을 지날 때

　　$6 = -4a + 2$, $4a = -4$　　$\therefore a = -1$

(ii) 점 $B(-1, 7)$을 지날 때

　　$7 = -a + 2$　　$\therefore a = -5$

(i), (ii)에서 $\boxed{❶}\ \leq a \leq \boxed{❷}$

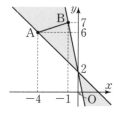

답 ❶ -5 ❷ -1

44   **직선으로 둘러싸인 도형의 넓이**

다음 세 직선으로 둘러싸인 도형의 넓이를 구하시오.

$$x-y+6=0,\ 2x=-4,\ y-6=0$$

Tip

예 두 직선 $y=x+1$, $y=-2x+4$와 x축으로 둘러싸인 도형의 넓이 구하기   두 직선을 연립하여 풀면 $x=1,\ y=2$

1 두 직선의 x절편, y절편을 이용하여 그래프를 그린다.

2 두 직선의 교점의 좌표를 구한다.

3 넓이를 구한다. → $\triangle ABC = \dfrac{1}{2} \times 3 \times 2 = 3$

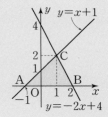

예 두 직선 $x=3$, $y=2$와 x축, y축으로 둘러싸인 도형의 넓이 구하기

1 두 직선을 그린다.

2 넓이를 구한다. → (색칠한 부분의 넓이)$=3 \times 2 = 6$

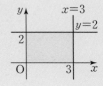

 답 | 2

주어진 세 직선을 그리면 오른쪽 그림과 같다.

이때 두 직선 $x-y+6=0$, $2x=-4$의 교점의 좌표는 (❶   )이므로 구하는 도형의 넓이는

$$\dfrac{1}{2} \times 2 \times 2 = ❷\boxed{}$$

     └→ $6-4=2$

     └→ $0-(-2)=2$

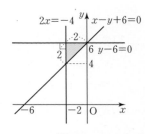

답 ❶ $-2, 4$ ❷ 2

특목고 대비
일등
전략

시험에 잘 나오는
대표 유형 ZIP

기 말 고 사 대 비

중학 수학 2-1

BOOK 2

기말고사 대비

일등
전략

이 책의 구성과 활용

주 도입

이번 주에 배울 내용이 무엇인지 안내하는 부분입니다. 재미있는 만화를 통해 앞으로 배울 학습 요소를 미리 떠올려 봅니다.

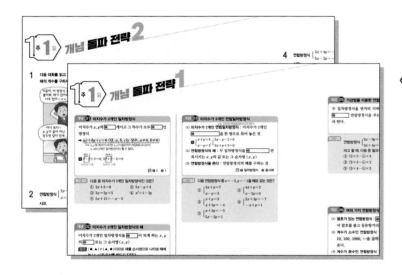

1일 · 개념 돌파 전략

성취기준별로 꼭 알아야 하는 핵심 개념을 익힌 뒤 문제를 풀며 개념을 잘 이해했는지 확인합니다.

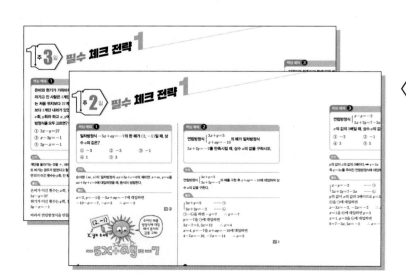

2일, 3일 · 필수 체크 전략

꼭 알아야 할 대표 유형 문제를 뽑아 쌍둥이 문제와 함께 풀어 보며 문제에 접근하는 과정과 방법을 체계적으로 익혀 봅니다.

주 마무리 코너

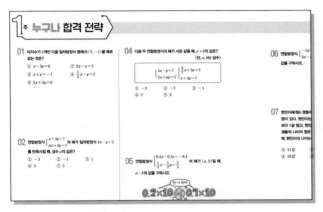

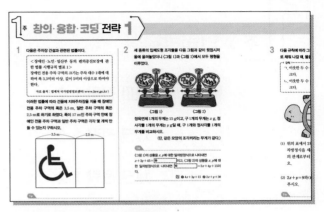

누구나 합격 전략

기말고사 종합 문제로 학습 자신감을 고취할 수 있습니다.

창의·융합·코딩 전략

융복합적 사고력과 문제 해결력을 길러 주는 문제로 구성하였습니다.

기말고사 마무리 코너

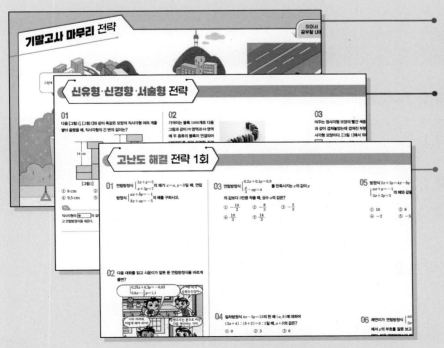

기말고사 마무리 전략

학습 내용을 만화로 정리하여 앞에서 공부한 내용을 한눈에 파악할 수 있습니다.

신유형·신경향·서술형 전략

신유형·서술형 문제를 집중적으로 풀며 문제 적응력을 높일 수 있습니다.

고난도 해결 전략

실제 시험에 대비할 수 있는 고난도 실전 문제를 2회로 구성하였습니다.

이 책의 차례

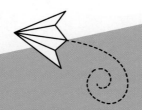

연립방정식

저는 무엇보다 아주 특이한 묘비명으로 유명하지요. 제 묘비명에는 이렇게 쓰여 있습니다.

디오판토스의 묘

'지나가는 나그네여, 이 비석 밑에는 디오판토스가 잠들어 있소. 그의 생애를 수로 말하겠소. 일생의 $\frac{1}{6}$ 은 소년시대였고, $\frac{1}{12}$ 은 청년시대였소. 그 뒤 다시 일생의 $\frac{1}{7}$ 을 혼자 살다가 결혼하여 5년 후에 아들을 낳았고, 그의 아들은 아버지 생애의 $\frac{1}{2}$ 만큼 살다 죽었으며, 아들이 죽고 난 4년 후에 비로소 디오판토스는 일생을 마쳤노라.'

저는 약 3세기경 알렉산드리아 지방에서 수학을 연구한 수학자 디오판토스라고 합니다. 저는 산학에서 주로 방정식에 대해 썼습니다.

저는 언제 태어나고 언제 사망했는지 정확히 알려져 있지 않지만 이 묘비명을 풀면 저는 84세까지 살았다고 합니다.

방 정 식

과연 그럴까요?

옛날 사람들은 미지수가 2개인 연립일차방정식을 풀 수 없었겠죠?

상품벼 3단, 중품벼 2단을 탈곡했더니,
벼 39말을 수확했고, 상품벼 1단, 중품벼 2단을 탈곡했더니
벼 26말을 수확했다고 한다.
그렇다면 상, 중품벼 각각 1단에서
수확하는 벼의 양(알곡수)은 얼마냐?

상품벼 1단은 $6\frac{1}{2}$(말),
중품벼 1단은 $19\frac{1}{2}$(말)
입니다.

정답

나와 함께
기원전 1세기의
중국으로 가 보시죠.

우와!

옛날 사람들도 미지수가
2개인 연립일차방정식을
쉽게 풀었구나.

개념 01 미지수가 2개인 일차방정식

미지수가 x, y의 **❶** ☐ 개이고 그 차수가 모두 **❷** ☐ 인 방정식

➡ $ax+by+c=0$ (단, a, b, c는 상수, $a≠0, b≠0$)
> x, y의 계수가 0이면 x, y가 없어지기 때문에 미지수가 x, y의 2개인 일차방정식이 될 수 없다.

예 차수 1 차수 1
$\underline{x-y}+3=0, \underline{2x+y}-2=0$
미지수 2개   미지수 2개

답 ❶ 2 ❷ 1

확인 01 다음 중 미지수가 2개인 일차방정식인 것은?

① $2x+5=8$ ② $5x-y+3$
③ $3x=2y+5$ ④ $x^2=1-2y$
⑤ $5x+15=-x-3$

개념 02 미지수가 2개인 일차방정식의 해

미지수가 2개인 일차방정식을 **❶** ☐ 이 되게 하는 x, y의 **❷** ☐ 또는 그 순서쌍 (x, y)

참고 $(●, ▲)≠(▲, ●)$이므로 해를 순서쌍으로 나타낼 때에는 (x, y)의 순서를 반드시 지킨다.

답 ❶ 참 ❷ 값

확인 02 다음 중 일차방정식 $3x+y=15$의 해가 아닌 것은?

① $(1, 12)$ ② $(2, 9)$ ③ $(3, 6)$
④ $(4, 3)$ ⑤ $(5, 1)$

개념 03 미지수가 2개인 연립일차방정식

> 간단히 연립방정식이라 한다.

(1) **미지수가 2개인 연립일차방정식**: 미지수가 2개인 **❶** ☐ 을 한 쌍으로 묶어 놓은 것

예 $\begin{cases} x+y=4 \\ x-y=2 \end{cases}$, $\begin{cases} 3x-y-1=0 \\ 2x+y+3=0 \end{cases}$

(2) **연립방정식의 해**: 두 일차방정식을 **❷** ☐ 만족시키는 x, y의 값 또는 그 순서쌍 (x, y)

(3) **연립방정식을 푼다**: 연립방정식의 해를 구하는 것

답 ❶ 일차방정식 ❷ 동시에

확인 03 다음 연립방정식 중 $x=-2, y=-1$을 해로 갖는 것은?

① $\begin{cases} 3x+y=7 \\ x-y=3 \end{cases}$ ② $\begin{cases} 4x+y=2 \\ x-2y=0 \end{cases}$

③ $\begin{cases} x+y=3 \\ x+2y=-4 \end{cases}$ ④ $\begin{cases} 2x+3y=-7 \\ -x+y=1 \end{cases}$

⑤ $\begin{cases} x+3y=-5 \\ 5x-2y=1 \end{cases}$

개념 04 대입법을 이용한 연립방정식의 풀이

한 방정식을 **❶** ☐ 의 미지수에 대하여 정리하고, 이를 다른 방정식에 대입하여 한 미지수를 없애 연립방정식을 푸는 방법을 **❷** ☐ 이라 한다.

답 ❶ 하나 ❷ 대입법

확인 04 연립방정식 $\begin{cases} x=3y \\ 2x+y=14 \end{cases}$ 를 풀면?

① $x=-6, y=-2$ ② $x=-3, y=-1$
③ $x=2, y=6$ ④ $x=6, y=2$
⑤ $x=9, y=3$

개념 **05** 가감법을 이용한 연립방정식의 풀이

두 일차방정식을 변끼리 더하거나 빼어서 한 미지수를
❶ [ ] 연립방정식을 푸는 방법을 ❷ [ ] 이
라 한다.

답 ❶ 없애 ❷ 가감법

확인 **05**

연립방정식 $\begin{cases} 2x-3y=5 & \cdots\cdots \bigcirc \\ 3x+4y=7 & \cdots\cdots \bigcirc \end{cases}$ 에서 y를 없애
려고 할 때, 다음 중 필요한 식은?

① $\bigcirc \times 2 - \bigcirc \times 3$ ② $\bigcirc \times 2 + \bigcirc \times 3$

③ $\bigcirc \times 3 - \bigcirc \times 2$ ④ $\bigcirc \times 4 + \bigcirc \times 3$

⑤ $\bigcirc \times 4 - \bigcirc \times 3$

개념 **06** 여러 가지 연립방정식의 풀이

(1) **괄호가 있는 연립방정식** : ❶ [ ] 을 이용하
여 괄호를 풀고 동류항끼리 정리한 후 푼다.

(2) **계수가 소수인 연립방정식** : 각 일차방정식의 양변에
$10, 100, 1000, \cdots$을 곱하여 계수를 정수로 고친 후
푼다.

(3) **계수가 분수인 연립방정식** : 각 일차방정식의 양변에
분모의 ❷ [ ] 를 곱하여 계수를 정수로 고
친 후 푼다.

답 ❶ 분배법칙 ❷ 최소공배수

확인 **06**
다음 연립방정식을 푸시오.

(1) $\begin{cases} 5x-(x-3y)=4 \\ x+3y=10 \end{cases}$

(2) $\begin{cases} 0.1x+0.3y=0.5 \\ 0.2x+0.1y=0.5 \end{cases}$

(3) $\begin{cases} \dfrac{1}{2}x-\dfrac{1}{3}y=1 \\ \dfrac{1}{5}x+\dfrac{3}{10}y=\dfrac{2}{5} \end{cases}$

개념 **07** $A=B=C$ 꼴의 방정식의 풀이

$A=B=C$ 꼴의 방정식은 $\begin{cases} A=B \\ A=C \end{cases}$ 또는 $\begin{cases} A=B \\ ❶ \ \boxed{} \end{cases}$ 또는

$\begin{cases} ❷ \ \boxed{} \\ B=C \end{cases}$ 중 가장 간단한 것을 선택하여 푼다.

참고 $A=B=C$ 꼴의 방정식에서 C가 상수일 때에는

$\begin{cases} A=C \\ B=C \end{cases}$ 를 푸는 것이 가장 간단하다.

답 ❶ $B=C$ ❷ $A=C$

확인 **07**
방정식 $9x-7y+7=x+4y-7=2$를 푸시오.

개념 **08** 해가 특수한 연립방정식의 풀이

연립방정식의 두 일차방정식 중 하나의 방정식에 적당한
수를 곱하여 다른 방정식과 계수, 상수항을 비교하였을 때

① 두 방정식이 ❶ [ ] 하면 ➡ 해가 무수히 많다.

② 상수항만 다르면 ➡ 해가 ❷ [ ].

참고 연립방정식 $\begin{cases} ax+by=c \\ a'x+b'y=c' \end{cases}$ 에서

(1) $\dfrac{a}{a'}=\dfrac{b}{b'}=\dfrac{c}{c'}$ ➡ 해가 무수히 많다.

(2) $\dfrac{a}{a'}=\dfrac{b}{b'}\neq\dfrac{c}{c'}$ ➡ 해가 없다.

답 ❶ 일치 ❷ 없다

확인 **08**
연립방정식 $\begin{cases} ax-4y=b \\ 3x+2y=1 \end{cases}$ 의 해가 없을 때, 상수 a,b의
조건은?

① $a=-6,\ b=-2$ ② $a=-6,\ b\neq-2$

③ $a\neq-6,\ b=-2$ ④ $a=6,\ b\neq-2$

⑤ $a\neq6,\ b=-2$

개념 ⑨ 수의 연산에 대한 문제

두 자연수 a, b에 대하여 a를 b로 나누면 몫이 ① [　] 이고 나머지가 r이다.

➡ $a = b \times q + ②$ [　] (단, $0 \le r < b$)

답 ❶ q ❷ r

확인 09 서로 다른 두 자연수가 있다. 작은 수의 5배를 큰 수로 나누면 몫이 2, 나머지는 30이고, 큰 수의 2배를 작은 수로 나누면 몫이 4, 나머지는 20이다. 이때 두 자연수의 합을 구하시오.

개념 ⑩ 자연수에 대한 문제

두 자리의 자연수에서 십의 자리의 숫자를 x, 일의 자리의 숫자를 y라 할 때

(1) 처음 수 ➡ ① [　]

(2) 십의 자리의 숫자와 일의 자리의 숫자를 바꾼 수

➡ ② [　]

답 ❶ $10x+y$ ❷ $10y+x$

확인 10 두 자리의 자연수가 있다. 각 자리의 숫자의 합은 11이고, 십의 자리의 숫자와 일의 자리의 숫자를 바꾼 수는 처음 수보다 27만큼 크다고 할 때, 처음 수를 구하시오.

개념 ⑪ 가격에 대한 문제

A, B의 한 개 가격을 알 때, 전체 개수와 전체 가격이 주어지면 A, B의 개수를 각각 x개, y개로 놓고 연립방정식을 세운다.

➡ $\begin{cases} (\text{A의 개수}) + (\text{B의 개수}) = (① \text{[　]}) \\ (\text{A의 가격}) + (\text{B의 가격}) = (② \text{[　]}) \end{cases}$

답 ❶ 전체 개수 ❷ 전체 가격

확인 11 사과 2개와 바나나 3개의 가격은 3000원이고, 사과 8개와 바나나 5개의 가격은 9200원일 때, 바나나 한 개의 가격은?

① 400원 　② 500원 　③ 700원

④ 800원 　⑤ 900원

개념 ⑫ 여러 가지 개수에 대한 문제

다리가 a개인 동물이 x마리, 다리가 b개인 동물이 y마리라 하면

➡ $\begin{cases} x+y = (\text{전체 ① [　]의 수}) \\ ax+by = (\text{전체 동물의 ② [　]의 수}) \end{cases}$

답 ❶ 동물 ❷ 다리

확인 12 어느 농장에 새와 강아지를 합하여 11마리가 있고, 새와 강아지의 다리의 수의 합이 32개일 때, 새는 몇 마리 있는지 구하시오.

개념 ⑬ 득점, 감점에 대한 문제

득점은 ❶ [　　] 로, 감점은 ❷ [　　] 로 생각하여 연립방정식을 세운다.

답 ❶ +　❷ −

확인 13 어느 농구 경기에서 상현이는 2점짜리 슛과 3점짜리 슛을 합하여 모두 12골을 넣어 31점을 득점하였다. 상현이가 넣은 3점짜리 슛의 개수를 구하시오.

개념 ⑭ 나이에 대한 문제

(1) (x년 전의 나이)=(현재 나이) ❶ [　] x (세)
(2) (x년 ❷ [　] 의 나이)=(현재 나이)+x (세)

답 ❶ −　❷ 후

확인 14 현재 삼촌과 조카의 나이의 합은 42살이고, 7년 후에는 삼촌의 나이가 조카의 나이의 3배가 된다고 한다. 현재 삼촌의 나이를 구하시오.

개념 ⑮ 도형에 대한 문제

(1) (직사각형의 둘레의 길이)
= ❶ [　] × {(가로의 길이)+(세로의 길이)}
(2) (사다리꼴의 넓이)
= ❷ [　] × {(윗변의 길이)+(아랫변의 길이)} × (높이)

답 ❶ 2　❷ $\frac{1}{2}$

확인 15 둘레의 길이가 44 cm인 직사각형에서 가로의 길이는 세로의 길이의 4배보다 3 cm 짧다고 한다. 이 직사각형의 넓이는?

① 72 cm²　② 85 cm²　③ 96 cm²
④ 105 cm²　⑤ 112 cm²

개념 ⑯ 거리, 속력, 시간에 대한 문제 – 왕복

$\begin{cases} (갈 때 거리)+(\boxed{❶ \quad} 거리)=(총 이동 거리) \\ (갈 때 걸린 시간)+(올 때 걸린 시간)=(\boxed{❷} 걸린 시간) \end{cases}$

답 ❶ 올 때　❷ 총

확인 16 기차역에서 수목원까지 가는 길은 A, B 두 코스가 있다. 갈 때는 A 코스를 택하여 시속 4 km로 가고, 올 때는 B 코스를 택하여 시속 3 km로 오는 데 총 1시간 30분이 걸렸다. 총 이동 거리가 5 km일 때, B 코스의 거리를 구하시오.

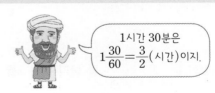

1시간 30분은
$1\frac{30}{60}=\frac{3}{2}$ (시간)이지.

1 다음 대화를 읽고 x, y가 음이 아닌 정수일 때, 일차방정식 $3x+y=9$의 해의 개수를 구하시오.

문제 해결 전략

· x, y가 음이 아닌 정수이므로 ❶ ⬜⬜⬜⬜ 뿐 아니라 ❷ ⬜⬜ 도 해가 될 수 있다.

🔲 ❶ 자연수 ❷ 0

2 연립방정식 $\begin{cases} 2x-3y=1 \\ x=y+5 \end{cases}$의 해가 $x=a, y=b$일 때, $a+b$의 값을 구하시오.

연립방정식의 두 일차방정식 중 어느 하나가 '$x=\sim$'의 꼴이거나 '$y=\sim$'의 꼴일 때에는 대입법을 이용하는 것이 편리해.

문제 해결 전략

· $x=y+5$를 ❶ ⬜⬜⬜⬜ 에 ❷ ⬜⬜ 하여 연립방정식을 푼다.

🔲 ❶ $2x-3y=1$ ❷ 대입

3 연립방정식 $\begin{cases} 2x-3y=-8 \\ 3x+4y=5 \end{cases}$를 풀기 위해 x를 없앴더니 $ay=-34$가 되었다. 이때 상수 a의 값을 구하시오.

문제 해결 전략

· x를 없애기 위해 x의 계수를 2와 3의 ❶ ⬜⬜⬜⬜ 인 ❷ ⬜⬜ 으로 만든다.

🔲 ❶ 최소공배수 ❷ 6

4 연립방정식 $\begin{cases} 2x+4y=-3 \\ 5x-3y=-1 \end{cases}$ 의 해가 (p, q)일 때, $p-q$의 값을 구하시오.

문제 해결 전략

• ㉠×3 **❶** [ ] ㉡×4를 하여 연립방정식을 풀면 $x=$ **❷** [ ] , $y=q$이므로 p, q의 값을 구할 수 있다.

답 **❶** + **❷** p

5 연립방정식 $\begin{cases} ax-y=5 \\ 3x+by=4 \end{cases}$ 의 해가 $x=-2, y=1$일 때, $a+b$의 값을 구하시오. (단, a, b는 상수)

문제 해결 전략

• $x=-2, y=1$을 **❶** [ ] 에 대입하여 상수 a의 값을 구하고, $3x+by=4$에 대입하여 상수 **❷** [ ] 의 값을 구한다.

답 **❶** $ax-y=5$ **❷** b

6 유은이네 학교의 수학 시험은 3점짜리 문제와 4점짜리 문제가 섞여서 출제되었는데 유은이는 22문제를 맞혀서 80점을 얻었다. 유은이가 맞힌 4점짜리 문제는 몇 개인지 구하시오.

문제 해결 전략

• 유은이가 맞힌 3점짜리 문제 수를 x개, 4점짜리 문제 수를 y개라 하면
$\begin{cases} x+y=(\text{❶}[\quad]\ \text{문제 수}) \\ 3x+4y=(\text{얻은 }\text{❷}[\quad]) \end{cases}$

답 **❶** 맞힌 **❷** 점수

7 소희는 자전거 타기와 줄넘기를 95분 동안 하고 총 540 kcal의 열량을 소모하였다. 자전거 타기는 1분에 4 kcal, 줄넘기는 1분에 9 kcal가 소모된다고 할 때, 자전거를 탄 시간과 줄넘기를 한 시간의 차는?

문제 해결 전략

• 소희가 자전거를 탄 시간을 x분, 줄넘기를 한 시간을 y분이라 하면
$\begin{cases} x+y=(\text{❶}[\quad]\ \text{운동 시간}) \\ \text{❷}[\quad]=(\text{소모된 전체 열량}) \end{cases}$

답 **❶** 전체 **❷** $4x+9y$

① 30분 ② 31분 ③ 32분
④ 33분 ⑤ 34분

핵심 예제 **1**

일차방정식 $-5x+ay=-7$의 한 해가 $(2, -1)$일 때, 상수 a의 값은?

① -5 ② -3 ③ -1

④ 1 ⑤ 3

전략

순서쌍 (m, n)이 일차방정식 $ax+by+c=0$의 해이면 $x=m, y=n$을 $ax+by+c=0$에 대입하였을 때, 등식이 성립한다.

풀이

$x=2, y=-1$을 $-5x+ay=-7$에 대입하면
$-10-a=-7, -a=3$ ∴ $a=-3$

답 ②

1-1

일차방정식 $2x+ay=12$의 해가 $(3, 2), (-3, b)$일 때, $a-b$의 값은? (단, a는 상수)

① -3 ② -1 ③ 0

④ 1 ⑤ 3

1-2

일차방정식 $ax-5y=11$에서 $x=-3$일 때, $y=-4$이다. $x=2$일 때, y의 값은? (단, a는 상수)

① -5 ② -3 ③ -2

④ -1 ⑤ 3

핵심 예제 **2**

연립방정식 $\begin{cases} 3x+y=5 \\ x+ay=-10 \end{cases}$의 해가 일차방정식 $3x+2y=-2$를 만족시킬 때, 상수 a의 값을 구하시오.

전략

연립방정식 $\begin{cases} 3x+y=5 \\ 3x+2y=-2 \end{cases}$의 해를 구한 후 $x+ay=-10$에 대입하여 상수 a의 값을 구한다.

풀이

$\begin{cases} 3x+y=5 & \cdots\cdots ㉠ \\ 3x+2y=-2 & \cdots\cdots ㉡ \end{cases}$
㉠$-$㉡을 하면 $-y=7$ ∴ $y=-7$
$y=-7$을 ㉠에 대입하면
$3x-7=5, 3x=12$ ∴ $x=4$
$x=4, y=-7$을 $x+ay=-10$에 대입하면
$4-7a=-10, -7a=-14$ ∴ $a=2$

답 2

2-1

연립방정식 $\begin{cases} 2x+y=9 \\ -2x+3y=3 \end{cases}$의 해가 일차방정식 $ax-3y=6$을 만족시킬 때, 상수 a의 값은?

① -3 ② -1 ③ 1

④ 3 ⑤ 5

2-2

연립방정식 $\begin{cases} x+3ay=5 \\ 5x+2y=12 \end{cases}$의 해가 일차방정식 $3x-2y=4$를 만족시킬 때, 상수 a의 값은?

① -2 ② -1 ③ 1

④ 2 ⑤ 3

>> 정답과 풀이 **32**쪽

핵심 예제 ③

연립방정식 $\begin{cases} x-y=-2 \\ 3x+2y=7-2a \end{cases}$ 를 만족시키는 y의 값이

x의 값의 3배일 때, 상수 a의 값은?

① -2 ② -1 ③ 1

④ 3 ⑤ 5

전략

y의 값이 x의 값의 3배이다. ➡ $y=3x$
즉 $y=3x$를 주어진 연립방정식에 대입하여 상수 a의 값을 구한다.

풀이

$\begin{cases} x-y=-2 & \cdots\cdots \text{㉠} \\ 3x+2y=7-2a & \cdots\cdots \text{㉡} \end{cases}$

y의 값이 x의 값의 3배이므로 $y=3x$ $\cdots\cdots$ ㉢
㉢을 ㉠에 대입하면
$x-3x=-2$, $-2x=-2$ $\therefore x=1$
$x=1$을 ㉢에 대입하면 $y=3$
$x=1$, $y=3$을 ㉡에 대입하면
$9=7-2a$, $2a=-2$ $\therefore a=-1$

답 ②

핵심 예제 ④

다음 두 연립방정식의 해가 서로 같을 때, $a+b$의 값을 구하시오. (단, a, b는 상수)

$$\begin{cases} 2x-y=3 \\ ax+2y=2 \end{cases}, \begin{cases} 3x+by=5 \\ -x+3y=-4 \end{cases}$$

전략

두 연립방정식 $\begin{cases} 2x-y=3 \\ ax+2y=2 \end{cases}, \begin{cases} 3x+by=5 \\ -x+3y=-4 \end{cases}$ 의 해가 서로 같으므로 그 해

는 연립방정식 $\begin{cases} 2x-y=3 \\ -x+3y=-4 \end{cases}$ 의 해와도 같다.

풀이

$\begin{cases} 2x-y=3 & \cdots\cdots \text{㉠} \\ -x+3y=-4 & \cdots\cdots \text{㉡} \end{cases}$

㉠$+$㉡$\times2$를 하면
$5y=-5$ $\therefore y=-1$
$y=-1$을 ㉡에 대입하면
$-x-3=-4$, $-x=-1$ $\therefore x=1$
$x=1$, $y=-1$을 $ax+2y=2$에 대입하면
$a-2=2$ $\therefore a=4$
$x=1$, $y=-1$을 $3x+by=5$에 대입하면
$3-b=5$, $-b=2$ $\therefore b=-2$
$\therefore a+b=4+(-2)=2$

답 2

3-1

연립방정식 $\begin{cases} x-4y=-18 \\ ax-3y=-1 \end{cases}$ 을 만족시키는 x의 값이 y의 값보다

3만큼 작을 때, 상수 a의 값을 구하시오.

3-2

연립방정식 $\begin{cases} x+ay=-10 \\ 2x-y=3 \end{cases}$ 을 만족시키는 x, y에 대하여

$x:y=2:1$일 때, 상수 a의 값을 구하시오.

4-1

다음 네 일차방정식이 한 쌍의 공통인 해를 가질 때, $a-b$의 값을 구하시오. (단, a, b는 상수)

$$5x+3y=7, \quad ax-5y=13$$
$$4x-2by=-2, \quad 4x-7y=15$$

미지수가 없는 두 식으로 연립방정식을 만들어 보자!

$$5x+3y=7, \quad ax-5y=13$$
$$4x-2by=-2, \quad 4x-7y=15$$

$$\begin{cases} 5x+3y=7 \\ 4x-7y=15 \end{cases}$$

핵심 예제 **5**

연립방정식 $\begin{cases} ax+by=5 \\ bx+ay=-2 \end{cases}$ 에서 잘못하여 a, b를 바꾸어

놓고 풀어서 $x=1, y=2$를 답으로 얻었다. 이때 처음 연립방정식의 해는? (단, a, b는 상수)

① $x=-4, y=-3$　　② $x=-1, y=-2$

③ $x=1, y=2$　　④ $x=2, y=1$

⑤ $x=4, y=-3$

전략

계수 a, b를 바꾸어 새로운 연립방정식 $\begin{cases} bx+ay=5 \\ ax+by=-2 \end{cases}$ 를 만든 후 잘못 구한 해, 즉 $x=1, y=2$를 대입하여 상수 a, b의 값을 구한다.

풀이

a, b를 바꾸면 $\begin{cases} bx+ay=5 \\ ax+by=-2 \end{cases}$

$x=1, y=2$를 바꾼 식에 대입하면 $\begin{cases} 2a+b=5 & \cdots\cdots ㉠ \\ a+2b=-2 & \cdots\cdots ㉡ \end{cases}$

㉠×2−㉡을 하면

$3a=12$　　$\therefore a=4$

$a=4$를 ㉠에 대입하면

$8+b=5$　　$\therefore b=-3$

$a=4, b=-3$을 처음 연립방정식에 대입하면

$\begin{cases} 4x-3y=5 & \cdots\cdots ㉢ \\ -3x+4y=-2 & \cdots\cdots ㉣ \end{cases}$

㉢×3+㉣×4를 하면

$7y=7$　　$\therefore y=1$

$y=1$을 ㉢에 대입하면

$4x-3=5, 4x=8$　　$\therefore x=2$

따라서 처음 연립방정식의 해는 $x=2, y=1$

답 ④

5-1

연립방정식 $\begin{cases} ax+by=2 \\ bx+ay=-10 \end{cases}$ 을 푸는데 잘못하여 a, b를 바꾸어

놓고 풀었더니 해가 $x=-4, y=2$가 되었다. 이때 ab의 값을 구하시오. (단, a, b는 상수)

핵심 예제 **6**

연립방정식 $\begin{cases} 0.3x+0.4y=1.7 \\ \dfrac{2}{3}x+\dfrac{1}{2}y=3 \end{cases}$ 을 풀면?

① $x=-3, y=-2$

② $x=-2, y=-3$

③ $x=2, y=3$

④ $x=3, y=2$

⑤ $x=3, y=4$

양변의 모든 항에 똑같이 곱해야 해.

전략

$0.3x+0.4y=1.7$의 양변에 10을 곱하고, $\dfrac{2}{3}x+\dfrac{1}{2}y=3$의 양변에 분모의 최소공배수 6을 곱하여 각각 계수를 정수로 고친 후 연립방정식을 푼다.

풀이

$\begin{cases} 0.3x+0.4y=1.7 & \cdots\cdots ㉠ \\ \dfrac{2}{3}x+\dfrac{1}{2}y=3 & \cdots\cdots ㉡ \end{cases}$

㉠×10을 하면 $3x+4y=17$　　$\cdots\cdots ㉢$

㉡×6을 하면 $4x+3y=18$　　$\cdots\cdots ㉣$

㉢×4−㉣×3을 하면

$7y=14$　　$\therefore y=2$

$y=2$를 ㉢에 대입하면

$3x+8=17, 3x=9$　　$\therefore x=3$

답 ④

6-1

연립방정식 $\begin{cases} 4x-2(x+y)=6 \\ 3x+4(x-y)=27 \end{cases}$ 의 해가 $x=m, y=n$일 때,

$m+n$의 값은?

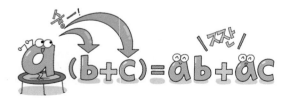

$a(b+c)=ab+ac$

① -3　　　② 2　　　③ 3

④ 5　　　⑤ 7

핵심 예제 **7**

방정식 $3x+1=5x-y-2=2x+y+1$의 해가 $x=a$, $y=b$일 때, $a+b$의 값을 구하시오.

어떻게 두 개씩 묶는 것이 더 간단한지 생각해 보자!

$$\begin{cases} A=B \\ B=C \end{cases} \quad \begin{cases} A=B \\ A=C \end{cases} \quad \begin{cases} A=C \\ B=C \end{cases}$$

전략

$$\begin{cases} 3x+1=5x-y-2 \\ 3x+1=2x+y+1 \end{cases} \Rightarrow \begin{cases} -2x+y=-3 \\ x=y \end{cases}$$ 로 나타낸 후 연립방정식을 푼다.

풀이

$$\begin{cases} 3x+1=5x-y-2 \\ 3x+1=2x+y+1 \end{cases} \Rightarrow \begin{cases} -2x+y=-3 & \cdots\cdots \ ㉠ \\ x=y & \cdots\cdots \ ㉡ \end{cases}$$

㉡을 ㉠에 대입하면

$-2y+y=-3$, $-y=-3$ $\qquad \therefore y=3$

$y=3$을 ㉡에 대입하면 $x=3$

따라서 $a=3$, $b=3$이므로

$a+b=3+3=6$

답 6

7-1

방정식 $8x+4y-5=7x-4y=2x+3$의 해가 (m, n)일 때, mn의 값을 구하시오.

7-2

다음 방정식을 푸시오.

$$\frac{x-y}{2}=x-\frac{2+y}{3}=\frac{x-3y}{4}$$

핵심 예제 **8**

연립방정식 $\begin{cases} x-ay=4 \\ 3x+2y=b \end{cases}$ 의 해가 없을 때, 상수 a, b의 조건 은?

① $a=-\dfrac{2}{3}$, $b=12$ ② $a=-\dfrac{2}{3}$, $b\neq12$

③ $a\neq-\dfrac{2}{3}$, $b\neq12$ ④ $a=-\dfrac{3}{2}$, $b\neq12$

⑤ $a=-\dfrac{3}{2}$, $b=12$

전략

해가 없다.

➡ x의 계수와 y의 계수를 각각 같게 하였을 때, 상수항은 달라야 한다.

➡ 연립방정식 $\begin{cases} ax+by=c \\ a'x+b'y=c' \end{cases}$ 에서 $\dfrac{a}{a'}=\dfrac{b}{b'}\neq\dfrac{c}{c'}$

풀이

$$\begin{cases} x-ay=4 \\ 3x+2y=b \end{cases} \Rightarrow \begin{cases} 3x-3ay=12 \\ 3x+2y=b \end{cases}$$ 의 해가 없으려면

$-3a=2$ $\qquad \therefore a=-\dfrac{2}{3}$, $b\neq12$

다른 풀이

$\dfrac{1}{3}=\dfrac{-a}{2}\neq\dfrac{4}{b}$ 이어야 하므로

$\dfrac{1}{3}=\dfrac{-a}{2}$에서 $-3a=2$ $\qquad \therefore a=-\dfrac{2}{3}$

$\dfrac{1}{3}\neq\dfrac{4}{b}$에서 $b\neq12$

답 ②

8-1

다음 연립방정식 중 해가 무수히 많은 것을 모두 고르면?

① $\begin{cases} x-y=3 \\ -2x+2y=-6 \end{cases}$ ② $\begin{cases} x+3y=6 \\ 2x+6y=9 \end{cases}$

③ $\begin{cases} 3x-5y=8 \\ 3x+5y=-2 \end{cases}$ ④ $\begin{cases} -x+2y=-1 \\ 4x-8y=2 \end{cases}$

⑤ $\begin{cases} 2x+6y=-8 \\ -x-3y=4 \end{cases}$

두 일차방정식이 일치하면 해가 무수히 많지.

1 두 순서쌍 $(4, 5)$, $(b, 1)$이 일차방정식 $ax-5y=-9$의 해일 때, $a+b$의 값은? (단, a는 상수)

① 2　　　　② 3　　　　③ 5

④ 7　　　　⑤ 9

Tip

먼저 $x=4$, $y=5$를 **❶**〔　　　〕에 **❷**〔　　　〕하여 상수 a의 값을 구한다.

🖐 ❶ $ax-5y=-9$ ❷ 대입

2 연립방정식 $\begin{cases} (3-a)x-2y=0 \\ x-y=4 \end{cases}$ 의 해가 일차방정식 $x-2y=6$을 만족시킬 때, 상수 a의 값은?

① -1　　　② 1　　　③ 3

④ 5　　　　⑤ 7

Tip

주어진 연립방정식의 해는 세 방정식을 모두 **❶**〔　　　〕시키므로 연립방정식 $\begin{cases} \boxed{❷} \\ x-y=4 \end{cases}$ 의 해와 같다.

🖐 ❶ 만족 ❷ $x-2y=6$

3 다음 대화를 읽고 연립방정식 $\begin{cases} x+2y=7 \\ 3x-4y=5+a \end{cases}$ 를 만족시키는 x와 y의 값의 비가 $1:3$일 때, 상수 a의 값을 구하시오.

Tip

$x:y=$ **❶**〔　　〕$:$ **❷**〔　　〕에서 $y=3x$이므로 이를 주어진 연립방정식에 대입한다.

🖐 ❶ 1 ❷ 3

4 다음 두 연립방정식의 해가 서로 같을 때, ab의 값을 구하시오. (단, a, b는 상수)

$$\begin{cases} 3x+y=2 \\ bx+ay=1 \end{cases}, \begin{cases} -x-by=31 \\ 2x+y=3 \end{cases}$$

Tip

두 연립방정식 $\begin{cases} 3x+y=2 \\ bx+ay=1 \end{cases}, \begin{cases} -x-by=31 \\ 2x+y=3 \end{cases}$ 의 해가 서로 같으므로 그 해는 연립방정식 $\begin{cases} 3x+y=2 \\ \boxed{❶} \end{cases}$ 의 해와 **❷**〔　　〕.

🖐 ❶ $2x+y=3$ ❷ 같다

5 준석이는 문제에서 주어진 연립방정식에서 a, b를 바꾸어 풀었다. 다음 대화를 읽고 처음 연립방정식의 해를 구하시오. (단, a, b는 상수)

Tip

계수 a, b를 바꾸어 새로운 연립방정식 $\begin{cases} bx+ay=5 \\ ❶ \end{cases}$ 을 만든 후 잘못 구한 해, 즉 ❷ 을 대입하여 상수 a, b의 값을 구한다.

답 ❶ $ax-by=10$ ❷ $x=2$, $y=-1$

6 연립방정식 $\begin{cases} \dfrac{3}{4}(2x-1)-\dfrac{1}{2}y=-2 \\ 0.4(x+2y)-0.3x=-0.5 \end{cases}$ 의 해가 (a, b)일 때, $a+2b$의 값을 구하시오.

Tip

$\dfrac{3}{4}(2x-1)-\dfrac{1}{2}y=-2$의 양변에 분모의 최소공배수 ❶ 를 곱하고, $0.4(x+2y)-0.3x=-0.5$의 양변에 10을 곱하여 각각 계수를 ❷ 로 고친 후 괄호를 푼다.

답 ❶ 4 ❷ 정수

7 방정식 $\dfrac{x+1}{2}+\dfrac{y-1}{3}=\dfrac{x+2}{5}-\dfrac{y+2}{4}=1$의 해가 $x=a$, $y=b$일 때, $a-b$의 값은?

① -5 ② -2 ③ 3
④ 1 ⑤ 5

Tip

$\begin{cases} \dfrac{x+1}{2}+\dfrac{y-1}{3}=1 \\ \dfrac{x+2}{5}-\dfrac{y+2}{4}=❶ \end{cases}$ → $\begin{cases} ❷ \\ 4x-5y=22 \end{cases}$ 로 나타낸 후 연립방정식을 푼다.

답 ❶ 1 ❷ $3x+2y=5$

8 연립방정식 $\begin{cases} ax-(x-5y)=6 \\ 2x+10y=b \end{cases}$ 의 해가 무수히 많을 때, $\dfrac{b}{a}$의 값은? (단, a, b는 상수)

① -24 ② -12 ③ -6
④ 6 ⑤ 12

Tip

해가 무수히 많다.
➡ x의 계수, y의 계수, 상수항 중 하나를 같게 하였을 때, 나머지도 모두 ❶ 한다.
➡ 연립방정식 $\begin{cases} ax+by=c \\ a'x+b'y=c' \end{cases}$ 에서 $\dfrac{a}{a'}=\dfrac{b}{b'}$ ❷ $\dfrac{c}{c'}$

답 ❶ 같아야 ❷ =

핵심 예제 ❶

은비와 현기가 가위바위보를 하여 이긴 사람은 3계단씩 올라가고 진 사람은 1계단씩 내려가기로 하였다. 얼마 후 은비는 처음 위치보다 27계단 올라가 있었고, 현기는 처음 위치보다 1계단 내려가 있었다. 은비와 현기가 이긴 횟수를 각각 x회, y회라 하고 x, y에 대한 연립방정식을 만들 때 필요한 방정식을 모두 고르면? (단, 비기는 경우는 없었다.) (정답 2개)

① $3x - y = 27$ ② $3y - x = 27$

③ $x - 3y = -1$ ④ $3y - x = 1$

⑤ $3y - x = -1$

전략

계단을 올라가는 것을 $+$, 내려가는 것을 $-$로 생각한다.
또 비기는 경우가 없었다고 할 때, A가 이긴 횟수를 x회, 진 횟수를 y회라 하면 B가 이긴 횟수는 y회, 진 횟수는 x회이다.

풀이

은비가 이긴 횟수는 x회, 진 횟수는 y회이므로
$3x - y = 27$
현기가 이긴 횟수는 y회, 진 횟수는 x회이므로
$3y - x = -1$
따라서 연립방정식을 만들 때 필요한 방정식은 $\begin{cases} 3x - y = 27 \\ 3y - x = -1 \end{cases}$

답 ①, ⑤

핵심 예제 ❷

어느 인터넷 쇼핑몰의 지난 달 회원수는 4500명이었다. 이번 달에는 지난 달에 비하여 남자 회원은 20 % 감소하였고, 여자 회원은 16 % 증가하였지만 전체 회원수는 지난 달과 동일하다고 한다. 이때 이번 달 남자 회원 수를 구하시오.

전략

	증가량	전체 양
x가 a % 증가	$\dfrac{a}{100}x$	$x + \dfrac{a}{100}x = \left(1 + \dfrac{a}{100}\right)x$
	감소량	전체 양
y가 b % 감소	$\dfrac{b}{100}y$	$y - \dfrac{b}{100}y = \left(1 - \dfrac{b}{100}\right)y$

풀이

지난 달 남자 회원 수를 x명, 여자 회원 수를 y명이라 하면
$\begin{cases} x + y = 4500 \\ -\dfrac{20}{100}x + \dfrac{16}{100}y = 0 \end{cases} \Rightarrow \begin{cases} x + y = 4500 \\ -5x + 4y = 0 \end{cases}$
$\therefore x = 2000,\ y = 2500$
따라서 이번 달 남자 회원 수는
$2000 - 2000 \times \dfrac{20}{100} = 2000 - 400 = 1600$(명)

답 1600명

1-1

태우와 예원이가 가위바위보를 하여 이긴 사람은 4계단씩 올라가고 진 사람은 2계단씩 내려가기로 하였다. 얼마 후 태우는 처음 위치보다 32계단, 예원이는 처음 위치보다 14계단 올라가 있었다고 할 때, 태우가 이긴 횟수는 몇 회인가? (단, 비기는 경우는 없었다.)

① 10회   ② 11회   ③ 12회

④ 13회   ⑤ 14회

2-1

A, B 두 마을에서 작년에 수확한 쌀은 총 360톤이었다. 올해는 작년에 비해 수확한 양이 A 마을에서 5 % 증가하고, B 마을에서 3 % 감소하여 전체적으로 2 % 증가하였다. 올해 B 마을에서 수확한 쌀의 양은?

① 130.95톤   ② 139.05톤   ③ 140.95톤

④ 149.05톤   ⑤ 150.95톤

핵심 예제 ❸

지영이와 희준이가 함께 일을 하면 8일 만에 끝낼 수 있는 일을 지영이가 4일 동안 하고, 남은 일은 희준이가 10일 동안 하여 끝냈다. 이 일을 지영이가 혼자 하면 며칠이 걸리는지 구하시오.

전략

전체 일의 양을 1, 한 사람이 하루 동안에 할 수 있는 일의 양을 각각 x, y로 놓고 연립방정식을 세운다.

풀이

전체 일의 양을 1이라 하고, 지영이와 희준이가 하루 동안에 할 수 있는 일의 양을 x, y라 하면

$$\begin{cases} 8x+8y=1 \\ 4x+10y=1 \end{cases} \quad \therefore x=\frac{1}{24}, y=\frac{1}{12}$$

따라서 지영이는 하루에 $\frac{1}{24}$만큼의 일을 하므로 혼자 하면 24일이 걸린다.

탭 24일

3-1

선영이가 2일 동안 한 후 지훈이가 5일 동안 하면 끝낼 수 있는 일을 지훈이가 3일 동안 한 후 나머지를 선영이가 3일 동안 하여 끝냈다. 이 일을 지훈이가 혼자 한다면 며칠이 걸리는지 구하시오.

3-2

혜림이와 하연이가 함께 하면 15분이 걸리는 일을 혜림이가 18분 동안 한 후 나머지를 하연이가 10분 동안 하여 끝냈다고 할 때, 혜림이가 이 일을 혼자 하면 몇 분이 걸리는지 구하시오.

핵심 예제 ❹

은성이가 집에서 8 km 떨어진 학교를 가는데 시속 6 km로 뛰다가 도중에 시속 3 km로 걸어서 2시간 만에 학교에 도착하였다. 이때 은성이가 걸어간 거리를 구하시오.

전략

시속 a km로 간 거리가 x km, 시속 b km로 간 거리가 y km일 때

$$\begin{cases} x+y=(\text{전체 거리}) \\ \dfrac{x}{a}+\dfrac{y}{b}=(\text{전체 걸린 시간}) \end{cases}$$

풀이

은성이가 뛰어간 거리를 x km, 걸어간 거리를 y km라 하면

$$\begin{cases} x+y=8 \\ \dfrac{x}{6}+\dfrac{y}{3}=2 \end{cases} \rightarrow \begin{cases} x+y=8 \\ x+2y=12 \end{cases} \quad \therefore x=4, y=4$$

따라서 은성이가 걸어간 거리는 4 km이다.

탭 4 km

4-1

수연이는 아침 8시에 집에서 3 km 떨어진 학교를 가는데 시속 8 km로 뛰다가 도중에 시속 5 km로 걸었다. 아침 8시 27분에 학교에 도착했다고 할 때, 수연이가 집에서 학교까지 갈 때 뛰어간 거리와 걸어간 거리를 각각 구하시오.

4-2

대희는 집에서 24 km 떨어진 공원에 가는데 시속 20 km로 자전거를 타고 가다가 자전거가 고장 나서 시속 5 km로 걸어갔더니 총 1시간 30분이 걸렸다. 이때 대희가 자전거를 타고 간 거리를 구하시오.

핵심 예제 5

수지와 다은이는 36 km 떨어진 두 지점에서 서로를 향하여 동시에 출발하였다. 수지는 시속 6 km로 자전거를 타고 다은이는 시속 3 km로 걸어서 한 지점에서 만났을 때, 수지는 다은이보다 몇 km를 더 이동하였는가?

① 6 km ② 12 km ③ 18 km
④ 24 km ⑤ 36 km

전략

A, B 두 사람이 마주 보고 출발한 경우
$$\begin{cases} (\text{A가 이동한 거리})+(\text{B가 이동한 거리})=(\text{전체 거리}) \\ (\text{A가 걸린 시간})=(\text{B가 걸린 시간}) \end{cases}$$

풀이

수지가 자전거를 탄 거리를 x km, 다은이가 걸어간 거리를 y km 라 하면
$$\begin{cases} x+y=36 \\ \dfrac{x}{6}=\dfrac{y}{3} \end{cases} \rightarrow \begin{cases} x+y=36 \\ x=2y \end{cases} \quad \therefore x=24, y=12$$
따라서 수지가 자전거를 탄 거리가 24 km, 다은이가 걸어간 거리가 12 km이므로 수지는 다은이보다 $24-12=12$ (km)를 더 이동하였다.

답 ②

5-1

형이 집을 출발하여 매분 60 m의 속력으로 학교를 향해서 걸어간 지 20분 후에 같은 길을 동생은 뛰어서 매분 90 m의 속력으로 형을 따라갔다. 형과 동생이 만날 때까지 걸린 시간은 형이 집을 출발한 지 몇 분 후인가?

① 20분 ② 40분 ③ 60분
④ 80분 ⑤ 100분

형과 동생이 시간 차를 두고 출발한 경우
$$\begin{cases} (\text{시간 차에 대한 식}) \\ (\text{형이 이동한 거리})=(\text{동생이 이동한 거리}) \end{cases}$$

핵심 예제 6

속력이 일정한 기차가 150 m 길이의 다리를 완전히 건너는 데 20초가 걸리고, 1050 m 길이의 터널을 완전히 통과하는 데 50초가 걸린다. 이때 이 기차의 길이를 구하시오.

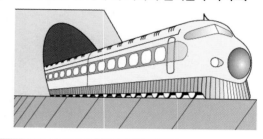

전략

기차가 일정한 속력으로 터널 또는 다리를 완전히 통과할 때
(기차가 이동한 거리)=(터널 또는 다리의 길이)+(기차의 길이)

기차가 터널을 완전히 통과하는 데 이동한 거리

터널의 길이 기차의 길이

풀이

기차의 길이를 x m, 기차의 속력을 초속 y m라 하면
$$\begin{cases} x+150=20y \\ x+1050=50y \end{cases} \quad \therefore x=450, y=30$$
따라서 기차의 길이는 450 m이다.

답 450 m

6-1

일정한 속력으로 달리는 기차가 1200 m 길이의 철교를 완전히 지나는 데 1분이 걸리고, 2650 m 길이의 터널을 완전히 통과하는 데 2분이 걸린다. 이 기차의 속력을 구하시오.

6-2

속력이 일정한 배를 타고 길이가 30 km인 강을 거슬러 올라가는 데 5시간, 내려오는 데 3시간이 걸렸을 때, 정지한 물에서의 배의 속력을 구하시오. (단, 강물의 속력은 일정하다.)

핵심 예제 7

5 %의 소금물과 9 %의 소금물을 섞어서 8 %의 소금물 600 g을 만들었다. 이때 5 %의 소금물의 양은?

① 150 g   ② 250 g
③ 350 g   ④ 450 g
⑤ 550 g

전략

농도가 다른 두 소금물 A, B를 섞을 때
$\begin{cases} \text{(소금물 A의 양)} + \text{(소금물 B의 양)} = \text{(전체 소금물의 양)} \\ \text{(A의 소금의 양)} + \text{(B의 소금의 양)} = \text{(전체 소금의 양)} \end{cases}$

풀이

5 %의 소금물의 양을 x g, 9 %의 소금물의 양을 y g이라 하면
$$\begin{cases} x+y=600 \\ \dfrac{5}{100}x + \dfrac{9}{100}y = \dfrac{8}{100} \times 600 \end{cases} \rightarrow \begin{cases} x+y=600 \\ 5x+9y=4800 \end{cases}$$
$\therefore x=150,\ y=450$
따라서 5 %의 소금물의 양은 150 g이다.

답 ①

7-1

10 %의 소금물과 16 %의 소금물을 섞어서 12 %의 소금물 600 g을 만들려고 한다. 이때 16 %의 소금물은 몇 g 섞어야 하는지 구하시오.

7-2

농도가 각각 6 %, 10 %인 두 종류의 사과 주스가 있다. 이들을 섞은 후 물을 200 g 더 넣어서 농도가 7 %인 사과 주스 1200 g을 만들었을 때, 농도가 6 %인 사과 주스의 양은?

① 300 g   ② 400 g   ③ 500 g
④ 600 g   ⑤ 700 g

핵심 예제 8

다음 표는 A, B 두 식품의 100 g 속에 들어 있는 단백질의 양과 열량을 나타낸 것이다. A, B 두 식품을 합하여 단백질 32 g, 열량 540 kcal를 섭취하려면 A, B 두 식품을 각각 몇 g씩 섭취해야 하는지 구하시오.

식품	단백질(g)	열량(kcal)
A	3	60
B	11	180

전략

문제의 표에서 주어진 값은 100 g당이므로 1 g당으로 바꿔서 계산해야 한다. 즉 A, B 두 식품의 1 g 속에 들어 있는 단백질의 양과 열량을 나타내면 다음 표와 같다.

식품	단백질(g)	열량(kcal)
A	$\dfrac{3}{100}$	$\dfrac{60}{100}$
B	$\dfrac{11}{100}$	$\dfrac{180}{100}$

풀이

섭취해야 하는 A 식품의 양을 x g, B 식품의 양을 y g이라 하면
$$\begin{cases} \dfrac{3}{100}x + \dfrac{11}{100}y = 32 \\ \dfrac{60}{100}x + \dfrac{180}{100}y = 540 \end{cases} \rightarrow \begin{cases} 3x+11y=3200 \\ x+3y=900 \end{cases}$$
$\therefore x=150,\ y=250$
따라서 A 식품은 150 g, B 식품은 250 g을 섭취해야 한다.

답 A 식품 : 150 g, B 식품 : 250 g

8-1

다음 표는 A, B 두 식품에 들어 있는 단백질과 지방의 양을 백분율로 나타낸 것이다. A, B 두 식품만으로 단백질 19 g과 지방 78 g을 섭취하려면 A, B 두 식품을 각각 몇 g씩 섭취해야 하는지 구하시오.

식품	단백질(%)	지방(%)
A	8	10
B	2	80

1 윤서와 은우가 계단에서 가위바위보를 하여 이긴 사람은 2계단씩 올라가고 진 사람은 1계단씩 내려가기로 하였다. 얼마 후 윤서는 처음 위치보다 12계단 올라가 있었고 은우는 처음 위치 그대로 있게 되었을 때, 가위바위보는 총 몇 회 하였는지 구하시오. (단, 비기는 경우는 없었다.)

> **Tip**
>
> 윤서가 이긴 횟수를 x회, 진 횟수를 y회라 하면
> 은우가 이긴 횟수는 ❶ [　　] 회, 진 횟수는 ❷ [　　] 회이다.
>
> 답 ❶ y ❷ x

2 A 매장에서 판매하는 전자패드와 전자 펜슬의 정가를 합하면 72만 원이다. 그런데 오늘 A 매장에서 전자패드는 15 %, 전자 펜슬은 10 % 할인하는 행사를 진행하고 있다. 전자패드와 전자 펜슬을 하나씩 구입하면 총 10만 2천원을 할인받는다고 할 때, 할인된 전자 펜슬의 가격은?

① 108000원 ② 120000원 ③ 132000원
④ 510000원 ⑤ 600000원

> **Tip**
>
> 전자패드의 정가를 x원, 전자 펜슬의 정가를 y원이라 하면
> $$\begin{cases} x+y=(\boxed{❶ \quad} \text{가격}) \\ -\dfrac{15}{100}x-\dfrac{10}{100}y=-(\boxed{❷ \quad} \text{가격}) \end{cases}$$
>
> 답 ❶ 전체 ❷ 할인받은

3 어떤 일을 아버지가 혼자 하면 8일 만에 끝낼 수 있고, 아들이 혼자 하면 12일 만에 끝낼 수 있다고 한다. 이 일을 아버지가 며칠 동안 하고 아들이 교대하여 총 10일 만에 끝냈다. 이때 아들이 일한 날은 며칠인지 구하시오.

> **Tip**
>
> 전체 일의 양을 ❶ [　　] 이라 하면 아버지와 아들이 하루에 할 수 있는 일의 양은 각각 $\dfrac{1}{8}$, ❷ [　　] 이다.
>
> 답 ❶ 1 ❷ $\dfrac{1}{12}$

4 연주는 20 km 떨어진 할머니 댁에 가는데 처음에는 시속 20 km로 달리는 버스를 타고 가다가 환승역에서 내려 시속 60 km로 달리는 지하철을 타고 할머니 댁에 도착하였다. 연주가 할머니 댁에 도착할 때까지 걸린 시간은 총 40분이고 버스에서 내려 지하철로 환승할 때까지 걸린 시간은 10분이라 할 때, 연주가 지하철을 타고 간 거리를 구하시오. (단, 버스에서 지하철로 환승하는 거리는 생각하지 않는다.)

> **Tip**
>
> 연주가 버스를 타고 간 거리를 x km, 지하철을 타고 간 거리를 y km라 하면
> $$\begin{cases} x+y=(\text{전체 } \boxed{❶ \quad}) \\ (\text{버스를 타고 갈 때 걸린 시간})+(\boxed{❷ \quad} \text{할 때 걸린 시간}) \\ +(\text{지하철을 타고 갈 때 걸린 시간})=(\text{전체 걸린 시간}) \end{cases}$$
>
> 답 ❶ 거리 ❷ 환승

5 35 km 떨어진 두 지점에서 아인이는 시속 4 km로, 태현이는 시속 6 km로 동시에 마주 보고 출발하여 도중에 만났다. 아인이가 걸은 거리를 a km, 태현이가 걸은 거리를 b km라 할 때, $b-a$의 값은?

① -7 ② -4 ③ 4
④ 7   ⑤ 10

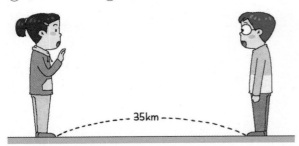

- - - - - 35km - - - - -

Tip

$\begin{cases} a+b=(\text{전체 } \boxed{❶}) \leftarrow \text{거리에 대한 식} \\ \dfrac{a}{4}=\dfrac{b}{\boxed{❷}} \leftarrow \text{시간에 대한 식} \end{cases}$

답 ❶ 거리 ❷ 6

6 형이 학교를 향해 분속 40 m로 걸어간 지 30분 후에 동생이 자전거를 타고 분속 240 m로 뒤따라갔다. 두 사람이 학교 정문에서 만났다고 할 때, 동생이 학교까지 가는데 걸린 시간은 몇 분인지 구하시오.

Tip

형과 동생이 학교까지 가는데 걸린 시간을 각각 x분, y분이라 하면
$\begin{cases} (\text{형이 걸린 시간}) \boxed{❶} (\text{동생이 걸린 시간})+30 \\ (\text{형이 걸어간 거리})=(\text{동생이 } \boxed{❷} \text{ 거리}) \end{cases}$

답 ❶ = ❷ 자전거를 타고 간

7 길이가 240 m인 화물 열차가 어떤 다리를 완전히 건너는 데 57초가 걸리고, 길이가 180 m인 특급 열차가 화물 열차의 3배의 속력으로 이 다리를 완전히 건너는 데 18초가 걸린다. 이때 다리의 길이를 구하시오.

(단, 두 열차의 속력은 각각 일정하다.)

Tip

다리의 길이를 x m, 화물 열차의 속력을 초속 y m라 하면 특급 열차의 속력은 초속 $\boxed{❶}$ m이다.
(다리를 완전히 건너는 데 열차가 이동한 거리)
=(다리의 길이)+($\boxed{❷}$ 의 길이)

답 ❶ 3y ❷ 열차

8 다음 표는 A, B 두 식품의 100 g 속에 들어 있는 단백질의 양과 열량을 나타낸 것이다. A, B 두 식품을 합하여 단백질 58 g, 열량 780 kcal를 섭취하려고 할 때, 섭취해야 할 A 식품과 B 식품의 양을 각각 구하시오.

식품	단백질(g)	열량(kcal)
A	3	60
B	10	105

Tip

문제의 표에서 주어진 값은 100 g당이므로 A, B 두 식품의 1 g 속에 들어 있는 단백질의 양과 열량을 나타내면 다음 표와 같다.

식품	단백질(g)	열량(kcal)
A	$\dfrac{3}{100}$	$\dfrac{\boxed{❶}}{100}$
B	$\dfrac{\boxed{❷}}{100}$	$\dfrac{105}{100}$

답 ❶ 60 ❷ 10

01 미지수가 2개인 다음 일차방정식 중에서 $(2, -1)$을 해로 갖는 것은?

① $x - 2y = 0$ ② $2x - y = 3$

③ $x + y = -1$ ④ $\dfrac{1}{2}x - y = 2$

⑤ $3x + 2y = 8$

02 연립방정식 $\begin{cases} x + 3y = 7 \\ ax + 2y = 1 \end{cases}$ 의 해가 일차방정식 $4x - y = 2$ 를 만족시킬 때, 상수 a의 값은?

① -3 ② -1 ③ 1

④ 3 ⑤ 5

03 연립방정식 $\begin{cases} ax - y = -5 \\ -x + y = 5 \end{cases}$ 를 만족시키는 y의 값이 x의 값의 2배일 때, 상수 a의 값은?

① -10 ② -5 ③ 1

④ 5 ⑤ 10

04 다음 두 연립방정식의 해가 서로 같을 때, $a + b$의 값은? (단, a, b는 상수)

$$\begin{cases} 2x - y = 7 \\ 2x + ay = 5 \end{cases}, \begin{cases} \dfrac{b}{2}x + 3y = 5 \\ x + 3y = 7 \end{cases}$$

① -3 ② -2 ③ -1

④ 2 ⑤ 3

05 연립방정식 $\begin{cases} 0.2x - 0.7y = -0.4 \\ \dfrac{1}{3}x - \dfrac{1}{2}y = \dfrac{2}{3} \end{cases}$ 의 해가 (a, b)일 때, $a - b$의 값을 구하시오.

06 연립방정식 $\begin{cases} -3x+my=3 \\ 2x-4y=1 \end{cases}$ 의 해가 없을 때, 상수 m의 값을 구하시오.

09 작년 축구 동아리와 농구 동아리 회원 수를 모두 합하면 50명이었다. 올해는 작년에 비해 축구 동아리 회원 수는 10 % 줄어들고, 농구 동아리 회원 수는 30 % 늘어나서 전체적으로 3명이 증가했다. 올해 축구 동아리 회원 수는?

① 21명   ② 24명   ③ 27명
④ 30명   ⑤ 33명

07 현민이에게는 쌍둥이 동생 2명이 있다. 현민이는 동생들보다 5살 많고, 현민이와 동생들의 나이의 합은 38살일 때, 현민이의 나이는?

① 11살   ② 12살   ③ 13살
④ 15살   ⑤ 16살

10 로운이가 집에서 학교까지 가는데 중간에 문구점을 들렀다. 집에서 문구점까지 분속 50 m로 걸어가고, 문구점에서 5분 동안 물건을 산 후 학교까지 분속 100 m로 뛰어가서 총 25분이 걸렸다. 문구점에서 학교까지의 거리가 집에서 문구점까지의 거리보다 200 m 더 멀다고 할 때, 집에서 문구점까지의 거리는?

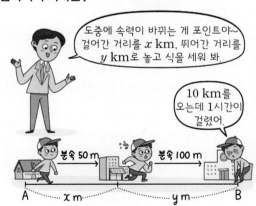

① 400 m   ② 500 m   ③ 600 m
④ 700 m   ⑤ 800 m

08 나연이와 지수가 가위바위보를 하여 이긴 사람은 3계단씩 올라가고 진 사람은 1계단씩 내려가기로 하였다. 얼마 후 나연이는 처음 위치보다 4계단, 지수는 처음 위치보다 12계단 올라가 있었을 때, 지수가 이긴 횟수를 구하시오.

(단, 비기는 경우는 없었다.)

'3계단씩 올라간다'=+3×(이긴 횟수)
'1계단씩 내려간다'=−1×(진 횟수)

1 다음은 주차장 건설과 관련된 법률이다.

> <장애인·노인·임산부 등의 편의증진보장에 관한 법률 시행규칙 별표 1>
> 장애인 전용 주차 구역의 크기는 주차 대수 1대에 대하여 폭 3.3미터 이상, 길이 5미터 이상으로 하여야 한다.
>
> 자료 출처 : 법제처 국가법령정보센터(www.law.go.kr)

이러한 법률에 따라 건물에 지하주차장을 지을 때 장애인 전용 주차 구역의 폭은 3.5 m, 일반 주차 구역의 폭은 2.5 m로 하기로 하였다. 폭이 17 m인 주차 구역 안에 장애인 전용 주차 구역과 일반 주차 구역은 각각 몇 개씩 만들 수 있는지 구하시오.

3.5 m 　　　　 2.5 m

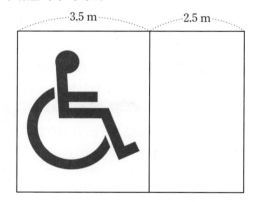

Tip

장애인 전용 주차 구역을 x개, 일반 주차 구역을 **❶** 　 개 만든다고 하면 $3.5x+2.5y=$ **❷** 　

답 ❶ y ❷ 17

---

2 세 종류의 입체도형 조각들을 다음 그림과 같이 윗접시저울에 올려놓았더니 〈그림 1〉과 〈그림 2〉에서 모두 평형을 이루었다.

〈그림 1〉　　　　〈그림 2〉

정육면체 1개의 무게는 15 g이고, 구 1개의 무게는 x g, 정사각뿔 1개의 무게는 y g일 때, 구 1개와 정사각뿔 1개의 무게를 비교하시오.

(단, 같은 모양의 조각끼리는 무게가 같다.)

Tip

〈그림 1〉의 상황을 x, y에 대한 일차방정식으로 나타내면 $x+3y+45=$ **❶** 　 이고, 〈그림 2〉의 상황을 x, y에 대한 일차방정식으로 나타내면 **❷** 　 $=2x+4y+15$이다.

답 ❶ $4x+3y+15$ ❷ $2x+y+30$

3 다음 규칙에 따라 그림의 각 칸에 수를 가로나 세로 방향으로 채워 나갈 때, 물음에 답하시오.

┌─ 규칙 ├─
ㄱ. 이웃한 두 수 중 오른쪽 수는 왼쪽 수보다 x만큼 크다.
ㄴ. 이웃한 두 수 중 아래쪽 수는 위쪽 수보다 y만큼 크다.

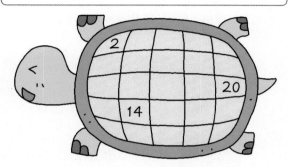

(1) 위의 표에서 2와 20의 관계로부터 x, y에 대한 일차방정식을 세우면 $2x+y=9$이다. 이때 2와 14의 관계로부터 x, y에 대한 일차방정식을 세우시오.

(2) $2x+y=9$와 (1)에서 세운 일차방정식을 연립하여 푸시오.

Tip

2와 20의 관계에서 20은 2에서 오른쪽으로 [**❶**] 칸, 아래쪽으로 두 칸 움직였으므로 x, y에 대한 일차방정식을 세우면 $2+4x+$ [**❷**] $=20$, 즉 $2x+y=9$이다.

답 ❶ 네 ❷ $2y$

4 은호와 수현, 성연이가 다음과 같이 사다리 게임을 하고 있다. 선택된 연립방정식의 해가 다른 사람은 누구인지 구하시오.

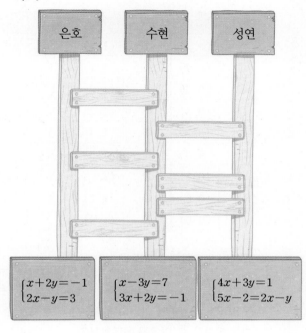

$$\begin{cases} x+2y=-1 \\ 2x-y=3 \end{cases}$$

$$\begin{cases} x-3y=7 \\ 3x+2y=-1 \end{cases}$$

$$\begin{cases} 4x+3y=1 \\ 5x-2=2x-y \end{cases}$$

Tip

사다리 게임을 하였을 때, 은호에게 선택된 연립방정식은 ©, 수현이에게 선택된 연립방정식은 [**❶**], 성연이에게 선택된 연립방정식은 [**❷**] 이다.

답 ❶ ㉠ ❷ ㉡

5

지훈이는 다음과 같이 알파벳 26개를 순서대로 순서쌍 $(0, 1), (0, 2), \cdots, (2, 6)$에 대응시키고, 순서쌍 (x, y)를 $(x+y, x-y)$로 암호화하려고 한다.

글자	순서쌍	글자	순서쌍	글자	순서쌍
A	$(0, 1)$	J	$(1, 0)$	S	$(1, 9)$
B	$(0, 2)$	K	$(1, 1)$	T	$(2, 0)$
C	$(0, 3)$	L	$(1, 2)$	U	$(2, 1)$
D	$(0, 4)$	M	$(1, 3)$	V	$(2, 2)$
E	$(0, 5)$	N	$(1, 4)$	W	$(2, 3)$
F	$(0, 6)$	O	$(1, 5)$	X	$(2, 4)$
G	$(0, 7)$	P	$(1, 6)$	Y	$(2, 5)$
H	$(0, 8)$	Q	$(1, 7)$	Z	$(2, 6)$
I	$(0, 9)$	R	$(1, 8)$		

예를 들어 암호화된 순서쌍 $(10, -8)$은 $\begin{cases} x+y=10 \\ x-y=-8 \end{cases}$을 나타내므로 $x=1, y=9$이다. 즉 $(1, 9)$이므로 전달된 암호는 S이다. 지훈이가 아영이에게 보낸 암호화된 순서쌍이 다음과 같을 때, 암호를 해독하시오.

$$(7, -5), (5, -5), (1, -1), (3, -3), (5, -5)$$

Tip

암호화된 순서쌍 $(7, -5)$는 $\begin{cases} x+y=\boxed{❶} \\ x-y=-5 \end{cases}$를 나타내므로 $x=1$, $y=\boxed{❷}$이다.

답 ❶ 7 ❷ 6

6

다음은 중국의 수학책인 「손자산경」에 나오는 문제이다. 도둑의 수와 비단의 수를 각각 구하시오.

어떤 사람이 비단을 도둑맞았는데 모두 몇 필을 도둑맞았는지 알 수가 없었다.
그런데 산길을 가다가 우연히 숲 속에서 도둑들이 훔친 비단을 가지고 서로 분배하는 소리를 들었다.
한 명당 6필씩 가지면 6필이 남고, 7필씩 가지면 7필이 모자르다고 할 때, 몇 명의 도둑이 몇 필의 비단을 훔쳤을까?

Tip

도둑의 수를 x명, 비단의 수를 y필이라 하면
$\begin{cases} 6x+\boxed{❶}=y \\ 7x-\boxed{❷}=y \end{cases}$

답 ❶ 6 ❷ 7

7 다음은 황윤석의 「이수신편」에 나오는 문제이다. 큰 스님의 수와 작은 스님의 수를 각각 구하시오.

> 만두 백 개와 스님 백 명이 있다.
> 큰 스님은 한 사람당 만두 3개 씩, 작은 스님은 세 사람당 만두 한 개씩을 먹어야 다툼이 없다.
> 큰 스님은 몇 명이고, 작은 스님은 몇 명인가?

Tip

세 사람당 만두를 ❶ □ 개씩 먹을 수 있으므로 작은 스님 한 명이 먹을 수 있는 만두는 ❷ □ 개이다.

답 ❶1 ❷$\frac{1}{3}$

8 다음은 전체 회원 수가 120명인 어느 청소년 모임 게시판에 올라온 글이다.

> 매번 뜻깊은 봉사활동이 없을까 고민하고 있는 청소년 여러분! 갑갑한 일상에서 벗어나 자연과 하나되는 친환경 배마을로 농촌봉사활동 가요.
> 농촌 체험도 하고, 봉사활동도 하고, 친구도 사귀고, 멋진 추억도 만들어요.
> 떠나자~ 청소년 농촌봉사활동
>
>
>
> 일시 : ○월 ○일 ~ ○월 ○일 (1박 2일)
>   오전 9시 출발
> 장소 : 친환경 배마을 ○○○ 농장
> 대상 : 중학생 ○○명 (선착순)
> 참가비 : 15,000원
> 준비물 : 편안한 복장, 필기 도구, 모자 등 개인 소지품, 쌀, 밑반찬 조금
> 문의 : 김○○ (010 − ×××× − ××××)

위의 글을 보고 남학생 $\frac{1}{3}$과 여학생 $\frac{2}{3}$가 농촌봉사활동을 가기로 했다. 농촌봉사활동을 가기로 한 회원은 전체 회원의 $\frac{11}{24}$일 때, 이 모임의 남학생 수와 여학생 수를 각각 구하시오.

Tip

남학생 수를 x명, 여학생 수를 y명이라 하면

$$\begin{cases} x+y= \text{❶} \\ \frac{1}{3}x+\frac{2}{3}y= \text{❷} \times 120 \end{cases}$$

답 ❶120 ❷$\frac{11}{24}$

2^주 일차함수

개념 01 함수와 함숫값

(1) **함수** : 두 변수 x, y에 대하여 x의 값이 변함에 따라 y의 값이 ❶ [ ] 정해지는 대응 관계가 있을 때, y를 x의 함수라 한다. ➡ $y=f(x)$

> **참고** x의 값이 정해짐에 따라 y의 값이 정해지지 않거나 2개 이상 정해지면 함수가 아니다.

(2) **함숫값** : 함수 $y=f(x)$에서 x의 값이 정해지면 그에 따라 정해지는 y의 값

> **참고** 함수 $y=f(x)$에 대하여
> ❷ [ ] ➡ $x=a$일 때의 함숫값
> ➡ $x=a$일 때, y의 값
> ➡ $f(x)$에 $x=a$를 대입하여 얻은 값

> 답 ❶ 하나씩 ❷ $f(a)$

확인 01 (1) 다음 보기에서 x와 y 사이의 관계를 식으로 나타내고, y가 x의 함수인지 아닌지 말하시오.

> 보기
> ㉠ 시속 4 km로 x시간 동안 달린 거리 y km
> ㉡ 10 L의 주스를 x명이 똑같이 나누어 마실 때, 한 사람이 마신 주스의 양 y L

(2) 함수 $f(x)=-3x+5$에 대하여 $f(2)$의 값을 구하시오.

개념 02 일차함수

함수 $y=f(x)$에서 y가 x에 대한 ❶ [ ], 즉 $y=ax+b$ (a, b는 상수, $a\neq0$)로 나타날 때, y를 x에 대한 ❷ [ ]라 한다.

> 답 ❶ 일차식 ❷ 일차함수

확인 02 다음 중 일차함수인 것을 모두 고르면? (정답 2개)

① $y=2x^3$ ② $y=\dfrac{2}{x}$

③ $y=\dfrac{3}{4}x$ ④ $y=-2x-3$

⑤ $y=x+y+6$

개념 03 일차함수의 그래프의 평행이동

일차함수 $y=ax+b$의 그래프는 일차함수 $y=ax$의 그래프를 ❶ [ ] 축의 방향으로 ❷ [ ]만큼 평행이동한 직선이다.

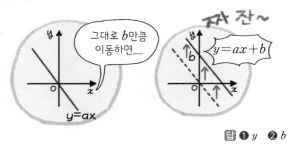

> 답 ❶ y ❷ b

확인 03 일차함수 $y=-3x$의 그래프를 y축의 방향으로 -1만큼 평행이동한 그래프의 식은?

① $y=3x$ ② $y=3x+1$

③ $y=-x+1$ ④ $y=x+1$

⑤ $y=-3x-1$

개념 04 일차함수의 그래프의 x절편, y절편

일차함수 $y=ax+b$의 그래프에서

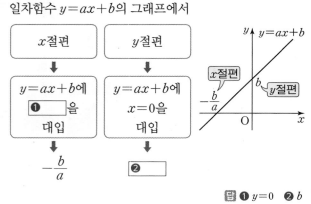

x절편	y절편
➡	➡
$y=ax+b$에 ❶ [ ]을 대입	$y=ax+b$에 $x=0$을 대입
➡	➡
$-\dfrac{b}{a}$	❷ [ ]

> 답 ❶ $y=0$ ❷ b

확인 04 오른쪽 그림과 같은 일차함수의 그래프에서 x절편을 a, y절편을 b라 할 때, $a+b$의 값을 구하시오.

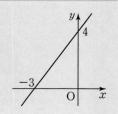

개념 **05** 일차함수의 그래프의 기울기

일차함수 $y=ax+b \ (a \neq 0)$의 그래프에서

$$(기울기) = \frac{(\boxed{❶} 의 \ 값의 \ 증가량)}{(x의 \ 값의 \ 증가량)} = \boxed{❷} \ (일정)$$

답 ❶ y ❷ a

확인 **05**
다음 일차함수의 그래프 중 x의 값이 3만큼 증가할 때, y의 값이 5만큼 감소하는 것은?

① $y=\frac{3}{5}x+3$

② $y=-\frac{3}{5}x-3$

③ $y=3x-5$

④ $y=\frac{3}{5}x-3$

⑤ $y=-\frac{5}{3}x-3$

개념 **06** 일차함수의 그래프 그리기

일차함수 $y=ax+b$의 그래프는 다음 세 가지 방법으로 그릴 수 있다.

방법 1 두 점의 좌표를 이용한다.

방법 2 x절편 $\boxed{❶}$ 와 y절편 b를 이용한다.

방법 3 기울기 a와 y절편 $\boxed{❷}$ 를 이용한다.

답 ❶ $-\frac{b}{a}$ ❷ b

확인 **06**
다음 중 일차함수 $y=\frac{1}{3}x-1$의 그래프를 바르게 나타낸 것은?

① 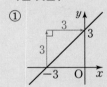 ②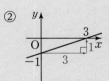

③ 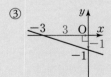 ④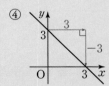

⑤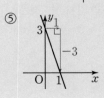

개념 **07** 일차함수의 그래프와 계수의 부호

일차함수 $y=ax+b$의 그래프의 모양과 그래프가 지나는 사분면은 a, b의 부호에 따라 다음과 같다.

(1) $a\ \boxed{❶}\ 0, b>0$	(2) $a>0, b<0$
➡ 제 1, 2, 3사분면	➡ 제 1, 3, 4사분면
(3) $a<0, b>0$	(4) $a\ \boxed{❷}\ 0, b<0$
➡ 제 1, 2, 4사분면	➡ 제 2, 3, 4사분면

일차함수 $y=ax+b$의 그래프에서

① $b>0$이다.
➡ 그래프가 y축과 원점보다 위에서 만난다.

② $b<0$이다.
➡ 그래프가 y축과 원점보다 아래에서 만난다.

b의 부호는 무엇을 의미할까?

답 ❶ $>$ ❷ $<$

확인 **07**
a, b의 부호가 다음과 같을 때, 일차함수 $y=ax+b$의 그래프를 오른쪽 그림의 ①~⑤ 중에서 모두 고르시오. (단, a, b는 상수)

(1) $a>0$ (2) $a<0$

(3) $b>0$ (4) $b<0$

(5) $b=0$

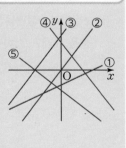

개념 08 일차함수의 그래프의 평행과 일치

두 일차함수 $y=ax+b$, $y=a'x+b'$에 대하여

(1) 두 그래프가 ❶ [　　　]하다. → $a=a'$, $b \neq b'$ 기울기는 같고 y절편이 다르다.

(2) 두 그래프가 일치한다. → $a=a'$, b ❷ [　] b'
기울기와 y절편이 각각 같다.

답 ❶ 평행 ❷ =

확인 08 일차함수 $y=-3ax+2$의 그래프를 y축의 방향으로 3만큼 평행이동하였더니 일차함수 $y=6x+2b$의 그래프와 일치하였다. 상수 a, b의 값을 각각 구하시오.

개념 09 일차함수의 식 구하기

(1) **기울기와 y절편이 주어질 때** : 기울기가 a이고 y절편이 b인 직선을 그래프로 하는 일차함수의 식

→ $y=$ ❶ [　　　]

(2) **기울기와 한 점의 좌표가 주어질 때** : 기울기가 a이고 점 (x_1, y_1)을 지나는 직선을 그래프로 하는 일차함수의 식

→ $y=ax+b$로 놓고 $x=x_1$, $y=y_1$을 대입하여 b의 값을 구한다.

(3) **두 점의 좌표를 알 때** : 두 점 (x_1, y_1), (x_2, y_2)를 지나는 직선을 그래프로 하는 일차함수의 식

→ (기울기) $= \dfrac{y_2-y_1}{x_2-x_1} = \dfrac{y_1-y_2}{x_1-x_2} =$ ❷ [　]이므로

일차함수의 식을 $y=ax+b$로 놓고 두 점 중 한 점의 좌표를 대입하여 b의 값을 구한다.

(4) **x절편과 y절편을 알 때** : x절편이 m, y절편이 n인 직선을 그래프로 하는 일차함수의 식 → 두 점 $(m, 0)$, $(0, n)$을 지난다.

→ (기울기) $= \dfrac{n-0}{0-m} = -\dfrac{n}{m}$이므로

$y = -\dfrac{n}{m}x+n$

답 ❶ $ax+b$ ❷ a

확인 09 다음 직선을 그래프로 하는 일차함수의 식을 구하시오.

(1) 기울기가 3이고, y절편이 -5인 직선

(2) 기울기가 -5이고, 점 $(-1, 2)$를 지나는 직선

(3) 두 점 $(-2, 1)$, $(1, -1)$을 지나는 직선

(4) x절편이 6, y절편이 5인 직선

개념 10 일차함수의 활용

일차함수의 활용 문제는 다음과 같은 순서로 풀어 쉿! 비밀이야!

1️⃣ 문제의 뜻을 파악하여 변수 ❶ [　　] 정하기

2️⃣ x, y 사이의 관계를 일차함수 $y=ax+b$로 나타내기

3️⃣ 함숫값이나 그래프를 이용하여 답 구하기

4️⃣ 구한 답이 문제의 뜻에 맞는지 ❷ [　　]하기

답 ❶ x, y ❷ 확인

확인 10 길이가 20 cm인 양초에 불을 붙이면 1분마다 0.04 cm씩 짧아진다고 한다. 불을 붙인 지 x분 후에 남은 양초의 길이를 y cm라 할 때, 다음 물음에 답하시오.

(1) y를 x의 식으로 나타내시오.

(2) 남은 양초의 길이가 12 cm가 되는 것은 불을 붙인 지 몇 분 후인지 구하시오.

개념 11 일차방정식과 일차함수 사이의 관계

미지수가 2개인 일차방정식 $ax+by+c=0$ (a, b, c는 상수, $a \neq 0$, $b \neq 0$)의 그래프는 일차함수 $y=-\dfrac{a}{b}x-\dfrac{c}{b}$ 의 그래프와 같다.

$$ax+by+c=0 \underset{\text{일차방정식}}{\overset{\text{일차함수}}{\longleftrightarrow}} y= ❶\boxed{} x - ❷\boxed{}$$

답 ❶ $-\dfrac{a}{b}$ ❷ $\dfrac{c}{b}$

확인 11 다음 일차함수의 그래프 중 일차방정식 $6x+2y-4=0$의 그래프와 일치하는 것은?

① $y=-3x-2$ ② $y=-3x+2$

③ $y=\dfrac{1}{3}x-2$ ④ $y=\dfrac{1}{3}x-\dfrac{2}{3}$

⑤ $y=3x-4$

개념 **12** 방정식 $x=p$, $y=q$의 그래프

(1) **방정식 $x=p$의 그래프** : 점 $(p, 0)$을 지나고 ❶ ☐ 축에 평행한 직선

(2) **방정식 $y=q$의 그래프** : 점 $(0, q)$를 지나고 ❷ ☐ 축에 평행한 직선

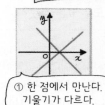

참고 $x=0$의 그래프 ➡ y축
$y=0$의 그래프 ➡ x축

답 ❶ y ❷ x

확인 12 다음을 만족시키는 직선의 방정식을 보기에서 모두 고르시오.

┌ 보기 ┐
ㄱ $y=4$　　ㄴ $2x-3=0$
ㄷ $3x=-6$　ㄹ $4y-1=0$

(1) x축에 평행한 직선

(2) y축에 평행한 직선

개념 **13** 연립방정식의 해와 일차함수의 그래프

연립방정식
$\begin{cases} ax+by+c=0 \\ a'x+b'y+c'=0 \end{cases}$ 의

❶ ☐ 는 두 일차방정식
$ax+by+c=0$,
$a'x+b'y+c'=0$의 그래프의 ❷ ☐ 의 좌표와 같다.

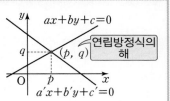

답 ❶ 해 ❷ 교점

확인 13 오른쪽 그림은 연립방정식 $\begin{cases} x+y=3b \\ 2x-3y=2a \end{cases}$ 를 구하기 위해 두 일차방정식의 그래프를 그린 것이다. 이때 $a+b$의 값을 구하시오.

(단, a, b는 상수)

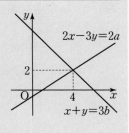

개념 **14** 연립방정식의 해의 개수와 그래프

그래프의 모양에 따른 두 직선의 위치 관계

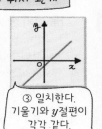

① 한 점에서 만난다. 기울기가 다르다.

② 평행하다. 기울기가 같고 y절편이 다르다.

③ 일치한다. 기울기와 y절편이 각각 같다.

연립방정식 $\begin{cases} ax+by+c=0 \\ a'x+b'y+c'=0 \end{cases}$ 의 해의 개수는 두 일차방정식의 그래프의 ❶ ☐ 의 개수와 같다.

두 일차방정식의 그래프의 위치 관계	한 점에서 만난다.	평행하다.	일치한다.
두 그래프의 교점의 개수	1개	없다.	무수히 많다.
연립방정식의 해의 개수	한 쌍	해가 없다.	해가 무수히 ❷ ☐ .

답 ❶ 교점 ❷ 많다

확인 14 아래 보기의 연립방정식 중 다음에 해당하는 것을 모두 고르시오.

┌ 보기 ┐
ㄱ $\begin{cases} x+6y=1 \\ 2x+12y=3 \end{cases}$　ㄴ $\begin{cases} 3x-y=2 \\ 9x-3y=6 \end{cases}$

ㄷ $\begin{cases} 8x-4y=6 \\ 12x+6y=9 \end{cases}$　ㄹ $\begin{cases} 6x-3y=10 \\ 4x-2y=5 \end{cases}$

(1) 한 쌍의 해를 갖는 연립방정식

(2) 해가 없는 연립방정식

(3) 해가 무수히 많은 연립방정식

1 다음 보기 중 y가 x의 함수인 것을 모두 고른 것은?

┌─ 보기 ┐
ⓐ 자연수 x보다 작은 홀수 y
ⓑ 한 자루에 200원인 연필 x 자루의 가격은 y원이다.
ⓒ 시속 x km로 4시간 동안 달린 거리는 y km이다.
ⓓ 밑변의 길이가 x cm, 높이가 y cm인 삼각형의 넓이는 20 cm^2 이다.
└──────┘

① ㉠, ㉡ 　　　 ② ㉠, ㉢ 　　　 ③ ㉠, ㉢, ㉣
④ ㉡, ㉢ 　　　 ⑤ ㉡, ㉢, ㉣

문제 해결 전략

• x의 값이 변함에 따라 y의 값이 ❶ [　　　] 정해지는 대응 관계가 있을 때, y를 x의 ❷ [　　　]라 한다.

답 ❶ 하나씩 ❷ 함수

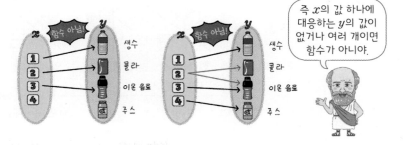

즉 x의 값 하나에 대응하는 y의 값이 없거나 여러 개이면 함수가 아니야.

---

2 일차함수 $f(x) = -2x + a$에 대하여 $f(-3) = 12$일 때, 상수 a의 값을 구하시오.

문제 해결 전략

• $f(-3) = -2 \times (\boxed{❶}) + a = \boxed{❷}$ 에서 상수 a의 값을 구할 수 있다.

답 ❶ -3 ❷ 12

---

3 다음 중 일차함수 $y = -3x + 2$의 그래프에 대한 설명으로 옳지 <u>않은</u> 것은?

① 점 $(1, -1)$을 지난다.
② 제 1, 2, 4사분면을 지난다.
③ x절편은 $\dfrac{2}{3}$이고, y절편은 2이다.
④ 일차함수 $y = -3x$의 그래프와 평행하다.
⑤ x의 값이 증가하면 y의 값도 증가한다.

문제 해결 전략

• 일차함수 $y = -3x + 2$의 그래프의 기울기는 ❶ [　　　], x절편은 ❷ [　　　], y절편은 2이다.

답 ❶ -3 ❷ $\dfrac{2}{3}$

>> 정답과 풀이 42쪽

4 다음 보기 중 옳은 것을 모두 고른 것은?

┌ 보기 ┐
ㄱ. 기울기가 2이고 점 $(2, 1)$을 지나는 직선을 그래프로 하는 일차함수의 식은 $y=2x-3$이다.

ㄴ. x절편이 3, y절편이 -2인 직선을 그래프로 하는 일차함수의 식은 $y=\dfrac{2}{3}x-2$이다.

ㄷ. 일차함수 $y=4x-2$의 그래프와 평행하고 y절편이 3인 직선을 그래프로 하는 일차함수의 식은 $y=4x+1$이다.

ㄹ. 일차함수 $y=5x$의 그래프를 y축의 방향으로 -3만큼 평행이동한 그래프를 나타내는 일차함수의 식은 $y=5x+3$이다.

① ㄱ, ㄴ   ② ㄱ, ㄴ, ㄷ   ③ ㄱ, ㄴ, ㄹ
④ ㄴ, ㄷ, ㄹ   ⑤ ㄷ, ㄹ

문제 해결 전략

· ㄷ 일차함수 $y=4x-2$의 그래프와 [❶ ___]하므로 기울기가 [❷ ___]로 같다.

답 ❶ 평행 ❷ 4

5 현재 컵에 담긴 물의 온도는 80 ℃이고 4분에 6 ℃씩 내려간다고 한다. x분 후 물의 온도를 y ℃라 할 때, y를 x의 식으로 나타내면?

① $y=80-1.5x$ ② $y=80+1.5x$
③ $y=80-6x$ ④ $y=80+6x$
⑤ $y=6x$

문제 해결 전략

· 물의 온도가 4분에 [❶ ___] ℃씩 내려가므로 1분에 $\dfrac{6}{4}=$ [❷ ___] (℃)씩 내려간다.

답 ❶ 6 ❷ 1.5

6 다음 일차함수의 그래프 중 일차방정식 $4x+5y-1=0$의 그래프와 일치하는 것은?

① $y=-\dfrac{4}{5}x-1$ ② $y=-\dfrac{1}{5}x+\dfrac{4}{5}$

③ $y=-\dfrac{4}{5}x+5$ ④ $y=-\dfrac{5}{4}x+\dfrac{1}{5}$

⑤ $y=-\dfrac{4}{5}x+\dfrac{1}{5}$

문제 해결 전략

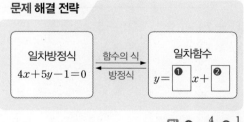

답 ❶ $-\dfrac{4}{5}$ ❷ $\dfrac{1}{5}$

핵심 예제 ①

일차함수 $f(x)=5x+8$에 대하여 $f(5)-f(3)$의 값은?

① -10　　　② 10　　　③ 23

④ 33　　　⑤ 56

전략

$f(5) \rightarrow f(x)$에 x 대신 5를 대입한다.
$f(3) \rightarrow f(x)$에 x 대신 3을 대입한다.

풀이

$f(x)=5x+8$에서
$f(5)=5\times5+8=33,\ f(3)=5\times3+8=23$
$\therefore f(5)-f(3)=33-23=10$

답 ②

핵심 예제 ②

일차함수 $y=2x-4$의 그래프를 y축의 방향으로 k만큼 평행이동한 그래프가 점 $(4,7)$을 지날 때, k의 값을 구하시오.

전략

일차함수 $y=2x-4$의 그래프를 y축의 방향으로 k만큼 평행이동한 그래프의 식은 $y=2x-4+k$이다.

풀이

$y=2x-4$의 그래프를 y축의 방향으로 k만큼 평행이동한 그래프의 식은 $y=2x-4+k$
$y=2x-4+k$에 $x=4,\ y=7$을 대입하면
$7=2\times4-4+k$　　　$\therefore k=3$

답 3

1-1

일차함수 $f(x)=ax+b$에 대하여 $f(2)=-4,\ f(-3)=1$일 때, $f(5)$의 값은? (단, $a,\ b$는 상수)

다음은 표현은 다르지만 뜻은 모두 같아!

$f(a) \Rightarrow x=a$일 때의 함숫값
　　　$\Rightarrow x=a$일 때의 y의 값
　　　$\Rightarrow f(x)$에 x 대신 a를 대입한 값

① -7　　　② -5　　　③ -3

④ -1　　　⑤ 1

2-1

일차함수 $y=-x-6$의 그래프를 y축의 방향으로 m만큼 평행이동한 그래프가 점 $(-3,4)$를 지날 때, m의 값은?

① -7　　　② -4　　　③ 1

④ 4　　　⑤ 7

2-2

일차함수 $y=4x+1$의 그래프를 y축의 방향으로 6만큼 평행이동한 그래프가 점 $(a,-1)$을 지난다고 한다. 이때 a의 값을 구하시오.

>> 정답과 풀이 42쪽

핵심 예제 3

일차함수 $y=\dfrac{1}{2}x+k$의 그래프의 x절편이 -4일 때, 상수 k의 값은?

① -4 ② -2 ③ 0

④ 2 ⑤ 4

전략

x절편이 -4이므로 $y=\dfrac{1}{2}x+k$의 그래프가 점 $(-4, 0)$을 지난다.

풀이

$y=\dfrac{1}{2}x+k$의 그래프의 x절편이 -4이므로

$y=\dfrac{1}{2}x+k$에 $x=-4$, $y=0$을 대입하면

$0=\dfrac{1}{2}\times(-4)+k$ $\therefore k=2$

답 ④

3-1

일차함수 $y=2x-1$의 그래프의 y절편과 일차함수 $y=2x+a$의 그래프의 x절편이 서로 같을 때, 상수 a의 값을 구하시오.

3-2

두 일차함수 $y=\dfrac{1}{3}x+2$, $y=-\dfrac{1}{2}x+a$의 그래프가 x축 위에서 만날 때, 상수 a의 값을 구하시오.

다른 표현이지만 같은 말이야~ 속지말자!

x절편을 나타내는 말	y절편을 나타내는 말
① x절편이 3이다.	① y절편이 2이다.
② 점 (3, 0)을 지난다.	② 점 (0, 2)를 지난다.
③ x축과 만나는 점의 x좌표가 3이다.	③ y축과 만나는 점의 y좌표가 2이다.
④ $y=0$일 때 x의 값이 3이다.	④ $x=0$일 때 y의 값이 2이다.

핵심 예제 4

두 점 $(-3, 5)$, $(2, k)$를 지나는 일차함수의 그래프의 기울기가 3일 때, k의 값은?

① 16 ② 17 ③ 18

④ 19 ⑤ 20

전략

두 점 (a, b), (c, d)를 지나는 일차함수의 그래프의 기울기 ➡ $\dfrac{d-b}{c-a}$

풀이

두 점 $(-3, 5)$, $(2, k)$를 지나는 일차함수의 그래프의 기울기는

$\dfrac{k-5}{2-(-3)}=\dfrac{k-5}{5}$

즉 $\dfrac{k-5}{5}=3$이므로 $k-5=15$ $\therefore k=20$

답 ⑤

4-1

x절편이 2, y절편이 a인 일차함수의 그래프의 기울기가 -3일 때, a의 값은?

① -3 ② 0 ③ 3

④ 6 ⑤ 9

4-2

오른쪽 그림과 같은 일차함수의 그래프에서 x의 값이 8만큼 감소할 때, y의 값의 증가량을 구하시오.

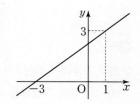

핵심 예제 ⑤

다음 대화를 읽고 상수 a의 값을 구하시오.

> 색칠한 부분의 넓이가 10일 때, a의 값을 구할 수 있겠니?

> x절편이 밑변, y절편이 높이인 직각삼각형이네요. 그럼 간단하죠.

전략

일차함수 $y=ax+b$의 그래프와 x축, y축으로 둘러싸인 도형의 넓이

$\Rightarrow \dfrac{1}{2}\times\overline{OA}\times\overline{OB}=\dfrac{1}{2}\times|x$절편$|\times|y$절편$|$

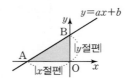

풀이

색칠한 부분의 넓이가 10이므로

$\dfrac{1}{2}\times\dfrac{5}{a}\times5=10$ ∴ $a=\dfrac{5}{4}$

답 $\dfrac{5}{4}$

5-1

일차함수 $y=ax+2$의 그래프와 x축, y축으로 둘러싸인 도형의 넓이가 4일 때, 상수 a의 값을 구하시오. (단, $a>0$)

5-2

오른쪽 그림에서 직선 l은 일차함수 $y=-x+3$의 그래프를 y축의 방향으로 2만큼 평행이동한 것이다. 이때 두 직선과 x축, y축으로 둘러싸인 도형의 넓이를 구하시오.

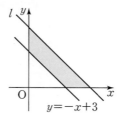

핵심 예제 ⑥

다음 중 일차함수 $y=ax+b$의 그래프에 대한 설명으로 옳지 않은 것은? (단, a, b는 상수)

① $a>0$일 때, x의 값이 증가하면 y의 값도 증가한다.

② x절편은 $-\dfrac{b}{a}$이다.

③ 점 $(1, a+b)$를 지난다.

④ x의 값이 1만큼 증가할 때, y의 값은 a만큼 감소한다.

⑤ $|a|$가 클수록 y축에 가까워진다.

전략

일차함수 $y=ax+b$의 그래프가

(1) 오른쪽 위로 향하면 $a>0$

　오른쪽 아래로 향하면 $a<0$

(2) y축과 양의 부분에서 만나면 $b>0$

　y축과 음의 부분에서 만나면 $b<0$

(3) $|a|$가 클수록 y축에 가깝고, $|a|$가 작을수록 x축에 가깝다.

풀이

④ x의 값이 1만큼 증가할 때, y의 값은 a만큼 증가한다.

답 ④

6-1

오른쪽 그림과 같은 일차함수의 그래프에 대한 다음 설명 중 옳지 않은 것은?

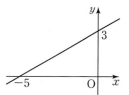

① x절편은 -5이다.

② y절편은 3이다.

③ 일차함수 $y=-\dfrac{3}{5}x$의 그래프와 평행하다.

④ 일차함수 $y=\dfrac{1}{5}x+3$의 그래프보다 y축에 가깝다.

⑤ 일차함수 $y=2x+10$의 그래프와 x절편은 같다.

핵심 예제 **7**

일차함수 $y=-ax-b$의 그래프가 오른쪽 그림과 같을 때, 상수 a, b의 부호는?

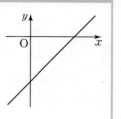

① $a>0, b>0$ ② $a>0, b<0$
③ $a<0, b>0$ ④ $a<0, b<0$
⑤ $a<0, b=0$

전략

일차함수 $y=-ax-b$의 그래프가 오른쪽 위로 향하므로 기울기는 양수이고, y축과 음의 부분에서 만나므로 y절편은 음수이다.

풀이

(기울기)>0이므로 $-a>0$　∴ $a<0$
(y절편)<0이므로 $-b<0$　∴ $b>0$

답 ③

7-1

일차함수 $y=ax+b$의 그래프가 오른쪽 그림과 같을 때, 다음 중 일차함수 $y=bx-a$의 그래프로 옳은 것은?

(단, a, b는 상수)

① 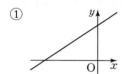　②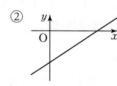

③ 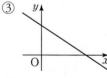　④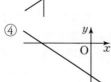

⑤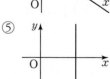

핵심 예제 **8**

다음 두 일차함수의 그래프가 일치할 때, $a+b$의 값은?

(단, a, b는 상수)

$$y=2x+a,\ y=bx-1$$

① -1　② 0　③ 1
④ 2　⑤ 3

전략

두 일차함수의 그래프가 일치하려면 기울기와 y절편이 각각 같아야 한다.

풀이

두 일차함수의 그래프가 일치하려면 $y=2x+a$와 $y=bx-1$이 같아야 하므로
$a=-1, b=2$
∴ $a+b=-1+2=1$

답 ③

8-1

두 점 $(-2, a), (5, -10)$을 지나는 직선이 일차함수 $y=-2x+5$의 그래프와 평행할 때, a의 값을 구하시오.

1 일차함수 $f(x)=4x-2$에 대하여 $f(2)=a$, $f(b)=-a$ 일 때, $a+b$의 값은? (단, a, b는 상수)

비켜줄래?

똑똑

$f(x) = 4x-2$

거기 내 자리거든.

① -6 ② -5 ③ -1
④ 5 ⑤ 6

Tip

$f(x)$에 x 대신 **❶** ☐ 를 대입하여 상수 a의 값을 구한다. 이때 $f(x)$에 x 대신 b를 대입하여 나온 값이 **❷** ☐ 이다.

🔲 ❶ 2 ❷ $-a$

2 일차함수 $y=-x+5$의 그래프를 y축의 방향으로 a만큼 평행이동하면 두 점 $(b,1)$, $(3,4)$를 지난다. 이때 $a+b$의 값을 구하시오.

Tip

일차함수 $y=-x+5$의 그래프를 y축의 방향으로 a만큼 **❶** ☐ 한 그래프의 식은 $y=$ **❷** ☐ 이다.

🔲 ❶ 평행이동 ❷ $-x+5+a$

3 일차함수 $y=3x+k$의 그래프를 y축의 방향으로 -2만큼 평행이동한 그래프의 x절편과 y절편의 합이 2일 때, k의 값은?

① -3 ② -1 ③ 1
④ 3 ⑤ 5

Tip

일차함수 $y=3x+k$의 그래프를 y축의 방향으로 -2만큼 평행이동한 그래프를 나타내는 식은 $y=3x+k-2$이다.
또 x절편은 **❶** ☐ 일 때의 x의 값, y절편은 **❷** ☐ 일 때의 y의 값이다.

🔲 ❶ $y=0$ ❷ $x=0$

4 세 점 $(-1,-7)$, $(1,k)$, $(5,11)$이 한 직선 위에 있을 때, k의 값을 구하시오.

Tip

세 점 A, B, C가 한 직선 위에 있으면 세 점 중 두 점을 지나는 직선의 기울기는 항상 **❶** ☐ .
➡ (직선 AB의 기울기)=(직선 BC의 기울기)
　　　　　　　=(직선 **❷** ☐ 의 기울기)

🔲 ❶ 같다 ❷ AC

5 일차함수 $y=-\dfrac{2}{3}x+4$의 그래프와 이 그래프를 y축의 방향으로 -2만큼 평행이동한 그래프가 있다. 이 두 그래프와 x축, y축으로 둘러싸인 도형의 넓이는?

① 3   ② 6   ③ 9

④ 12   ⑤ 15

Tip

두 일차함수의 그래프의 x절편과 y절편을 구하여 그래프를 그린다.

x절편이 k이다. ➡ x축과 만나는 점의 x좌표가 k이다.

➡ 점 (**❶** , 0)을 지난다.

➡ $y=$ **❷** 일 때, x의 값이 k이다.

답 ❶ k ❷ 0

---

6 일차함수 $y=ax+b$의 그래프가 오른쪽 그림과 같을 때, 다음 설명 중 옳은 것은?

(단, a,b는 상수)

① 점 $(1,a)$를 지난다.

② x절편은 $-\dfrac{b}{a}$, y절편은 b이다.

③ 일차함수 $y=-ax+b$의 그래프와 평행하다.

④ $a>0, b>0$이다.

⑤ x의 값이 1만큼 증가할 때, y의 값은 a만큼 감소한다.

Tip

일차함수 $y=ax+b$의 그래프가 오른쪽 **❶** 로 향하는 직선이므로 기울기는 **❷** 이다.

답 ❶ 아래 ❷ 음수

---

7 일차함수 $y=ax-b$의 그래프가 오른쪽 그림과 같을 때, 다음 중 일차함수 $y=bx-ab$의 그래프를 바르게 그린 학생을 말하시오. (단, a,b는 상수)

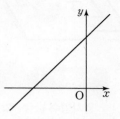

 예서   효은

 정욱   성현

 은채

Tip

일차함수 $y=ax-b$의 그래프가 오른쪽 위로 향하므로 기울기는 **❶** 이고, y축과 양의 부분에서 만나므로 y절편은 **❷** 이다.

답 ❶ 양수 ❷ 양수

---

8 일차함수 $y=2x+2a-1$의 그래프는 점 $(1,-3)$을 지나고 일차함수 $y=bx+c$의 그래프와 일치할 때, $a+b+c$의 값을 구하시오. (단, a,b,c는 상수)

Tip

먼저 $y=2x+2a-1$에 $x=$ **❶** , $y=$ **❷** 을 대입하여 a의 값을 구한다.

답 ❶ 1 ❷ -3

핵심 예제 ❶

일차함수 $y=-2x+3$의 그래프와 평행하고 점 $(1, 2)$를 지나는 직선을 그래프로 하는 일차함수의 식은?

① $y=-2x+1$

② $y=-2x+4$

③ $y=-\dfrac{1}{2}x+4$

④ $y=\dfrac{1}{2}x+3$

⑤ $y=2x+3$

전략

일차함수 $y=-2x+3$의 그래프와 평행하므로 기울기가 -2로 같다.

풀이

$y=-2x+3$의 그래프와 평행하므로 기울기가 -2이다.
구하는 일차함수의 식을 $y=-2x+b$라 하면 이 그래프가
점 $(1, 2)$를 지나므로
$2=-2+b$ ∴ $b=4$
따라서 구하는 일차함수의 식은 $y=-2x+4$

답 ②

1-1

두 점 $(-1, 3)$, $(5, 9)$를 지나는 직선을 그래프로 하는 일차함수의 식은?

① $y=-\dfrac{3}{2}x-2$ 　② $y=-x+4$

③ $y=x-4$ 　④ $y=x+4$

⑤ $y=2x+4$

1-2

x절편이 -5, y절편이 4인 일차함수의 그래프가 점 $(a, -4)$를 지날 때, a의 값을 구하시오.

핵심 예제 ❷

비커에 담긴 15 ℃의 액체를 가열하면서 온도를 재었더니 2분에 10 ℃씩 일정하게 올라갔다. 이 액체가 끓게 되는 것은 가열하기 시작하여 17분이 지난 후일 때, 액체의 끓는 온도를 구하시오.

전략

온도가 2분에 10 ℃씩, 즉 1분에 $\dfrac{10}{2}=5$ (℃)씩 일정하게 올라간다.

풀이

액체의 처음 온도는 15 ℃이고 온도가 2분에 10 ℃씩, 즉 1분에 5 ℃씩 일정하게 올라가므로 액체를 가열하기 시작하여 x분이 지난 후의 온도를 y ℃라 하면 $y=5x+15$
$x=17$일 때, $y=5\times17+15=100$
따라서 액체의 끓는 온도는 100 ℃이다.

답 100 ℃

2-1

지면으로부터 10 km까지는 100 m씩 높아질 때마다 0.6 ℃씩 내려간다고 한다. 지면의 기온이 24 ℃일 때, 기온이 0 ℃인 지점은 지면으로부터의 높이가 몇 m인지 구하시오.

2-2

오른쪽 그래프는 길이가 30 cm인 양초에 불을 붙인 지 x분 후에 남은 양초의 길이를 y cm라 할 때, x와 y 사이의 관계를 나타낸 것이다. 불을 붙인 지 1시간이 지났을 때의 양초의 길이를 구하시오.

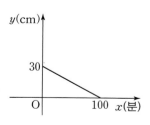

핵심 예제 ③

다음 중 일차방정식 $x+3y-9=0$의 그래프에 대한 설명으로 옳지 <u>않은</u> 것은?

① y절편은 3이다.

② 기울기는 $-\dfrac{1}{3}$이다.

③ 제 4사분면을 지나지 않는다.

④ 일차함수 $y=-\dfrac{1}{3}x$의 그래프와 평행하다.

⑤ $2x+6y-18=0$의 그래프와 일치한다.

전략

$x+3y-9=0$에서 $y=-\dfrac{1}{3}x+3$이다.

풀이

$x+3y-9=0$에서 $y=-\dfrac{1}{3}x+3$

따라서 x절편은 9, y절편은 3이므로 그래프는 오른쪽 그림과 같다.

③ 제 3사분면을 지나지 않는다.

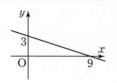

답 ③

3-1

일차방정식 $x-2y+6=0$의 그래프의 기울기를 a, x절편을 b, y절편을 c라 할 때, $2a+b+c$의 값을 구하시오.

3-2

일차방정식 $ax-by+c=0$의 그래프가 오른쪽 그림과 같을 때, 상수 a, c의 부호는? (단, $b>0$인 상수)

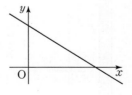

① $a>0, c>0$　　② $a>0, c=0$

③ $a>0, c<0$　　④ $a<0, c>0$

⑤ $a<0, c<0$

핵심 예제 ④

두 점 $(-1, a+3), (3, 5a-9)$를 지나는 직선이 x축에 평행할 때, a의 값을 구하시오.

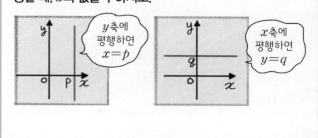

전략

두 점을 지나는 직선이 x축에 평행하다.

➡ 두 점의 x좌표는 다르고 y좌표는 같다.

풀이

두 점 $(-1, a+3), (3, 5a-9)$를 지나는 직선이 x축에 평행하려면 두 점의 y좌표가 같아야 하므로

$a+3=5a-9, -4a=-12$　　∴ $a=3$

답 3

4-1

두 점 $(-7, 2a), (2, 18-4a)$를 지나는 직선이 y축에 수직일 때, a의 값을 구하시오.

4-2

방정식 $ax+by-4=0$의 그래프가 오른쪽 그림과 같을 때, $b-a$의 값을 구하시오. (단, a, b는 상수)

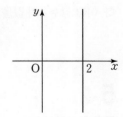

핵심 예제 5

오른쪽 그림은 연립방정식 $\begin{cases} x+ay=4 \\ bx-3y=8 \end{cases}$ 의 해를 구하기 위해 두 일차방정식의 그래프를 그린 것이다. 이때 $b-a$의 값을 구하시오. (단, a, b는 상수)

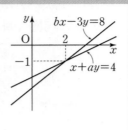

전략

연립방정식의 해는 두 일차방정식의 그래프, 즉 두 일차함수의 그래프의 교점의 좌표와 같다.

풀이

연립방정식 $\begin{cases} x+ay=4 \\ bx-3y=8 \end{cases}$ 의 해가 $x=2$, $y=-1$이므로

$x+ay=4$에 $x=2$, $y=-1$을 대입하면

$2-a=4$ ∴ $a=-2$

$bx-3y=8$에 $x=2$, $y=-1$을 대입하면

$2b+3=8$, $2b=5$ ∴ $b=\dfrac{5}{2}$

∴ $b-a=\dfrac{5}{2}-(-2)=\dfrac{9}{2}$

답 $\dfrac{9}{2}$

핵심 예제 6

연립방정식 $\begin{cases} 3x+y-6=0 \\ 9x+ay-18=0 \end{cases}$ 의 해가 무수히 많고, 연립방정식 $\begin{cases} x+2y-5=0 \\ bx+4y-8=0 \end{cases}$ 의 해는 없을 때, ab의 값을 구하시오. (단, a, b는 상수)

전략

연립방정식의 해가 무수히 많다. ➡ 두 일차방정식의 그래프가 일치한다.
연립방정식의 해가 없다. ➡ 두 일차방정식의 그래프가 평행하다.

풀이

$\begin{cases} 3x+y-6=0 \\ 9x+ay-18=0 \end{cases}$ ➡ $\begin{cases} y=-3x+6 \\ ay=-9x+18 \end{cases}$ ➡ $\begin{cases} y=-3x+6 \\ y=-\dfrac{9}{a}x+\dfrac{18}{a} \end{cases}$

해가 무수히 많으려면 두 그래프가 일치해야 하므로

$-3=-\dfrac{9}{a}$, $6=\dfrac{18}{a}$에서 $a=3$

$\begin{cases} x+2y-5=0 \\ bx+4y-8=0 \end{cases}$ ➡ $\begin{cases} 2y=-x+5 \\ 4y=-bx+8 \end{cases}$ ➡ $\begin{cases} y=-\dfrac{1}{2}x+\dfrac{5}{2} \\ y=-\dfrac{b}{4}x+2 \end{cases}$

해가 없으려면 두 그래프가 평행해야 하므로

$-\dfrac{1}{2}=-\dfrac{b}{4}$에서 $b=2$

∴ $ab=3\times 2=6$

답 6

5-1

오른쪽 그림은 연립방정식 $\begin{cases} ax+y=6 \\ 2x-3y=2 \end{cases}$ 의 해를 구하기 위해 두 일차방정식의 그래프를 그린 것이다. 이때 상수 a의 값을 구하시오.

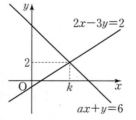

5-2

두 일차방정식 $2x-3y+1=0$, $5x-y-4=0$의 그래프의 교점이 직선 $y=-\dfrac{1}{2}x+k$ 위의 점일 때, 상수 k의 값을 구하시오.

6-1

연립방정식 $\begin{cases} 3x+2y-3=0 \\ ax+6y-10=0 \end{cases}$ 의 해가 없을 때, 상수 a의 값을 구하시오.

해가 없다는 것은 두 그래프의 교점이 없다는 뜻이지. 즉 두 직선이 평행하다는 뜻~!

핵심 예제 7

오른쪽 그림과 같이 직선 $y=ax+1$이 두 점 $A(1,3)$, $B(3,2)$를 이은 선분 AB와 만날 때, 상수 a의 값의 범위를 구하시오.

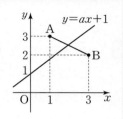

전략

너무 어려워요.

어디 한번 볼까?

직선과 선분이 만날 조건은 다음과 같아.

직선 $y=ax+b$가 선분 AB와 만날 때, 상수 a의 값의 범위
➡ (m의 기울기)$\leq a\leq$(l의 기울기)

풀이

직선 $y=ax+1$이
(i) 점 $A(1,3)$을 지날 때, $3=a+1$ $\therefore a=2$
(ii) 점 $B(3,2)$를 지날 때, $2=3a+1$, $-3a=-1$ $\therefore a=\dfrac{1}{3}$

(i), (ii)에서 $\dfrac{1}{3}\leq a\leq 2$

답 $\dfrac{1}{3}\leq a\leq 2$

7-1

일차함수 $y=ax+1$의 그래프가 오른쪽 그림의 선분 AB와 만날 때, 상수 a의 값의 범위는?

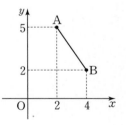

① $\dfrac{1}{4}<a\leq 2$ ② $\dfrac{1}{4}\leq a<2$

③ $\dfrac{1}{4}\leq a\leq 2$ ④ $\dfrac{1}{2}<a\leq 4$

⑤ $\dfrac{1}{2}\leq a\leq 4$

핵심 예제 8

오른쪽 그림과 같이 두 직선 $y=-2x+3$, $y=x$와 x축으로 둘러싸인 도형의 넓이를 구하시오.

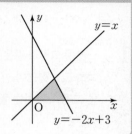

전략

하나의 좌표축과 두 직선으로 둘러싸인 삼각형의 높이는 두 직선의 교점의 x좌표나 y좌표를 이용하여 구한다.

풀이

$y=-2x+3$, $y=x$를 연립하여 풀면 $x=1$, $y=1$이므로 두 직선의 교점의 좌표는 $(1,1)$이다.
또 직선 $y=-2x+3$의 x절편은 $\dfrac{3}{2}$이므로 오른쪽 그림에서 구하는 도형의 넓이는

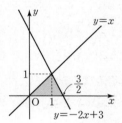

$$\dfrac{1}{2}\times\dfrac{3}{2}\times 1=\dfrac{3}{4}$$

답 $\dfrac{3}{4}$

8-1

두 직선 $y=x-1$, $y=-3x+7$의 그래프와 y축으로 둘러싸인 도형의 넓이를 구하시오.

8-2

세 직선 $x-y=-4$, $x+y=2$, $y=-1$로 둘러싸인 도형의 넓이를 구하시오.

1 오른쪽 그림과 같은 직선과 평행하고, x절편이 -2인 직선을 그래프로 하는 일차함수의 식은?

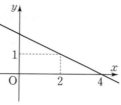

① $y=-\dfrac{2}{3}x-2$　　② $y=-\dfrac{1}{2}x-1$

③ $y=-\dfrac{1}{2}x+1$　　④ $y=\dfrac{1}{2}x+1$

⑤ $y=\dfrac{3}{2}x-4$

> **Tip**
>
> 주어진 직선이 두 점 $(2,1)$, $(4,0)$을 지나므로
>
> $(기울기)=\dfrac{0-\boxed{❶}}{4-2}=\boxed{❷}$
>
> 답 ❶ 1 ❷ $-\dfrac{1}{2}$

2 5 L의 휘발유로 60 km를 달릴 수 있는 자동차에 40 L의 휘발유가 들어 있다. 10 L의 휘발유가 남아 있게 되는 것은 몇 km를 달린 후인지 구하시오.

> **Tip**
>
> 5 L의 휘발유로 60 km를 달리므로 1 km를 달리는 데 $\dfrac{5}{60}=\boxed{❶}$ (L)의 휘발유가 필요하다. 또 x km를 달린 후 남아 있는 휘발유의 양을 y L라 하면 x km를 달리는 데 필요한 휘발유의 양은 $\boxed{❷}$ L이다.
>
> 답 ❶ $\dfrac{1}{12}$ ❷ $\dfrac{1}{12}x$

3 일차방정식 $ax+by+c=0$의 그래프가 오른쪽 그림과 같을 때, 다음 중 일차방정식 $cx-by+a=0$의 그래프는?
(단, a, b는 0이 아닌 상수)

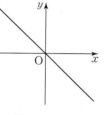

①　　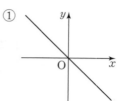　　②　　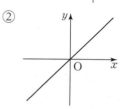

③　　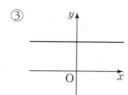　　④　　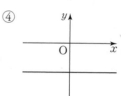

⑤　　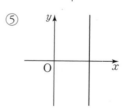

> **Tip**
>
> 일차방정식 $ax+by+c=0$의 그래프는 일차함수 $y=\boxed{❶}x-\dfrac{c}{b}$의 그래프와 $\boxed{❷}$ 직선이다.
>
> 답 ❶ $-\dfrac{a}{b}$ ❷ 같은

4 율희는 정사각형 모양의 수영장을 다음과 같은 설계 규칙에 따라 만들려고 한다. 수영장 바닥의 넓이를 구하시오.

〈설계 규칙〉
한 눈금의 길이가 10m인 좌표평면 위에서
네 직선 $x=-1$, $x=6$, $y+3=0$, $2y-8=0$
으로 둘러싸인 부분을 수영장 바닥으로 설계한다.

Tip

네 방정식 $x=a$, $x=b$, $y=c$, $y=d$의 그래프로 둘러싸인 도형의 넓이

➡ (직사각형의 넓이)
   $=$ (가로의 ❶ ☐) × (세로의 길이)
   $= |b-a| \times$ ❷ ☐

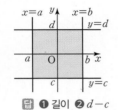

답 ❶ 길이 ❷ $d-c$

5 오른쪽 그림과 같이 두 직선 l, m의 교점을 $P(a, b)$라 할 때, $a-b$의 값은?

① $\dfrac{2}{3}$ ② $\dfrac{4}{3}$

③ $\dfrac{5}{3}$ ④ $\dfrac{7}{3}$

⑤ 3

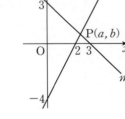

Tip

직선 l은 두 점 (❶ ☐), $(2, 0)$을 지나는 일차함수의 그래프이고, 직선 m은 두 점 $(0, 3)$, (❷ ☐)을 지나는 일차함수의 그래프이다.

답 ❶ $0, -4$ ❷ $3, 0$

6 오른쪽 그림과 같이 일차함수 $y=ax+6$의 그래프가 두 점 $A(4, 3)$, $B(3, -3)$을 이은 선분 AB와 만나도록 하는 상수 a의 값의 범위가 $p \leq a \leq q$라 할 때, $\dfrac{p}{q}$의 값을 구하시오. (단, a는 상수, $q \neq 0$)

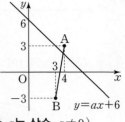

Tip

일차함수 $y=$ ❶ ☐ 의 그래프가 두 점 $A(4, 3)$,
❷ ☐ 을 지나는 각각의 경우로 나누어 구한다.

답 ❶ $ax+6$ ❷ $B(3, -3)$

7 오른쪽 그림과 같이 두 직선 $y=ax+2$, $y=-x+b$의 교점의 좌표가 $A(2, 4)$일 때, 두 직선과 x축, y축으로 둘러싸인 사각형 ABOD의 넓이를 구하시오. (단, O는 원점이고 a, b는 상수)

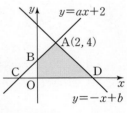

Tip

(사각형 ABOD의 넓이)$= \triangle$ ❶ ☐ $- \triangle$ ❷ ☐

답 ❶ ACD ❷ BCO

01 다음 중 y가 x에 대한 일차함수가 <u>아닌</u> 것을 모두 고르면?

(정답 2개)

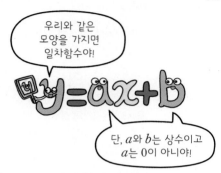

우리와 같은 모양을 가지면 일차함수야!

$y = ax + b$

단, a와 b는 상수이고 a는 0이 아니야!

① 1분에 12장을 인쇄하는 프린터가 x분 동안 인쇄한 종이 y장

② 가로의 길이가 x cm, 세로의 길이가 y cm인 직사각형의 넓이는 40 cm²이다.

③ 자연수 x의 약수 y

④ 하루 중에서 낮의 길이를 x시간이라 하면 밤의 길이는 y시간이다.

⑤ 밑변의 길이가 x cm, 높이가 10 cm인 삼각형의 넓이는 y cm²이다.

02 일차함수 $f(x) = -2x + 6$에 대하여 $f(-3) + f(1)$의 값은?

① 15   ② 16   ③ 17

④ 18   ⑤ 19

03 일차함수 $y = \frac{1}{3}x$의 그래프를 y축의 방향으로 -1만큼 평행이동한 그래프의 x절편을 p, y절편을 q라 할 때, $p + q$의 값은?

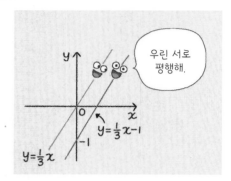

우린 서로 평행해.

$y = \frac{1}{3}x - 1$

$y = \frac{1}{3}x$

① -8 ② -4 ③ 2

④ 4   ⑤ 8

04 일차함수 $y = ax - 6$의 그래프에서 x의 값이 -1에서 3까지 증가할 때, y의 값은 8만큼 감소한다. 이 그래프가 점 $(b, -2)$를 지날 때, ab의 값을 구하시오. (단, a는 상수)

05 일차함수 $y = -x + 5$의 그래프의 기울기를 a, 일차함수 $y = \frac{2}{3}x + 1$의 그래프의 y절편을 b라 할 때, 일차함수 $y = ax + b$의 그래프의 x절편은?

① -1 ② $-\frac{2}{3}$ ③ 0

④ $\frac{2}{3}$ ⑤ 1

06 오른쪽 그림과 같은 일차함수의 그래프가 점 $P(5, a)$를 지날 때, a의 값을 구하시오.

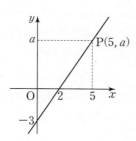

07 다음 그래프는 어느 한 지점에서 땅속 깊이에 따라 일정하게 변하는 땅속 온도를 나타낸 것이다. 땅속 온도가 $100\,^{\circ}\text{C}$일 때, 땅속 깊이는 몇 km인지 구하시오.

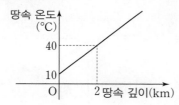

08 다음 중 일차방정식 $8x + 2y - 4 = 0$의 그래프에 대한 설명으로 옳지 <u>않은</u> 것은?

① $y = -4x$의 그래프를 y축의 방향으로 2만큼 평행이동한 것이다.

② x절편과 y절편의 합은 $\dfrac{5}{2}$이다.

③ 오른쪽 아래로 향하는 직선이다.

④ y축과의 교점은 $(0, -2)$이다.

⑤ 제 1, 2, 4사분면을 지난다.

09 연립방정식 $\begin{cases} 2x - by = 3 \\ ax + y = 2 \end{cases}$의 두 일차방정식의 그래프가 다음 그림과 같을 때, $a - b$의 값은? (단, a, b는 상수)

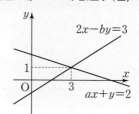

① $-\dfrac{8}{3}$　　② $-\dfrac{1}{2}$　　③ 0

④ $\dfrac{1}{2}$　　⑤ $\dfrac{8}{3}$

10 연립방정식 $\begin{cases} ax - 6y - 2 = 0 \\ -2x + by + 1 = 0 \end{cases}$의 해가 무수히 많을 때, 일차함수 $y = ax + b$의 그래프가 지나지 않는 사분면을 구하시오. (단, a, b는 상수)

1 다음은 일차함수 $y=-\dfrac{1}{4}x$의 그래프를 y축의 방향으로 어떤 수만큼 평행이동하기 위한 코드이다.

위 코드를 실행하였을 때, 평행이동한 그래프를 아래 좌표평면 위에 그리시오.

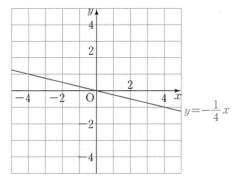

Tip

시작하기 버튼을 클릭했을 때 y축의 방향으로 ❶⬜ 만큼 평행이동하는 것을 ❷⬜ 번 반복하였다.

답 ❶ $\dfrac{2}{3}$ ❷ 3

2 일정한 속력으로 목적지까지 이동할 때, 이동한 시간과 이동한 거리 사이의 관계를 그래프로 나타낼 수 있다. 다음은 유리가 버스 정류장에서 빵집에 들러 집에 도착할 때까지 걸린 시간과 거리 사이의 관계를 나타낸 그래프이다. 각 구간에서 어떤 일들이 있었을지 아래 만화의 ①~④에서 찾으시오.

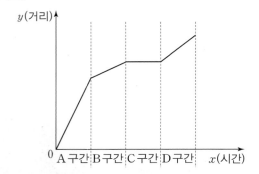

· A 구간 :   · B 구간 :

· C 구간 :   · D 구간 :

Tip

기울기가 ❶⬜ 수록 ❷⬜ 이동한 것이다.

답 ❶ 클 ❷ 빨리

3 다음은 왕관자리의 7개의 별들의 위치를 점으로 나타내고 그 점들을 연결하여 6개의 선분을 그린 것이다. 이 중 기울기가 가장 큰 선분을 찾고, 기울기를 구하시오.

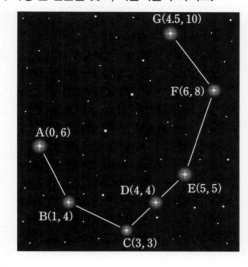

Tip

6개의 선분의 ❶ [   ]를 구하여 ❷ [   ] 한다.

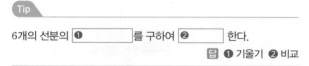

답 ❶ 기울기 ❷ 비교

4 다음은 어떤 일차함수의 그래프에 대한 마인드 맵이다. ? 안에 알맞은 식을 구하고, ㉠~㉣에 알맞은 수를 써넣으시오.

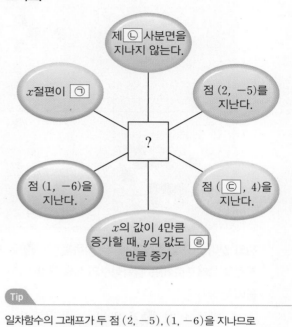

Tip

일차함수의 그래프가 두 점 $(2, -5)$, $(1, -6)$을 지나므로

❶ [   ]와 ❷ [   ]을 구할 수 있다.

답 ❶ 기울기 ❷ y절편

5 다음은 어느 두 바둑기사의 50수까지 진행된 상황을 나타낸 기보이다.

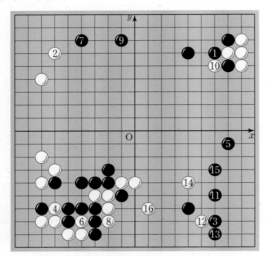

위와 같이 좌표축을 정할 때, 두 바둑돌 ②, ⑮를 지나는 직선을 그래프로 하는 일차함수의 식을 구하려고 한다. 물음에 답하시오.

(1) 두 바둑돌 ②, ⑮의 좌표를 각각 구하시오.

(2) 두 바둑돌 ②, ⑮를 지나는 직선을 그래프로 하는 일차함수의 식을 구하시오.

> **Tip**
>
> 바둑돌 ②의 좌표는 ❶ [   ]이고, 바둑돌 ⑮의 좌표는
> ❷ [   ]이다.
>
> 답 ❶ $(-6, 6)$ ❷ $(6, -3)$

6 어느 마을의 도서관, 병원, 서점, 영화관의 위치는 학교를 중심으로 다음과 같다. 태우네 집은 도서관과 병원을 이은 직선과 서점과 영화관을 이은 직선이 만나는 지점에 위치하고 있을 때, 학교를 중심으로 한 태우네 집의 위치를 구하시오. (단, 모눈 한칸은 1 km이다.)

> 학교를 중심으로
> 도서관 : 서쪽으로 2 km, 북쪽으로 5 km
> 병원 : 동쪽으로 2 km, 남쪽으로 1 km
> 서점 : 동쪽으로 1 km, 남쪽으로 3 km
> 영화관 : 서쪽으로 1 km, 북쪽으로 1 km

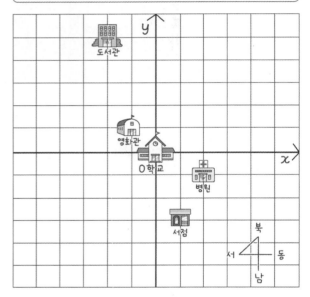

> **Tip**
>
> 학교를 ❶ [   ]으로 하여 각 지점의 ❷ [   ]를 좌표평면 위에 점의 좌표로 나타낸다.
>
> 답 ❶ 원점 ❷ 위치

7 다음 만화를 읽고 물음에 답하시오.

(1) 평행선의 개수가 x개일 때의 조각의 개수를 y개라 할 때, y를 x에 대한 식으로 나타내시오.

(2) 평행선을 20개 그으면 'ㄹ'은 몇 개의 조각으로 나누어지는지 구하시오.

8 다음 만화를 읽고 물음에 답하시오.

(1) 자전거 x대를 생산하는 데 드는 비용을 y만 원이라 할 때, y를 x에 대한 식으로 나타내고, 그래프를 아래 좌표평면 위에 나타내시오.

(2) 자전거 x대를 판매하여 얻은 금액을 y만 원이라 할 때, y를 x에 대한 식으로 나타내고, 그래프를 아래 좌표평면 위에 나타내시오.

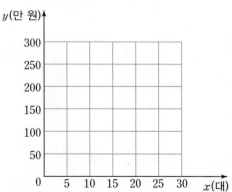

(3) 자전거를 생산하는 데 드는 비용과 판매하여 얻은 금액이 같아지려면 자전거를 몇 대 판매해야 하는지 구하시오.

기말고사 마무리 전략

01

다음 [그림1], [그림2]와 같이 똑같은 모양의 직사각형 여러 개를 쌓아 올렸을 때, 직사각형의 긴 변의 길이는?

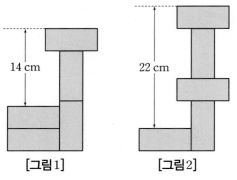

[그림1] [그림2]

① 8 cm ② 8.5 cm ③ 9 cm
④ 9.5 cm ⑤ 10 cm

Tip

직사각형의 ❶ [   ]의 길이를 x cm, 짧은 변의 길이를 ❷ [   ]라 하고 연립방정식을 세운다.

답 ❶ 긴 변 ❷ y cm

02

기석이는 블록 1000개로 다음 그림과 같이 ㉮ 영역과 ㉯ 영역에 두 종류의 블록이 연결되어 넘어지도록 각각 일정한 간격으로 도미노를 세웠다. 제일 앞

블록부터 시작하여 모든 블록이 연이어 넘어질 때, ㉮ 영역의 블록은 1초에 4개씩, ㉯ 영역의 블록은 1초에 5개씩 넘어진다고 한다. 이때 모든 도미노가 4분 만에 넘어지려면 ㉮, ㉯ 두 영역에 블록을 각각 몇 개씩 세우면 되는지 구하시오. (단, 블록의 두께는 생각하지 않는다.)

(가) (나)

Tip

(가)의 블록 1개가 넘어지는 데 걸리는 시간은 ❶ [   ]초, (나)의 블록 1개가 넘어지는 데 걸리는 시간은 ❷ [   ]초이다.

답 ❶ $\frac{1}{4}$ ❷ $\frac{1}{5}$

1분은 60초이므로
4분은 $60 \times 4 = 240$(초)야.

03

미주는 정사각형 모양의 빨간 색종이와 파란 색종이를 다음 그림과 같이 겹쳐놓았는데 겹쳐진 부분은 한 변의 길이가 3 cm인 정사각형 모양이다. [그림 1]에서 위에 있는 빨간 색종이의 넓이는 모양의 파란 색종이의 넓이의 4배이고, [그림 2]에서 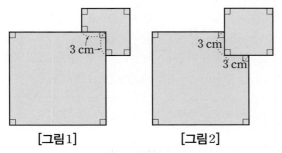 모양의 빨간 색종이의 넓이는 위에 있는 파란 색종이의 넓이의 3배일 때, 빨간 색종이의 넓이는?

(단, 두 색종이는 모두 불투명하다.)

[그림 1]   [그림 2]

① 81 cm²   ② 100 cm²   ③ 121 cm²
④ 144 cm²   ⑤ 169 cm²

Tip

정사각형 모양의 빨간 색종이의 한 변의 ❶ ⬚ 를 x cm, 정사각형 모양의 파란 색종이의 한 변의 길이를 ❷ ⬚ 라 하고 연립방정식을 세운다.

답 ❶ 길이 ❷ y cm

04

다음 표는 어느 제과점에서 케이크 1개와 도넛 1개를 만드는 데 필요한 밀가루, 달걀의 양과 제품 1개당 이익을 나타낸 것이다. 밀가루 40컵, 달걀 22개를 모두 사용하여 케이크와 도넛을 만들었다고 할 때, 물음에 답하시오.

	케이크	도넛
밀가루(컵)	5	4
달걀(개)	3	2
1개당 이익(원)	700	400

(1) 만들 수 있는 케이크와 도넛의 개수를 각각 구하시오.

(2) 총이익을 구하시오.

Tip

만들 수 있는 케이크의 개수를 x개, 도넛의 개수를 y개라 하고 연립방정식을 세운다. 이때 케이크 1개를 만드는 데 필요한 밀가루의 양은 ❶ ⬚ 컵, 달걀은 3개이고, 도넛 1개를 만드는 데 필요한 밀가루의 양은 4컵, 달걀은 ❷ ⬚ 개이다.

답 ❶ 5 ❷ 2

05

다음 그림과 같이 두 일차함수 $y=ax+b$, $y=2x-4$의 그래프가 y축 위에서 만나고 x축과 만나는 점을 각각 A, B라 하자. $\overline{\text{OA}}=\overline{\text{OB}}$일 때, $a-b$의 값을 구하시오. (단, a, b는 상수)

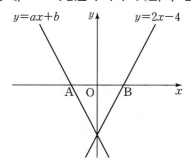

06

다음은 일차함수 $y=ax+b$와 일차방정식 $ay+c=0$의 그래프를 각각 그린 것이다. 물음에 답하시오. (단, a, b, c는 상수)

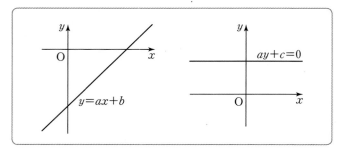

(1) 세 수 a, b, c의 부호를 정하시오.

(2) (1)을 이용하여 다음 ⬜ 안에 알맞은 말을 쓰고, 일차방정식 $ax+by+c=0$의 그래프를 그리시오.

기울기는 ⬜수이고 y절편은 ⬜수니까…

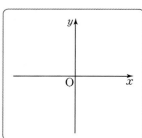

07

아래는 A, B, C, D 4대의 열차가 정차하지 않고 일정한 시간 동안 달린 거리를 그래프로 나타낸 것이다. 다음 보기 중 옳은 것을 모두 고르시오. (정답 2개)

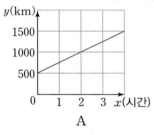

A

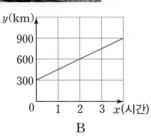

B

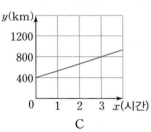

C

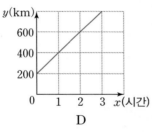

D

┌ 보기 ┐
ㄱ C 열차가 가장 느리다.
ㄴ B 열차는 D 열차보다 빠르다.
ㄷ D 열차는 A열차보다 느리다.
ㄹ A열차와 B 열차의 속력은 서로 같다.

Tip

A, B, C, D 4대의 열차가 달린 거리를 나타내는 그래프에 대한
❶ [   ]의 식을 구하고 ❷ [   ]를 비교한다.

답 ❶ 일차함수 ❷ 기울기

08

다음은 팥빙수를 팔았을 때의 손익분기점에 대한 내용이다. 팥빙수 1개의 가격을 1200원, 팥빙수 1개를 만드는 데 드는 재료비를 400원, 빙삭기 대여비를 160000원이라 할 때, 손익분기점이 되는 판매량을 구하시오.

팥빙수 1개의 가격을 a원, 팥빙수 1개를 만드는 데 드는 재료비를 b원, 빙삭기 대여비를 c원이라 하자. 판매량을 x개, 금액을 y원이라 할 때, 수익과 비용은 다음과 같은 일차방정식으로 각각 나타낼 수 있다.

수익 : $y=ax$ 비용 : $y=bx+c$

이때 두 일차방정식의 그래프는 오른쪽 그림과 같고, 두 일차방정식의 그래프가 만나는 점을 손익분기점이라 한다.

※ 빙삭기 : 얼음 가는 기계

Tip

손익분기점은 두 일차방정식의 그래프가 만나는 점이므로 두 일차방정식의 그래프의 ❶ [   ]을 찾는다. 또 이익을 내려면 손익분기점을 넘어 수익이 비용보다 더 ❷ [   ] 한다.

답 ❶ 교점 ❷ 커야

01 연립방정식 $\begin{cases} 3x+y=5 \\ x+3y=7 \end{cases}$ 의 해가 $x=a,\ y=b$일 때, 연립

방정식 $\begin{cases} ax+by=-1 \\ bx+ay=-5 \end{cases}$ 의 해를 구하시오.

02 다음 대화를 읽고 시윤이가 잘못 푼 연립방정식을 바르게
풀면?

① $x=1,\ y=-1$ ② $x=1,\ y=2$

③ $x=2,\ y=\dfrac{1}{5}$ ④ $x=6,\ y=5$

⑤ $x=11,\ y=11$

03 연립방정식 $\begin{cases} 0.2x+0.1y=0.9 \\ \dfrac{x}{3}-ay=4 \end{cases}$ 를 만족시키는 x의 값이 y

의 값보다 3만큼 작을 때, 상수 a의 값은?

① $-\dfrac{14}{3}$ ② $-\dfrac{8}{3}$ ③ $-\dfrac{2}{3}$

④ $\dfrac{10}{3}$ ⑤ $\dfrac{14}{3}$

04 일차방정식 $4x-5y=12$의 한 해 $(a,\ b)$에 대하여
$(2a+4):(b+2)=5:1$일 때, $a+b$의 값은?

① 0 ② 3 ③ 6

④ 9 ⑤ 12

05 방정식 $2x+3y=4x-by+2=10$의 해가 연립방정식 $\begin{cases} ax+y=-1 \\ 3x+2y=5 \end{cases}$ 의 해와 같을 때, $a-b$의 값은?

(단, a, b는 상수)

① 10   ② 8   ③ 5

④ -2 ⑤ -5

06 채연이가 연립방정식 $\begin{cases} ax-y=9 \\ 3x+y=7 \end{cases}$ 을 푸는데 $3x+y=7$ 에서 y의 부호를 잘못 보고 풀었더니 해가 $x=1, y=b$이었다. 처음 연립방정식의 해를 구하시오. (단, a는 상수)

07 연립방정식 $\begin{cases} ax-6y=2 \\ -2x+by=-1 \end{cases}$ 의 해는 무수히 많고, 두 일 차방정식 $ax+y-2b=0$, $x+ky-2=0$의 그래프는 평행하다고 할 때, 상수 k의 값을 구하시오. (단, a, b는 상수)

08 다음 대화를 읽고 연립방정식 $\begin{cases} \dfrac{2}{x}+\dfrac{3}{y}=10 \\ \dfrac{1}{x}+\dfrac{4}{y}=20 \end{cases}$ 을 푸시오.

09 어느 무용 오디션에 전공자들과 비전공자들이 합하여 40명이 참가하였다. 100점 만점인 오디션에서 전체 평균은 80점, 전공자들의 평균은 86점, 비전공자들의 평균은 70점이었을 때, 오디션에 참가한 비전공자는 몇 명인가?

① 15명　　② 20명　　③ 25명
④ 30명　　⑤ 35명

10 연수가 우유와 수박 주스를 합하여 1 L를 마셨을 때 섭취하는 열량은 460 kcal라 한다. 500 mL짜리 우유와 수박 주스의 열량은 각각 200 kcal, 250 kcal라 할 때, 연수가 마신 우유의 양은 몇 mL인가?

① 200 mL　　② 300 mL　　③ 400 mL
④ 500 mL　　⑤ 600 mL

11 어느 시립 교향악단은 정기 연주회에서 13곡의 연주곡을 연주하려고 한다. 연주곡 한 곡당 연주 시간은 4분 또는 5분이고, 곡과 곡 사이에는 10초씩 휴식을 한다고 한다. 첫 곡이 시작되어 마지막 곡이 끝나기까지 1시간이 걸린다면 연주 시간이 5분인 연주곡은 몇 곡인지 구하시오.

12 2년 전에는 이모의 나이가 조카의 나이의 5배보다 6살이 많았고, 5년 후에는 이모의 나이가 조카의 나이의 3배보다 4살이 많아진다고 한다. 현재 이모와 조카의 나이의 합을 구하시오.

13 민재와 한결이가 가위바위보를 하여 이긴 사람은 a계단을 올라가고 진 사람은 b계단을 내려가기로 하였다. 얼마 후 민재는 14계단을, 한결이는 19계단을 올라가 있었다. 민재는 5회, 한결이는 6회 이겼다고 할 때, $a+b$의 값을 구하시오. (단, 비기는 경우는 없었다.)

15 승원이와 해진이가 둘레의 길이가 3 km인 공원 둘레길을 도는데 같은 지점에서 동시에 출발하여 각각 일정한 속력으로 반대 방향으로 돌면 20분 후에 처음으로 다시 만나고, 같은 방향으로 걸으면 45분 후에 처음으로 다시 만난다고 한다. 승원이가 해진이보다 빠르다고 할 때, 승원이와 해진이의 속력은 각각 시속 몇 km인지 구하시오.

14 재현이네 가족은 제주도 여행을 가려고 한다. 1인 기준으로 올해는 작년에 비해 비행기 왕복 요금은 20 % 내렸고, 1박 숙박비는 15 % 올라서 비행기 왕복 요금과 1박 숙박비를 합한 금액은 작년보다 10 % 증가한 금액인 308000원이라 한다. 이때 1인 기준으로 올해 비행기 왕복 요금은?

① 32000원   ② 40000원   ③ 56000원
④ 64400원   ⑤ 72000원

16 종석이와 현우 두 사람이 일을 하는데 종석이가 먼저 4일 동안 하고 나머지를 현우가 10일 동안 하면 끝낼 수 있는 일을 종석이가 먼저 10일 동안 하고 나머지를 현우가 7일 동안 하여 끝냈다. 이 일을 두 사람이 함께 한다면 며칠이 걸리는지 구하시오.

01 일차함수 $f(x)=ax+5$에 대하여 다음 값을 구하시오.

(단, a는 상수)

$$\frac{1}{a} \times \frac{f(102)-f(100)}{102-100}$$

02 일차함수 $y=3x+6$의 그래프와 이 그래프를 y축의 방향으로 -3만큼 평행이동한 그래프가 있다. 이 두 그래프와 x축, y축으로 둘러싸인 도형을 x축을 축으로 하여 1회전시킬 때 생기는 회전체의 부피를 구하시오. (단, O는 원점)

03 오른쪽 그림과 같이 일차함수 $y=ax+6$의 그래프가 정사각형 OABC의 변 AB와 만나는 점을 D라 하자. 색칠한 부분의 넓이가 정사각형 OABC의 넓이의 $\frac{1}{3}$일 때, 상수 a의 값을 구하시오.

(단, O는 원점)

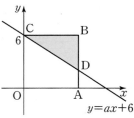

04 오른쪽 그림은 두 일차함수 $y=ax+4$, $y=-\frac{3}{2}x+b$ 의 그래프이다.
$\overline{\text{AO}} : \overline{\text{BO}}=3 : 1$이고
$\overline{\text{CD}}=18$일 때, ab의 값은?

(단, O는 원점이고, a, b는 상수)

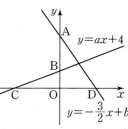

① $\frac{16}{5}$　　② 4　　③ $\frac{24}{5}$

④ $\frac{28}{5}$　　⑤ $\frac{32}{5}$

05 오른쪽 그림은 평행사변형 OABC를 좌표평면 위에 나타낸 것이다. 두 점 B, C를 지나는 직선의 x절편을 a, 두 점 A, B를 지나는 직선의 y절편을 b라 할 때, $\dfrac{a}{b}$의 값을 구하시오. (단, O는 원점)

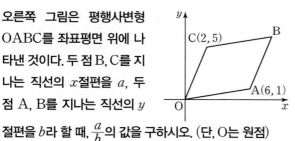

06 y축 위에서 만나는 두 일차함수 $y=ax+b$, $y=\dfrac{5}{4}x+5$와 x축으로 둘러싸인 도형의 넓이가 15일 때, 상수 a, b에 대하여 $a+b$의 값은? (단, 일차함수 $y=ax+b$와 x축의 교점의 x좌표는 음수이다.)

① $\dfrac{1}{2}$ ② $\dfrac{5}{2}$ ③ 3

④ 5   ⑤ $\dfrac{11}{2}$

07 일차함수 $y=\dfrac{b}{a}x-b$의 그래프가 오른쪽 그림과 같을 때, 다음 중 옳은 것은?

(단, a, b는 상수)

① $a-b<0$

② $ab>0$

③ 일차함수 $y=ax+b$의 그래프의 y절편은 양수이다.

④ 일차함수 $y=bx+a$의 그래프의 x절편은 음수이다.

⑤ 일차함수 $y=ax+b$의 그래프는 제 2사분면을 지나지 않는다.

> 기울기는 그래프의 모양을, y절편은 그래프가 y축과 만나는 부분을 결정해.

08 일차함수 $y=ax+b$의 그래프를 그리는데 민우는 x의 계수를 잘못 보아 두 점 $(-1, 2)$, $(3, -10)$을 지나는 직선을 그렸고, 희수는 상수항을 잘못 보아 두 점 $(-2, -3)$, $(1, 5)$를 지나는 직선을 그렸다. 바르게 그려진 일차함수의 그래프가 점 $(c, 5)$를 지날 때, abc의 값은?

(단, a, b는 상수)

① -6 ② -4 ③ -1

④ 1   ⑤ 4

09 홍수로 인해 저수지에 시간당 3천 톤의 물이 계속 유입되고 있다. 저수지 물의 양이 총 15만 톤으로 불어나자 통제소에서 시간당 8천 톤의 물을 방류하기 시작하였을 때, 저수지의 물의 양이 12만 톤이 되는 것은 몇 시간 후인가?

① 2시간   ② 3시간   ③ 4시간
④ 5시간   ⑤ 6시간

10 오른쪽 그림과 같은 직사각형 ABCD에서 점 P는 점 A를 출발하여 점 B까지 $\overline{AB}$ 위를 매초 3 cm의 속력으로 움직인다. 이때 사다리꼴 PBCD의 넓이가 420 cm²가 되는 것은 점 P가 움직이기 시작한지 몇 초 후인지 구하시오.

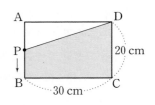

11 두 일차함수 $y=2x+6$, $y=-\dfrac{1}{3}x+a$의 그래프가 x축과 만나는 점을 각각 A, B라 할 때, $\overline{AB}=6$이다. 이때 모든 상수 a의 값의 곱을 구하시오.

12 $a>0, b>0, c>0$일 때, 일차방정식 $ax+by-c=0$의 그래프가 지나지 <u>않는</u> 사분면은?

① 제 1사분면   ② 제 2사분면   ③ 제 3사분면
④ 제 4사분면   ⑤ 제 2, 3사분면

>> 정답과 풀이 56쪽

13 다음 그림과 같이 네 직선 $y=-x+4$, $y=ax+b$, $y=6$, $y=-2$의 교점을 각각 A, B, C, D라 할 때, 사각형 ABCD는 평행사변형이다. 사각형 ABCD의 넓이가 24 일 때, $a-b$의 값을 구하시오. (단, a, b는 상수)

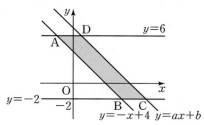

14 연립방정식 $\begin{cases} (5-a)x+2y-1=0 \\ 3ax-4y+b=0 \end{cases}$ 의 해가 없을 때, 상수 a, b의 조건은?

① $a=-10$, $b\neq-2$　　② $a=-10$, $b\neq-1$

③ $a=-10$, $b\neq2$　　④ $a=10$, $b\neq-2$

⑤ $a=10$, $b\neq2$

15 다음 그림과 같이 좌표평면 위에 네 점 A$(1,3)$, B$(1,2)$, C$(3,2)$, D$(3,3)$을 꼭짓점으로 하는 직사각형 ABCD가 있다. 직사각형 ABCD와 일차함수 $y=ax-2$의 그래프가 두 점에서 만나도록 하는 상수 a의 값의 범위를 구하시오.

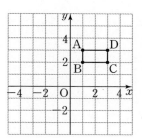

16 오른쪽 그림과 같이 직선 $y=-\dfrac{2}{3}x+4$와 x축, y축으로 둘러싸인 삼각형 AOB의 넓이를 직선 $y=mx$가 이등분할 때, 상수 m의 값을 구하시오. (단, O는 원점)

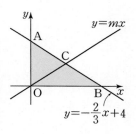

점 A는 그래프가 y축과 만나는 점이니까
➡ A$(0, y$절편$)$

점 B는 그래프가 x축과 만나는 점이니까
➡ B$(x$절편$, 0)$

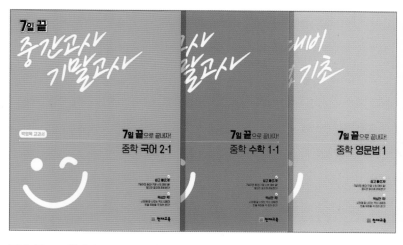
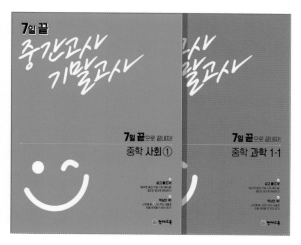

book.chunjae.co.kr

교재 내용 문의 ·························· 교재 홈페이지 ▶ 중학 ▶ 교재상담

교재 내용 외 문의 ····················· 교재 홈페이지 ▶ 고객센터 ▶ 1:1문의

발간 후 발견되는 오류 ··············· 교재 홈페이지 ▶ 중학 ▶ 학습지원 ▶ 학습자료실

일등공략 필승학습!
단기간에 끝장내자!

중학 수학 2-1

BOOK 3
정답과 풀이

특목고 대비
일등
전략

천재교육

정답은
이안에
있어!

정답과 풀이

중간고사 대비

정답과 풀이

1주 유리수와 순환소수, 단항식의 계산

1일 개념 돌파 전략 1 확인 문제 8쪽~11쪽

01 ㉢, ㉣, ㉤		02 ④	03 5
04 ③	05 3	06 ⑤	07 100, 90, 90
08 ④	09 ③, ④	10 ②	
11 $x=5$, $y=27$		12 5	13 5
14 $-45x^3y$		15 $\frac{4x}{y}$	16 $36x^6y^2$

01 ㉣ $\frac{1}{9}=0.111\cdots$이므로 무한소수이다.

㉥ $\frac{1}{4}=0.25$이므로 유한소수이다.

따라서 무한소수로 나타낼 수 있는 것은 ㉢, ㉣, ㉤이다.

02 ① $1.212121\cdots=1.\dot{2}\dot{1}$

② $0.535353\cdots=0.\dot{5}\dot{3}$

③ $0.14222\cdots=0.14\dot{2}$

⑤ $2.472472472\cdots=2.\dot{4}7\dot{2}$

따라서 순환소수의 표현이 옳은 것은 ④이다.

03 $2.\dot{6}5\dot{2}$의 순환마디의 숫자의 개수는 3개이고 $50=3\times16+2$이므로 소수점 아래 50번째 자리의 숫자는 순환마디 2번째 숫자인 5이다.

04 ① $\frac{7}{12}=\frac{7}{2^2\times3}$

② $\frac{2}{28}=\frac{1}{14}=\frac{1}{2\times7}$

③ $\frac{9}{40}=\frac{9}{2^3\times5}$

④ $\frac{4}{2\times3\times5}=\frac{2}{3\times5}$

⑤ $\frac{21}{2\times3^2\times7}=\frac{1}{2\times3}$

따라서 유한소수로 나타낼 수 있는 것은 ③이다.

05 $\frac{x}{60}=\frac{x}{2^2\times3\times5}$가 유한소수가 되려면 x는 3의 배수이어야 한다.

따라서 x의 값이 될 수 있는 가장 작은 자연수는 3이다.

06 $\frac{3}{5\times a}$이 유한소수가 되려면 기약분수로 나타내었을 때, 분모의 소인수가 2 또는 5로만 이루어져야 한다.

① $a=2$일 때, $\frac{3}{5\times2}$

② $a=3$일 때, $\frac{3}{5\times3}=\frac{1}{5}$

③ $a=5$일 때, $\frac{3}{5\times5}=\frac{3}{5^2}$

④ $a=6$일 때, $\frac{3}{5\times6}=\frac{1}{5\times2}$

⑤ $a=7$일 때, $\frac{3}{5\times7}$

따라서 a의 값이 될 수 없는 것은 ⑤이다.

08 ① $0.\dot{2}\dot{9}=\frac{29}{99}$

② $0.5\dot{4}\dot{6}=\frac{546-5}{990}$

③ $0.4\dot{3}=\frac{43-4}{90}$

⑤ $1.4\dot{7}=\frac{147-14}{90}$

따라서 옳은 것은 ④이다.

09 ③ 순환하지 않는 무한소수는 유리수가 아니다.

④ 순환소수는 모두 분수로 나타낼 수 있다.

10 ① $\square+3=5$ $\therefore \square=2$

② $\square\times4=20$ $\therefore \square=5$

③ $x^3\div x^6=\frac{1}{x^{6-3}}=\frac{1}{x^3}$ $\therefore \square=3$

④ $x^3\times x^5\div x^4=x^{3+5}\div x^4=x^8\div x^4=x^{8-4}=x^4$

$\therefore \square=4$

⑤ $(x^3)^2\div x^4=x^6\div x^4=x^{6-4}=x^2$ $\therefore \square=2$

따라서 $\square$ 안에 들어갈 수가 가장 큰 것은 ②이다.

11 $(3a^x)^3 = 3^3 \times a^{3x} = 27a^{3x}$

즉 $27a^{3x} = ya^{15}$ 이므로

$27 = y,\ 3x = 15$

$\therefore x = 5,\ y = 27$

12 $3^4 + 3^4 + 3^4 = 3^4 \times 3 = 3^5$

$\therefore a = 5$

13 $2^4 \times 5^5$

$= 2^4 \times 5^4 \times 5$

$= (2^4 \times 5^4) \times 5$

$= (2 \times 5)^4 \times 5$

$= 5 \times 10^4$

$= 50000$

따라서 $2^4 \times 5^5$은 5자리의 자연수이므로

$n = 5$

14 $(-3x)^2 \times (-5xy)$

$= 9x^2 \times (-5xy)$

$= -45x^3y$

15 $\dfrac{2}{3}x^2y \div \dfrac{xy^2}{6}$

$= \dfrac{2}{3}x^2y \times \dfrac{6}{xy^2}$

$= \dfrac{4x}{y}$

16 $(2x^3y^4)^2 \times (3x^2y)^2 \div x^4y^8$

$= 4x^6y^8 \times 9x^4y^2 \times \dfrac{1}{x^4y^8}$

$= 36x^6y^2$

1일 개념 돌파 전략**2**			12쪽~13쪽
1 ④	2 ⑤	3 ③, ④	4 ②
5 ①	6 1		

1 $\dfrac{121}{55} = \dfrac{11}{5} = \dfrac{11 \times 2}{5 \times 2} = \dfrac{22}{10} = 2.2$

이므로 $a = 11,\ b = 2,\ c = 22,\ d = 10,\ e = 2.2$

$\therefore abcde = 11 \times 2 \times 22 \times 10 \times 2.2 = 22^3$

2 ① $\dfrac{2}{15} = \dfrac{2}{3 \times 5}$

② $\dfrac{4}{22} = \dfrac{2}{11}$

③ $\dfrac{14}{60} = \dfrac{7}{30} = \dfrac{7}{2 \times 3 \times 5}$

④ $\dfrac{36}{84} = \dfrac{3}{7}$

⑤ $\dfrac{27}{120} = \dfrac{9}{40} = \dfrac{9}{2^3 \times 5}$

따라서 유한소수로 나타낼 수 있는 것은 ⑤이다.

3 ③ 순환소수는 모두 유리수이다.

④ 무한소수 중에는 순환하지 않는 무한소수도 있다.

4

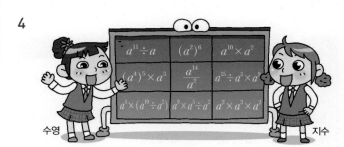

위 그림에서 각 칸의 식을 계산하고 그 결과가 a^{12}인 칸을 색칠하면 오른쪽 그림과 같다.

a^{10}	a^{12}	a^{12}
a^{23}	a^{12}	a^{19}
a^{12}	a^{12}	a^7

5 $\dfrac{1}{9}ab \times (-2a)^2 \times (-3ab^2)^3$

$= \dfrac{1}{9}ab \times 4a^2 \times (-27a^3b^6)$

$= -12a^6b^7$

6    $\dfrac{3}{4}x^4y^3 \div \dfrac{1}{2}x^2y \div \dfrac{6x}{y}$

$= \dfrac{3}{4}x^4y^3 \times \dfrac{2}{x^2y} \times \dfrac{y}{6x}$

$= \dfrac{1}{4}xy^3$

따라서 $a = \dfrac{1}{4}$, $b = 1$, $c = 3$이므로

$a \times (b+c) = \dfrac{1}{4} \times (1+3) = 1$

2-2 $0.4\dot{6} = \dfrac{46-4}{90} = \dfrac{42}{90} = \dfrac{7}{15} = \dfrac{7}{3 \times 5}$이므로 $\dfrac{7}{3 \times 5} \times x$

가 유한소수가 되려면 x는 3의 배수이어야 한다.

따라서 가장 작은 두 자리의 자연수 x의 값은 12이다.

3-1   ① $x = 30$일 때, $\dfrac{15}{30} = \dfrac{1}{2}$

② $x = 21$일 때, $\dfrac{15}{21} = \dfrac{5}{7}$

③ $x = 12$일 때, $\dfrac{15}{12} = \dfrac{5}{4} = \dfrac{5}{2^2}$

④ $x = 10$일 때, $\dfrac{15}{10} = \dfrac{3}{2}$

⑤ $x = 6$일 때, $\dfrac{15}{6} = \dfrac{5}{2}$

따라서 x의 값이 될 수 없는 것은 ②이다.

참고

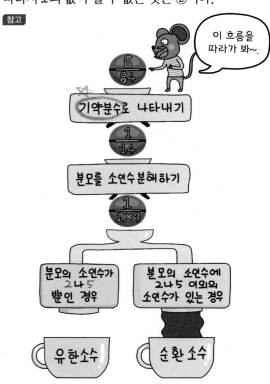

이 흐름을 따라가 봐~

$\dfrac{6}{84}$

기약분수로 나타내기

$\dfrac{1}{14}$

분모를 소인수분해하기

$\dfrac{1}{2 \times 7}$

분모의 소인수가 2나 5 뿐인 경우   분모의 소인수에 2나 5 이외의 소인수가 있는 경우

유한소수   순환소수

<table>
<tr><td colspan="5">**2일 필수 체크 전략 1**   14쪽~17쪽</td></tr>
<tr><td>**1-1** ④</td><td>**2-1** ④</td><td>**2-2** 12</td><td>**3-1** ②</td></tr>
<tr><td>**3-2** 18</td><td>**4-1** ㉠ : 7, 53</td><td></td><td>**5-1** ⑤</td></tr>
<tr><td>**5-2** ①</td><td>**6-1** ①</td><td>**6-2** $0.3\dot{4}$</td><td>**7-1** ⑤</td></tr>
<tr><td>**7-2** 27</td><td>**8-1** ②</td><td>**8-2** ①</td><td></td></tr>
</table>

1-1 $\dfrac{2}{27} = 0.\dot{0}7\dot{4}$이므로 순환마디의 숫자의 개수는 3이다.

이때 $41 = 3 \times 13 + 2$이므로 소수점 아래 41번째 자리의 숫자는 순환마디의 2번째 숫자인 7이다.

2-1 $\dfrac{x}{2^2 \times 3^2 \times 5}$가 유한소수가 되려면 x는 3^2, 즉 9의 배수이어야 한다.

따라서 x의 값이 될 수 있는 가장 작은 자연수는 9이다.

3-2 $\dfrac{21}{2 \times 3 \times a} = \dfrac{7}{2 \times a}$이 순환소수가 되려면 분모의 소인수 중 2와 5를 제외한 수가 있어야 한다.

이때 a는 10 이하의 자연수이므로 a의 값은 3, 6, 9이다.

따라서 구하는 a의 값의 합은

$3 + 6 + 9 = 18$

4-1 $\dfrac{x}{90} = \dfrac{x}{2 \times 3^2 \times 5}$ 가 유한소수가 되려면 x는 9의 배수이

어야 한다. 또 $\dfrac{x}{90}$를 기약분수로 나타내면 $\dfrac{7}{y}$이므로 x는

7의 배수이어야 한다. 즉 ㉠에 알맞은 수는 7이다.

x는 9와 7의 공배수인 63의 배수이고 두 자리의 자연수

이므로

$x = 63$

따라서 $\dfrac{63}{90} = \dfrac{7}{10}$이므로

$y = 10$

$\therefore x - y = 63 - 10 = 53$

5-1 $1.8\dot{3} = \dfrac{183 - 18}{90} = \dfrac{165}{90} = \dfrac{11}{6}$

$\therefore x = 11$

5-2 $5.2\dot{9} = \dfrac{529 - 52}{90} = \dfrac{477}{90} = \dfrac{53}{10}$이므로

$a = 53$

$4.\dot{1}\dot{8} = \dfrac{418 - 4}{99} = \dfrac{414}{99} = \dfrac{46}{11}$이므로

$b = 46$

$\therefore a - b = 53 - 46 = 7$

6-1 $0.\dot{6}\dot{3} = \dfrac{63}{99} = \dfrac{7}{11}$에서 분자는 바르게 보았으므로

$a = 7$

$3.1\dot{7} = \dfrac{317 - 31}{90} = \dfrac{286}{90} = \dfrac{143}{45}$에서 분모는 바르게 보

았으므로

$b = 45$

$\therefore a + b = 7 + 45 = 52$

6-2 $2.2\dot{6} = \dfrac{226 - 22}{90} = \dfrac{204}{90} = \dfrac{34}{15}$이고 우진이는 분자는 바

르게 보았으므로 처음 기약분수의 분자는 34이다.

$2.\dot{2}\dot{3} = \dfrac{223 - 2}{99} = \dfrac{221}{99}$이고 성훈이는 분모는 바르게 보

았으므로 처음 기약분수의 분모는 99이다.

따라서 처음 기약분수는 $\dfrac{34}{99}$이므로 이 문제의 정답은

$0.\dot{3}\dot{4}$이다.

7-1 $7\left(\dfrac{1}{10} + \dfrac{1}{10^2} + \dfrac{1}{10^3} + \cdots\right)$

$= \dfrac{7}{10} + \dfrac{7}{10^2} + \dfrac{7}{10^3} + \cdots$

$= 0.7 + 0.07 + 0.007 + \cdots$

$= 0.\dot{7}$

7-2 $\dfrac{1}{90}(3 + 0.3 + 0.03 + 0.003 + \cdots)$

$= \dfrac{1}{90} \times 3.\dot{3}$

$= \dfrac{1}{90} \times \dfrac{33 - 3}{9}$

$= \dfrac{1}{90} \times \dfrac{30}{9}$

$= \dfrac{1}{27}$

$\therefore x = 27$

8-1 $\dfrac{17}{30} = x + 0.0\dot{1}$에서

$0.0\dot{1} = \dfrac{1}{90}$이므로

$\dfrac{17}{30} = x + \dfrac{1}{90}$

$\therefore x = \dfrac{17}{30} - \dfrac{1}{90} = \dfrac{50}{90} = \dfrac{5}{9} = 0.555\cdots = 0.\dot{5}$

8-2 $\dfrac{7}{18} = x - 0.1\dot{5}$에서

$0.1\dot{5} = \dfrac{15 - 1}{90} = \dfrac{14}{90} = \dfrac{7}{45}$이므로

$\dfrac{7}{18} = x - \dfrac{7}{45}$

$\therefore x = \dfrac{7}{18} + \dfrac{7}{45} = \dfrac{49}{90} = 0.5444\cdots = 0.5\dot{4}$

$\dfrac{49}{90}$를 순환소수로 나타내려면
49를 90으로 직접 나누어 보면 돼.

2일 필수 체크 전략 2 18쪽~19쪽

| **1** 3 | **2** 7 | **3** 33, 66, 99 | **4** 65 |
| **5** $9.1\dot{6}$ | **6** $0.2\dot{5}$ | **7** ⑤ | **8** 7 |

1 $0.2\dot{6}3\dot{5}$에서 순환마디의 숫자는 6, 3, 5의 3개이고 소수점 아래 첫 번째 자리의 숫자 2는 순환하지 않는다.

따라서 소수점 아래 111번째 자리의 숫자는 순환하는 부분의 110번째 숫자이고 $110=3\times36+2$이므로 순환마디의 2번째 숫자인 3이다.

2 $\dfrac{33}{5^2\times11\times13}=\dfrac{3}{5^2\times13}$이므로 $\dfrac{3}{5^2\times13}\times x$가 유한소수로 나타내어지려면 x는 13의 배수이어야 한다.

이때 13의 배수 중 두 자리의 자연수는 13, 26, 39, 52, 65, 78, 91의 7개이다.

3 $\dfrac{3}{110}=\dfrac{3}{2\times5\times11}$이므로 $\dfrac{3}{2\times5\times11}\times n$이 유한소수가 되려면 자연수 n은 11의 배수이어야 한다. ······ ㉠

$\dfrac{7}{30}=\dfrac{7}{2\times3\times5}$이므로 $\dfrac{7}{2\times3\times5}\times n$이 유한소수가 되려면 자연수 n은 3의 배수이어야 한다. ······ ㉡

㉠, ㉡에서 n은 11과 3의 공배수인 33의 배수이어야 한다. 따라서 n의 값이 될 수 있는 두 자리의 자연수는 33, 66, 99이다.

4 $\dfrac{x}{42}=\dfrac{x}{2\times3\times7}$가 유한소수가 되려면 x는 3과 7의 공배수인 21의 배수이어야 한다.

또 $\dfrac{x}{42}$를 기약분수로 나타내면 $\dfrac{3}{y}$이므로 x는 3의 배수이어야 한다.

즉 x는 21과 3의 공배수인 21의 배수이고 $50<x<70$이므로

$x=63$

따라서 $\dfrac{63}{42}=\dfrac{3}{2}$이므로

$y=2$

$\therefore x+y=63+2=65$

5 $0.\dot{5}\dot{4}=\dfrac{54}{99}=\dfrac{6}{11}$이므로

$A=6$

$0.3\dot{2}\dot{7}=\dfrac{327-3}{990}=\dfrac{324}{990}=\dfrac{18}{55}$이므로

$B=55$

$\therefore \dfrac{B}{A}=\dfrac{55}{6}=9.1666\cdots=9.1\dot{6}$

6 $2.\dot{5}=\dfrac{25-2}{9}=\dfrac{23}{9}$이고 미주는 분자는 바르게 보았으므로

$a=23$

$0.5\dot{2}=\dfrac{52-5}{90}=\dfrac{47}{90}$이고 건이는 분모는 바르게 보았으므로

$b=90$

$\therefore \dfrac{a}{b}=\dfrac{23}{90}=0.2555\cdots=0.2\dot{5}$

7 $x=\dfrac{3}{10}+\dfrac{2}{10^3}+\dfrac{2}{10^5}+\dfrac{2}{10^7}+\cdots$라 하자.

x를 소수로 나타내면

$x=\dfrac{3}{10}+\dfrac{2}{10^3}+\dfrac{2}{10^5}+\dfrac{2}{10^7}+\cdots$

$\quad=0.3+0.002+0.00002+0.0000002+\cdots$

$\quad=0.3020202\cdots$

$\quad=\boxed{① \ 0.3\dot{0}\dot{2}}$

즉 $\boxed{② \ 순환소수}$이므로 분수로 나타낼 수 있다.

$\boxed{③ \ 1000}x-10x$의 값을 이용하여 기약분수로 나타내면

$1000x-10x=299$

$990x=299 \qquad \therefore x=\dfrac{\boxed{⑤ \ 299}}{\boxed{④ \ 990}}$

따라서 □ 안에 알맞은 것은 ⑤이다.

8 $\dfrac{3}{4}<0.\dot{x}<\dfrac{5}{6}$에서

$\dfrac{3}{4}<\dfrac{x}{9}<\dfrac{5}{6}$

$\dfrac{27}{36}<\dfrac{4x}{36}<\dfrac{30}{36}$이므로

$27<4x<30$

$\therefore \dfrac{27}{4}<x<\dfrac{15}{2}$

따라서 부등식을 만족시키는 자연수 x의 값은 7이다.

1-1 ③	**1-2** 2	**2-1** 8	**3-1** ⑤
3-2 4	**4-1** ③	**4-2** ④	**5-1** 11
6-1 ④	**6-2** 5	**7-1** ①	**7-2** ③
8-1 ③			

1-1 ① $x^2 \times (x^3 \times x^4) = x^2 \times x^{3+4} = x^2 \times x^7$
$= x^{2+7} = x^9$

② $a^2 \div (a \times a^5) = a^2 \div a^{1+5} = a^2 \div a^6$
$= \dfrac{1}{a^{6-2}} = \dfrac{1}{a^4}$

④ $(3x^2y)^3 = 3^3 \times (x^2)^3 \times y^3 = 27x^6y^3$

⑤ $x^4 \div (x^5 \div x^3) = x^4 \div x^{5-3} = x^4 \div x^2$
$= x^{4-2} = x^2$

따라서 옳은 것은 ③이다.

> **참고**
>
> **지수의 합과 곱**
>
> $a^m \times a^n = a^{m+n}$
>
> $(a^m)^n = a^{mn}$
>
> **지수의 차**
>
> $a^m \div a^n = \begin{cases} a^{m-n} & (m>n) \\ 1 & (m=n) \\ \dfrac{1}{a^{n-m}} & (m<n) \end{cases}$
>
> **지수의 분배**
>
> $(ab)^n = a^n b^n$
>
> $\left(\dfrac{a}{b}\right)^n = \dfrac{a^n}{b^n}$ (단, $b \neq 0$)

1-2 $\left(-\dfrac{2x^a}{y^3}\right)^b = \dfrac{(-2)^b x^{ab}}{y^{3b}} = \dfrac{cx^{21}}{y^9}$ 이므로

$3b = 9$에서 $b = 3$

$(-2)^b = (-2)^3 = c$에서 $c = -8$

$ab = 3a = 21$에서 $a = 7$

$\therefore a + b + c = 7 + 3 + (-8) = 2$

2-1 $4^{x+1} = 2^6$에서

$4^{x+1} = (2^2)^{x+1} = 2^{2x+2} = 2^6$이므로

$2x + 2 = 6,\ 2x = 4 \qquad \therefore x = 2$

$8^x = 2^y$에서

$8^2 = (2^3)^2 = 2^6 = 2^y$이므로

$y = 6$

$\therefore x + y = 2 + 6 = 8$

3-1 $9^3 + 9^3 + 9^3 = 3 \times 9^3 = 3 \times (3^2)^3 = 3 \times 3^6 = 3^7$이므로
$a = 7$

3-2 $2^4 + 2^4 + 2^4 + 2^4 = 4 \times 2^4 = 2^2 \times 2^4 = 2^6 = 2^a$이므로
$a = 6$

$3^b + 3^b + 3^b = 3 \times 3^b = 3^{1+b} = 3^5$이므로
$1 + b = 5 \qquad \therefore b = 4$

$(7^2)^3 = 7^6 = 7^c$이므로
$c = 6$

$\therefore a + b - c = 6 + 4 - 6 = 4$

4-1 $27^8 = (3^3)^8 = 3^{24} = (3^4)^6 = A^6$

4-2 $A = 2^{x+1}$에서

$A = 2^x \times 2$이므로

$2^x = \dfrac{A}{2}$

$\therefore 16^x = (2^4)^x = (2^x)^4 = \left(\dfrac{A}{2}\right)^4 = \dfrac{A^4}{2^4} = \dfrac{A^4}{16}$

5-1 $8^4 \times 25^5 = (2^3)^4 \times (5^2)^5 = 2^{12} \times 5^{10}$
$= 2^2 \times 2^{10} \times 5^{10} = 2^2 \times (2^{10} \times 5^{10})$
$= 2^2 \times (2 \times 5)^{10} = 4 \times 10^{10}$

따라서 $8^4 \times 25^5$은 11자리의 자연수이므로
$n = 11$

6-1 ② $2x \times (-3x)^2 = 2x \times 9x^2 = 18x^3$

③ $8a^4 \div 4a^2b = 8a^4 \times \dfrac{1}{4a^2b} = \dfrac{2a^2}{b}$

④ $-2ab \div \dfrac{1}{3}a = -2ab \times \dfrac{3}{a} = -6b$

⑤ $18b^3 \times \dfrac{1}{2}a^2b^3 \div ab^2 = 18b^3 \times \dfrac{1}{2}a^2b^3 \times \dfrac{1}{ab^2} = 9ab^4$

따라서 옳지 않은 것은 ④이다.

중간

6-2 $\frac{1}{3}x^4y^A \times 9x^By^2 \div 6x^3y^3 = \frac{1}{3}x^4y^A \times 9x^By^2 \times \frac{1}{6x^3y^3}$
$= \frac{1}{2}x^{B+1}y^{A-1} = Cx^6y$

이때 $\frac{1}{2}=C$, $B+1=6$, $A-1=1$에서

$A=2$, $B=5$, $C=\frac{1}{2}$

$\therefore ABC = 2 \times 5 \times \frac{1}{2} = 5$

7-1 $-24x^3y \div 12xy^2 \times \boxed{} = 8x^2y^3$에서

$\boxed{} = 8x^2y^3 \div (-24x^3y) \times 12xy^2$
$= 8x^2y^3 \times \frac{1}{-24x^3y} \times 12xy^2$
$= -4y^4$

7-2 $(4x^2y)^3 \times \frac{x}{y^2} \div \boxed{} = (2x^2y)^2$에서

$(4x^2y)^3 \times \frac{x}{y^2} \times \frac{1}{\boxed{}} = (2x^2y)^2$

$\therefore \boxed{} = (4x^2y)^3 \times \frac{x}{y^2} \div (2x^2y)^2$
$= 64x^6y^3 \times \frac{x}{y^2} \div 4x^4y^2$
$= 64x^6y^3 \times \frac{x}{y^2} \times \frac{1}{4x^4y^2}$
$= \frac{16x^3}{y}$

8-1

부피가 $9x^5y^3$이면 높이는 얼마지?

위 직육면체의 높이를 h라 하면
$2x^2y \times xy^2 \times h = 9x^5y^3$에서
$2x^3y^3h = 9x^5y^3$

$\therefore h = \frac{9x^5y^3}{2x^3y^3} = \frac{9}{2}x^2$

3일 필수 체크 전략 2

1 ⑤ **2** 7 **3** 11 **4** ②
5 (1) $a=36$, $n=6$ (2) 8자리 **6** 18 **7** ①
8 $\frac{5b}{a}$

1 ① $x^2 \times x^3 \times x^\square = x^{2+3+\square} = x^{5+\square} = x^8$이므로
$5+\square=8$ $\therefore \square=3$
② $(x^\square y^2)^4 = x^{\square \times 4}y^8 = x^{12}y^8$이므로
$\square \times 4 = 12$ $\therefore \square=3$
③ $\left(\frac{y^\square}{x^3}\right)^3 = \frac{y^{\square \times 3}}{x^9} = \frac{y^{15}}{x^9}$이므로
$\square \times 3 = 15$ $\therefore \square=5$
④ $(x^\square)^2 \times (x^3)^2 = x^{\square \times 2} \times x^6 = x^{\square \times 2+6} = x^{14}$이므로
$\square \times 2 + 6 = 14$ $\therefore \square=4$
⑤ $x^5 \times x^4 \div x^\square = x^{5+4} \div x^\square = x^9 \div x^\square = x^{9-\square} = x^3$이므로
$9-\square=3$ $\therefore \square=6$
따라서 $\square$ 안에 들어갈 수가 가장 큰 것은 ⑤이다.

2 $3^{x+1} \times 9^{x-1} = 81^{x-2}$에서
$3^{x+1} \times (3^2)^{x-1} = (3^4)^{x-2}$
$3^{x+1} \times 3^{2(x-1)} = 3^{4(x-2)}$
$3^{(x+1)+2(x-1)} = 3^{4(x-2)}$
$3^{3x-1} = 3^{4x-8}$
$3x-1 = 4x-8$이므로
$x=7$

3 $1 \times 2 \times 3 \times 4 \times 5 \times 6 \times 7 \times 8$
$= 1 \times 2 \times 3 \times 2^2 \times 5 \times (2 \times 3) \times 7 \times 2^3$
$= 2^7 \times 3^2 \times 5 \times 7$
따라서 $a=7$, $b=2$, $c=1$, $d=1$이므로
$a+b+c+d = 7+2+1+1 = 11$

4 $\frac{3^6}{2^3+2^3+2^3} \times \frac{8^3+8^3}{3^5+3^5+3^5+3^5}$
$= \frac{3^6}{3 \times 2^3} \times \frac{2 \times 8^3}{4 \times 3^5}$
$= \frac{3^5}{2^3} \times \frac{2 \times (2^3)^3}{2^2 \times 3^5}$
$= \frac{3^5}{2^3} \times \frac{2^{10}}{2^2 \times 3^5} = 2^5$

5 (1) $A = 2^8 \times 3^2 \times 5^6$

$= 2^2 \times 2^6 \times 3^2 \times 5^6$

$= 2^2 \times 3^2 \times (2^6 \times 5^6)$

$= 2^2 \times 3^2 \times (2 \times 5)^6$

$= 36 \times 10^6$

$\therefore a = 36, n = 6$

6 $(-2xy^3)^3 \div \left(-\dfrac{1}{27}x^3y\right) \times \left(\dfrac{x^2}{3y^3}\right)^2$

$= -8x^3y^9 \times \left(-\dfrac{27}{x^3y}\right) \times \dfrac{x^4}{9y^6}$

$= 24x^4y^2$

따라서 $A = 24$, $B = 4$, $C = 2$이므로

$A - B - C = 24 - 4 - 2 = 18$

7 $(4x^5y)^2 \div \boxed{} \times (-3x^2y^4) = 8x^4y^3$에서

$(4x^5y)^2 \times \dfrac{1}{\boxed{}} \times (-3x^2y^4) = 8x^4y^3$

$\therefore \boxed{} = (4x^5y)^2 \times (-3x^2y^4) \div 8x^4y^3$

$= 16x^{10}y^2 \times (-3x^2y^4) \times \dfrac{1}{8x^4y^3}$

$= -6x^8y^3$

8 물의 높이를 h라 하면

$\pi \times (3ab)^2 \times h = 45\pi ab^3$에서

$9\pi a^2b^2h = 45\pi ab^3$

$\therefore h = \dfrac{45\pi ab^3}{9\pi a^2b^2} = \dfrac{5b}{a}$

누구나 합격 전략　　26쪽~27쪽

01 6개	02 ③	03 ⑤	04 은미, 정연
05 ②	06 ④	07 21	08 ⑤
09 $\dfrac{45}{2}a^6b^5$	10 $8a^6$		

---

01 $\dfrac{(정수)}{(0이\ 아닌\ 정수)}$ 꼴의 분수로 나타낼 수 있는 수는 유리수이므로 주어진 수 중 유리수를 모두 고르면 0, -3, $\dfrac{3}{4}$, 0.121314, $0.1333\cdots$, 3.14의 6개이다.

02 $0.\dot{1}0\dot{7}$의 순환마디의 숫자의 개수는 3이고 $100 = 3 \times 33 + 1$이므로 순환마디 1, 0, 7이 33번 반복되고 소수점 아래 100번째 자리의 숫자는 1이다.

따라서 구하는 합은

$33 \times (1 + 0 + 7) + 1 = 265$

03 ① $a = 2$일 때, $\dfrac{21}{2^3 \times 5^2 \times 2} = \dfrac{21}{2^4 \times 5^2}$

② $a = 3$일 때, $\dfrac{21}{2^3 \times 5^2 \times 3} = \dfrac{7}{2^3 \times 5^2}$

③ $a = 6$일 때, $\dfrac{21}{2^3 \times 5^2 \times 6} = \dfrac{7}{2^4 \times 5^2}$

④ $a = 7$일 때, $\dfrac{21}{2^3 \times 5^2 \times 7} = \dfrac{3}{2^3 \times 5^2}$

⑤ $a = 9$일 때, $\dfrac{21}{2^3 \times 5^2 \times 9} = \dfrac{7}{2^3 \times 3 \times 5^2}$

따라서 a의 값이 될 수 있는 것은 ⑤이다.

04 현수 : 순환마디는 2이다.

은미, 준서 : $x = 1.3222\cdots$에서

$100x = 132.222\cdots$ ……㉠

$10x = 13.222\cdots$ ……㉡

㉠$-$㉡을 하면

$90x = 119$　　$\therefore x = \dfrac{119}{90}$

따라서 바르게 이야기한 학생은 은미, 정연이다.

05 $0.1 + 0.06 + 0.006 + 0.0006 + \cdots$

$= 0.1\dot{6} = \dfrac{16 - 1}{90} = \dfrac{15}{90} = \dfrac{1}{6}$

따라서 $a = 1$, $b = 6$이므로

$a + b = 1 + 6 = 7$

06 ① $a^9 \div a^6 = a^{9-6} = a^3$

② $a \times a^2 = a^{1+2} = a^3$

③ $a^5 \div (a^7 \div a^5) = a^5 \div a^{7-5}$
$= a^5 \div a^2$
$= a^{5-2} = a^3$

④ $(a^2)^3 \div (a^3)^3 = a^6 \div a^9$
$= \dfrac{1}{a^{9-6}} = \dfrac{1}{a^3}$

⑤ $(a^3)^5 \div (a^2)^4 \div (a^2)^2 = a^{15} \div a^8 \div a^4$
$= a^{15-8-4} = a^3$

따라서 계산 결과가 나머지 넷과 다른 하나는 ④이다.

07 $4^5 \times 4^5 \times 4^5 = 4^{5+5+5} = 4^{15}$이므로

$x = 15$

$4^5 + 4^5 + 4^5 + 4^5 = 4 \times 4^5 = 4^6$이므로

$y = 6$

$\therefore x + y = 15 + 6 = 21$

08 ① $6x^4y^2 \div 3x^2y^3 = 6x^4y^2 \times \dfrac{1}{3x^2y^3} = \dfrac{2x^2}{y}$

② $12x^4 \div 4x \div \dfrac{x^2}{3} = 12x^4 \times \dfrac{1}{4x} \times \dfrac{3}{x^2}$
$= 9x$

③ $x^2 \times y \div (-xy) = x^2 \times y \times \left(-\dfrac{1}{xy}\right) = -x$

④ $-12x^3y^2 \div 3x \times 2y = -12x^3y^2 \times \dfrac{1}{3x} \times 2y$
$= -8x^2y^3$

⑤ $x^2y^2 \times 4x \div (-2xy)^2 = x^2y^2 \times 4x \div 4x^2y^2$
$= x^2y^2 \times 4x \times \dfrac{1}{4x^2y^2}$
$= x$

따라서 옳지 않은 것은 ⑤이다.

09 $A \div \left(-\dfrac{3}{2}a^3b^2\right) = 10b$에서

$A = 10b \times \left(-\dfrac{3}{2}a^3b^2\right) = -15a^3b^3$

따라서 바르게 계산한 식은

$-15a^3b^3 \times \left(-\dfrac{3}{2}a^3b^2\right) = \dfrac{45}{2}a^6b^5$

10 삼각형의 높이를 h라 하면

$\dfrac{1}{2} \times 9a^2b^2 \times h = (6a^4b)^2$에서

$\dfrac{9}{2}a^2b^2h = 36a^8b^2$

$\therefore h = 36a^8b^2 \times \dfrac{2}{9a^2b^2} = 8a^6$

창의 · 융합 · 코딩 전략   **28쪽~31쪽**

1 (1) 풀이 참조 (2) 풀이 참조 (3) $\dfrac{79}{198}$ 2 4

3 동규 – 상아, 현석 – 수지, 기현 – 정윤, 상규 – 보람,
영호 – 진선

4 도서관

5 (1) 3^3 (2) 보리 이삭의 수 : 3^4, 보리 낱알의 수 : 3^5 (3) 9알

6 ⑤   7 ④   8 $\dfrac{1}{4}$

---

1 (1) $\dfrac{5}{16} = 0.3125$이므로 다음 그림과 같이 '노랑, 빨강, 주황, 파랑'으로 이어 붙인 색 띠가 만들어진다.

노랑   빨강   주황   파랑

(2) $\dfrac{6}{11} = 0.545454\cdots$이므로 다음 그림과 같이 '파랑, 초록'으로 반복하여 이어 붙인 색 띠가 만들어진다.

파랑   초록   파랑   초록   파랑   초록

(3) 주어진 색 띠를 소수로 나타내면 $0.3989898\cdots = 0.3\dot{9}\dot{8}$이므로

$x = 0.3\dot{9}\dot{8} = \dfrac{398-3}{990} = \dfrac{395}{990} = \dfrac{79}{198}$

2 $\dfrac{5}{11} = 0.4545\cdots = \dfrac{4}{10} + \dfrac{5}{10^2} + \dfrac{4}{10^3} + \dfrac{5}{10^4} + \cdots$이므로

$a_1 = a_3 = a_5 = \cdots = 4$, $a_2 = a_4 = a_6 = \cdots = 5$

$\therefore x = a_1 + a_2 + a_3 + \cdots + a_{41}$
$= 20 \times (4+5) + 4 = 184$

한편 $184 = 18 \times 10 + 4$이므로 숫자판의 바늘이 0에서 출발하여 시곗바늘이 도는 방향으로 184칸 회전하였을 때, 바늘이 가리키는 숫자는 4이다.

3 남학생들이 들고 있는 순환소수를 분수로 바꾸어 같은 수
를 들고 있는 여학생을 찾는다.

$1.\dot{1}=\dfrac{11-1}{9}=\dfrac{10}{9}$이므로 동규의 짝꿍은 상아이다.

$2.\dot{2}=\dfrac{22-2}{9}=\dfrac{20}{9}$이므로 현석이의 짝꿍은 수지이다.

$1.\dot{0}\dot{1}=\dfrac{101-1}{99}=\dfrac{100}{99}$이므로 기현이의 짝꿍은 정윤이
다.

$1.\dot{1}\dot{0}=\dfrac{110-1}{99}=\dfrac{109}{99}$이므로 상규의 짝꿍은 보람이다.

$1.\dot{0}1\dot{2}=\dfrac{1012-1}{999}=\dfrac{1011}{999}$이므로 영호의 짝꿍은 진선이다.

4 $0.\dot{7}=0.7777\cdots$, $0.\dot{7}\dot{0}=0.7070\cdots$

$\therefore 0.\dot{7}>0.\dot{7}\dot{0}$

$0.1\dot{2}\dot{3}=0.12323\cdots$, $0.\dot{1}2\dot{3}=0.123123\cdots$

$\therefore 0.1\dot{2}\dot{3}>0.\dot{1}2\dot{3}$

따라서 다음 그림과 같이 민수가 도착하게 되는 장소는 도
서관이다.

5 (1) 세 집의 각 처마마다 세 마리의 고양이가 살고 있으므
로 고양이는 $3\times3=3^2$(마리)이고 각각의 고양이는 생
쥐를 세 마리씩 붙들고 있으므로 생쥐의 수는 $3^2\times3=3^3$

(2) 생쥐는 3^3마리이고 각각의 생쥐는 보리 이삭을 세 개씩
붙들고 있으므로 보리 이삭의 수는 $3^3\times3=3^4$
또 보리 이삭의 수는 3^4이고 각각의 이삭에는 보리 낱알
이 세 알씩 달려 있으므로 보리 낱알의 수는 $3^4\times3=3^5$

(3) 보리 낱알은 3^5이고 생쥐는 3^3마리이므로 똑같이 나누
어 준다면 $3^5\div3^3=3^{5-3}=3^2=9$(알)씩 나누어 주어야
한다.

6 $2^{10}=1024$이므로 2^{10}에 가장 가까운 10의 거듭제곱은
1000이다.

$\therefore a=1000$

따라서 $2^{10}\fallingdotseq10^3$ ...... ㉠

이므로 $b=3$

$1\,GB=2^{10}\,MB=2^{10}\times2^{10}\,KB=2^{20}\,KB$ $\therefore c=20$

㉠을 이용하면

$1\,GB=2^{20}\,KB=(2^{10})^2\,KB$

$\fallingdotseq(10^3)^2\,KB=10^6\,KB$ ...... ㉡

$\therefore d=6$

㉠, ㉡을 이용하면

$500\,TB=5\times10^2\,TB$

$=5\times10^2\times2^{10}\,GB$

$\fallingdotseq5\times10^2\times10^3\,GB(\because ㉠)$

$=5\times10^5\,GB$

$\fallingdotseq5\times10^5\times10^6\,KB(\because ㉡)$

$=5\times10^{11}\,KB$

$\therefore e=11$

7 출발점에서부터 빨간색으로 표시된 경로를 따라 곱셈 또는
나눗셈의 계산식을 세워서 도착점에서 얻을 수 있는 식은

$x^3y^2\div xy\times y\div xy\times y^2\div x^2\times y^2\div xy\div x$

$=x^3y^2\times\dfrac{1}{xy}\times y\times\dfrac{1}{xy}\times y^2\times\dfrac{1}{x^2}\times y^2\times\dfrac{1}{xy}\times\dfrac{1}{x}$

$=\dfrac{y^4}{x^3}$

8 통조림 B의 높이를 h'이라 하면 원기둥 모양의 두 통조림
A, B의 부피는 같으므로

$\pi\times r^2\times h=\pi\times(2r)^2\times h'$

$\pi r^2h=4\pi r^2h'$ $\therefore h'=\dfrac{\pi r^2h}{4\pi r^2}=\dfrac{h}{4}$

따라서 밑면인 원의 반지름의 길이를 두 배로 하고 높이는
$\dfrac{1}{4}$배로 하면 되므로 □ 안에 알맞은 수는 $\dfrac{1}{4}$이다.

2주 다항식의 계산, 일차부등식

1일 개념 돌파 전략 1   확인 문제   **34쪽~37쪽**

01 (1) $x+8y$ (2) $5x-9y$ 02 $-x^2+9x+17$

03 -10 04 $-2x+1$

05 9   06 ㉠, ㉢, ㉣, ㉤

07 ⑤   08 ②

09 $-1<2x+1\leq5$ 10 ②

11 3

12 (1) $x<0$ (2) $x>\dfrac{3}{5}$ (3) $x\leq24$

13 3   14 94점

15 13 cm   16 4 km

01 (1) $3(x+2y)-2(x-y)$
$\quad=3x+6y-2x+2y$
$\quad=x+8y$

(2) $4x-[2y-\{3x-(2x+7y)\}]$
$\quad=4x-\{2y-(3x-2x-7y)\}$
$\quad=4x-\{2y-(x-7y)\}$
$\quad=4x-(2y-x+7y)$
$\quad=4x-(-x+9y)$
$\quad=4x+x-9y$
$\quad=5x-9y$

02 $3(x^2+2x+4)-(4x^2-3x-5)$
$\quad=3x^2+6x+12-4x^2+3x+5$
$\quad=-x^2+9x+17$

03 $-2x(5x+y-1)=-10x^2-2xy+2x$이므로
$\quad a=-10, b=-2, c=2$
$\quad\therefore a+b+c=-10+(-2)+2=-10$

04 $(6x^2y-3xy)\div(-3xy)$
$\quad=\dfrac{6x^2y-3xy}{-3xy}$
$\quad=-2x+1$

05 $3x^2-8xy-2y^2$에 $x=-1, y=1$을 대입하면
$\quad 3x^2-8xy-2y^2$
$\quad=3\times(-1)^2-8\times(-1)\times1-2\times1^2$
$\quad=3+8-2=9$

06 ㉡ 방정식   ㉥ 다항식
따라서 부등식인 것은 ㉠, ㉢, ㉣, ㉤이다.

07 $x=2$를 각 부등식에 대입하면
① $2-2>0$ (거짓)
② $3-2<0$ (거짓)
③ $3\times2\leq5$ (거짓)
④ $-3\times2+1\geq0$ (거짓)
⑤ $-5+4\times2\geq3$ (참)
따라서 부등식 중 $x=2$가 해인 것은 ⑤이다.

08 ①, ③, ④, ⑤ $>$ ② $<$
따라서 부등호의 방향이 나머지 넷과 다른 하나는 ②이다.

09 $-1<x\leq2$에서
$\quad-2<2x\leq4$
$\quad\therefore -1<2x+1\leq5$

10 ① 방정식
② $3x-12\geq0$ ➡ 일차부등식
③ $-14<0$ ➡ 일차부등식이 아니다.
④ $-x^2+5x-2\leq0$ ➡ 일차부등식이 아니다.
⑤ $-2x+4=0$ ➡ 방정식
따라서 일차부등식인 것은 ②이다.

11 $3x+5\leq x+9$에서
$\quad2x\leq4$ $\therefore x\leq2$
따라서 부등식을 만족시키는 자연수 x의 값은 1, 2이므로
그 합은
$1+2=3$

12 (1) $3(x+2)<2(x+3)$에서

$3x+6<2x+6$ ∴ $x<0$

(2) $0.5x+0.2<x-0.1$의 양변에 10을 곱하면

$5x+2<10x-1$

$-5x<-3$ ∴ $x>\dfrac{3}{5}$

(3) $\dfrac{x}{3}+1\geq\dfrac{2}{5}x-\dfrac{3}{5}$의 양변에 15를 곱하면

$5x+15\geq6x-9$

$-x\geq-24$ ∴ $x\leq24$

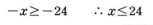

3, 5의 최소공배수
15를 양변에 곱해.

13 두 정수는 x, $x+4$이므로

$x+(x+4)<12$

$2x<8$ ∴ $x<4$

따라서 정수 x의 최댓값은 3이다.

14 다음 달 시험에서 x점을 받는다고 하면

$\dfrac{94+88+x}{3}\geq92$

$182+x\geq276$ ∴ $x\geq94$

따라서 다음 달 시험에서 94점 이상을 받아야 한다.

15 사다리꼴의 아랫변의 길이를 x cm라 하면

$\dfrac{1}{2}\times(7+x)\times4\geq40$

$14+2x\geq40$

$2x\geq26$ ∴ $x\geq13$

따라서 사다리꼴의 아랫변의 길이는 13 cm 이상이어야 한다.

16 x km 지점까지 올라갔다 내려온다고 하면

$\dfrac{x}{2}+\dfrac{x}{4}\leq3$

$2x+x\leq12$

$3x\leq12$ ∴ $x\leq4$

따라서 최대 4 km 지점까지 올라갔다 내려올 수 있다.

---

1 1	**2** $6x-3y$	**3** ⑤	**4** ②
5 ④	**6** 7	**7** 3 km	

1 $\dfrac{-x+2y}{3}+\dfrac{3x-y}{2}$

$=\dfrac{2(-x+2y)+3(3x-y)}{6}$

$=\dfrac{-2x+4y+9x-3y}{6}$

$=\dfrac{7x+y}{6}$

$=\dfrac{7}{6}x+\dfrac{1}{6}y$

따라서 $a=\dfrac{7}{6}$, $b=\dfrac{1}{6}$이므로

$a-b=\dfrac{7}{6}-\dfrac{1}{6}=1$

2 $\dfrac{24x^2-18xy}{3x}-\dfrac{10xy-15y^2}{5y}$

$=8x-6y-(2x-3y)$

$=8x-6y-2x+3y$

$=6x-3y$

3 ① $3x-2\geq7$

② $200-x>100$

③ $\dfrac{x}{60}<\dfrac{5}{6}$

④ $50x+300<1000$

따라서 옳은 것은 ⑤이다.

4 $5x-3<12$에서

$5x<15$ ∴ $x<3$

① $2x<10$에서 $x<5$

② $x+2>2x-1$에서

$-x>-3$ ∴ $x<3$

③ $4x+1>4+3x$에서 $x>3$

④ $-2x-2>x+7$에서

$-3x>9$ ∴ $x<-3$

⑤ $-5x>-2x-18$에서

$-3x>-18$ ∴ $x<6$

따라서 부등식 $5x-3<12$와 해가 같은 것은 ②이다.

정답과 풀이

5 $2x-3(x-1)<12$에서

$2x-3x+3<12$

$-x<9$ ∴ $x>-9$

따라서 부등식의 해를 수직선 위에 바르게 나타낸 것은 ④이다.

6 $2x-6\geq4(x-5)$

$2x-6\geq4x-20$

$-2x\geq-14$ ∴ $x\leq7$

따라서 x의 값 중 가장 큰 자연수는 7이다.

7 x km 지점까지 올라갈 수 있다고 하면 내려온 거리는 $(x+3)$ km이므로

$\dfrac{x}{2}+\dfrac{x+3}{4}\leq3$

$2x+x+3\leq12$

$3x\leq9$ ∴ $x\leq3$

따라서 최대 3 km 지점까지 올라갈 수 있다.

2일 필수 체크 전략 1 (40쪽~43쪽)

1-1 ⑤ **1-2** ② **2-1** $4x^3y^2-10x^2y^3$

2-2 현석 **3-1** ③ **3-2** $\dfrac{1}{3}ab^2+\dfrac{2}{3}a^2b$

4-1 $-5x+y$ **4-2** $18x+2y$ **5-1** ⑤

5-2 ④ **6-1** ① **6-2** 3 **7-1** 바이킹

8-1 ④ **8-2** $-9<k\leq-7$

1-1 $5a-[b-4a-\{2a+b-(5a-b)\}]$

$=5a-\{b-4a-(2a+b-5a+b)\}$

$=5a-\{b-4a-(-3a+2b)\}$

$=5a-(b-4a+3a-2b)$

$=5a-(-a-b)$

$=5a+a+b$

$=6a+b$

1-2 $5x-2\{x-y-(\boxed{}+y)\}=-x+4y$에서

$5x-2\{x-y-(\boxed{})-y\}=-x+4y$

$5x-2\{x-2y-(\boxed{})\}=-x+4y$

$5x-2x+4y+2\times\boxed{}=-x+4y$

$3x+4y+2\times\boxed{}=-x+4y$

$2\times\boxed{}=-x+4y-3x-4y$

$2\times\boxed{}=-4x$

∴ $\boxed{}=-2x$

2-1 $3xy(2x^2y-3xy^2)-(6x^4y^4+3x^3y^5)\div3xy^2$

$=3xy(2x^2y-3xy^2)-(6x^4y^4+3x^3y^5)\times\dfrac{1}{3xy^2}$

$=6x^3y^2-9x^2y^3-(2x^3y^2+x^2y^3)$

$=6x^3y^2-9x^2y^3-2x^3y^2-x^2y^3$

$=4x^3y^2-10x^2y^3$

2-2 (현석이가 들고 있는 식)

$=x^2-3xy-xy-2y^2$

$=x^2-4xy-2y^2$

$=2^2-4\times2\times(-3)-2\times(-3)^2=10$

(보람이가 들고 있는 식)

$=\dfrac{12x^2-9xy}{3x}+\dfrac{-25xy+10y^2}{5y}$

$=4x-3y-5x+2y=-x-y$

$=-2-(-3)=-2+3=1$

따라서 식의 값이 큰 식을 들고 있는 사람은 현석이다.

3-1 $\pi\times(3a)^2\times(높이)=9\pi a^4-27\pi a^2b$이므로

$9\pi a^2\times(높이)=9\pi a^4-27\pi a^2b$

∴ $(높이)=\dfrac{9\pi a^4-27\pi a^2b}{9\pi a^2}$

$=a^2-3b$

3-2 (사다리꼴의 넓이)$=\dfrac{1}{2}\times(2ab^2+4a^2b)\times ab^2$

$=a^2b^4+2a^3b^3$

직사각형과 사다리꼴의 넓이가 같으므로

$3ab^2\times(직사각형의 세로의 길이)=a^2b^4+2a^3b^3$

∴ $(직사각형의 세로의 길이)=\dfrac{a^2b^4+2a^3b^3}{3ab^2}$

$=\dfrac{1}{3}ab^2+\dfrac{2}{3}a^2b$

14 일등전략 수학 2-1·중간

4-1 $2A-(4A+3B)=2A-4A-3B=-2A-3B$
$$=-2(x+y)-3(x-y)$$
$$=-2x-2y-3x+3y$$
$$=-5x+y$$

4-2 $2(3A+2B)-2(2A-B)$
$$=6A+4B-4A+2B$$
$$=2A+6B$$
$$=2(3x-2y)+6(2x+y)$$
$$=6x-4y+12x+6y$$
$$=18x+2y$$

5-1 ④ $a>b$이므로 $\dfrac{a}{5}>\dfrac{b}{5}$

$\therefore \dfrac{a}{5}+1>\dfrac{b}{5}+1$

⑤ $a>b$이므로 $-2a<-2b$

$\therefore -2a-3<-2b-3$

따라서 옳지 않은 것은 ⑤이다.

5-2 $-4a+3<-4b+3$에서

$-4a<-4b$ $\quad \therefore a>b$

② $a>b$이므로 $\dfrac{a}{2}>\dfrac{b}{2}$

③ $a>b$이므로 $a-6>b-6$

④ $a>b$이므로 $-3a<-3b$

$\therefore 4-3a<4-3b$

⑤ $a=1,\ b=-1$일 때, $a>b$이지만 $\dfrac{1}{a}>\dfrac{1}{b}$

따라서 옳은 것은 ④이다.

6-1 $3x-2(4-x)\geq7$에서

$3x-8+2x\geq7$

$5x\geq15$ $\quad \therefore x\geq3$

6-2 $0.2(5x-3)\leq0.3x+1$의 양변에 10을 곱하면

$2(5x-3)\leq3x+10$

$10x-6\leq3x+10$

$7x\leq16$ $\quad \therefore x\leq\dfrac{16}{7}$

따라서 부등식을 만족시키는 자연수 x의 값은 1, 2이므로 그 합은

$1+2=3$

7-1 $ax+9<-3$에서 $ax<-12$

이 부등식의 부등호의 방향과 해의 부등호의 방향이 다르므로 $a<0$

$\therefore x>-\dfrac{12}{a}$

이때 부등식의 해가 $x>4$이므로

$-\dfrac{12}{a}=4$ $\quad \therefore a=-3$

따라서 미션 장소는 바이킹이다.

8-1 $3x+2a>7x$에서

$-4x>-2a$ $\quad \therefore x<\dfrac{a}{2}$

이 부등식을 만족시키는 자연수 x가 2개이려면 오른쪽 그림과 같아야 하므로

$2<\dfrac{a}{2}\leq3$ $\quad \therefore 4<a\leq6$

8-2 $4x-1\leq2x-k$에서

$2x\leq1-k$ $\quad \therefore x\leq\dfrac{1-k}{2}$

이 부등식을 만족시키는 자연수 x가 4개이려면 오른쪽 그림과 같아야 하므로

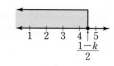

$4\leq\dfrac{1-k}{2}<5$

$8\leq1-k<10$

$7\leq-k<9$ $\quad \therefore -9<k\leq-7$

2일 필수 체크 전략 2 44쪽~45쪽

1 (1) $8x^2-7x+12$ (2) $-9x^2+13x-21$ 2 20
3 b^2+6ab 4 ③ 5 $-6, 9, -4, 11$
6 4 7 5 8 ②

1 (1) 어떤 식을 A라 하면
$-x^2+6x-9+A=7x^2-x+3$이므로
$A=7x^2-x+3-(-x^2+6x-9)$
$=7x^2-x+3+x^2-6x+9$
$=8x^2-7x+12$
(2) 바르게 계산한 식은
$-x^2+6x-9-(8x^2-7x+12)$
$=-x^2+6x-9-8x^2+7x-12$
$=-9x^2+13x-21$

2 $(9x^3-81xy^2)\div(-3x)-\dfrac{21x^3+7xy^2}{7x}$
$=\dfrac{9x^3-81xy^2}{-3x}-\dfrac{21x^3+7xy^2}{7x}$
$=-3x^2+27y^2-(3x^2+y^2)$
$=-3x^2+27y^2-3x^2-y^2$
$=-6x^2+26y^2$
따라서 $A=-6$, $B=26$이므로
$A+B=-6+26=20$

3 (색칠한 부분의 넓이)
$=3a\times6b-\left\{\dfrac{1}{2}\times3a\times2b+\dfrac{1}{2}\times4b\times b\right.$
$\left.+\dfrac{1}{2}\times6b\times(3a-b)\right\}$
$=18ab-(3ab+2b^2+9ab-3b^2)$
$=18ab-(12ab-b^2)$
$=18ab-12ab+b^2$
$=b^2+6ab$

4 ③ $a\leq b$이므로 $-4a\geq-4b$
$\therefore 3-4a\geq3-4b$
④ $a\leq b$이므로 $a+6\leq b+6$
$\therefore \dfrac{a+6}{5}\leq\dfrac{b+6}{5}$
⑤ $3a-4<6b-1$이므로 $3a<6b+3$ $\therefore a<2b+1$
이때 양변에 -2를 곱하면
$-2a>-4b-2$
따라서 옳지 않은 것은 ③이다.

5

초희   성주   현영

성주 : $-3\leq x\leq2$의 각 변에 -3을 곱하면
$-6\leq-3x\leq9$
현영 : $-6\leq-3x\leq9$의 각 변에 2를 더하면
$-4\leq2-3x\leq11$

6 $\dfrac{1}{5}(x+4)\leq3.6-0.5x$의 양변에 10을 곱하면
$2(x+4)\leq36-5x$
$2x+8\leq36-5x$
$7x\leq28$ $\therefore x\leq4$
따라서 부등식을 만족시키는 자연수 x는 1, 2, 3, 4의 4개이다.

7 $2x-3\leq5(x+1)-a$에서
$2x-3\leq5x+5-a$
$-3x\leq8-a$ $\therefore x\geq\dfrac{a-8}{3}$
이때 수직선 위에 나타낸 부등식의 해는 $x\geq-1$이므로
$\dfrac{a-8}{3}=-1$
$a-8=-3$ $\therefore a=5$

8 $\dfrac{x+a}{3}\geq\dfrac{x}{2}+1$의 양변에 6을 곱하면
$2(x+a)\geq3x+6$
$2x+2a\geq3x+6$
$-x\geq6-2a$ $\therefore x\leq2a-6$
이 부등식을 만족시키는 자연수 x가 3개이려면 오른쪽 그림과 같아야 하므로

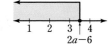

$3\leq2a-6<4$
$9\leq2a<10$ $\therefore \dfrac{9}{2}\leq a<5$

3일 필수 체크 전략 1　　　46쪽~49쪽

1-1 ③	**1-2** 28개	**2-1** ②	**2-2** 500 MB
3-1 8개월 후	**4-1** ③	**4-2** 3권	**5-1** ②
5-2 46명	**6-1** ①	**7-1** ①	**7-2** 5 km
8-1 200 g			

1-1 장미꽃을 x송이 산다고 하면

$3000 + 1200x \leq 10000$

$1200x \leq 7000$ 　 $\therefore x \leq \dfrac{35}{6}$

따라서 장미꽃을 최대 5송이까지 살 수 있다.

1-2 물건을 한 번에 x개 싣는다고 하면

$50 + 30x \leq 900$

$30x \leq 850$ 　 $\therefore x \leq \dfrac{85}{3}$

따라서 물건을 한 번에 최대 28개까지 실을 수 있다.

우와! 28개나?

최대
용량
900kg

30kg
30kg
30kg

2-1 x분 동안 주차한다고 하면 30분을 초과한 시간은 $(x-30)$분이므로

$3000 + 50(x-30) \leq 8000$

$3000 + 50x - 1500 \leq 8000$

$50x \leq 6500$ 　 $\therefore x \leq 130$

따라서 최대 130분 동안 주차할 수 있다.

2-2 데이터를 x MB 이용한다고 하면 300 MB를 초과한 데이터 용량은 $(x-300)$ MB이므로

$40(x-300) \leq 8000$

$40x - 12000 \leq 8000$

$40x \leq 20000$ 　 $\therefore x \leq 500$

따라서 데이터를 최대 500 MB까지 이용할 수 있다.

3-1 x개월 후부터 은주의 예금액이 승민의 예금액보다 많아진다고 하면

$20000 + 6000x > 50000 + 2000x$

$4000x > 30000$ 　 $\therefore x > \dfrac{15}{2}$

따라서 은주의 예금액이 승민의 예금액보다 많아지는 것은 8개월 후부터이다.

4-1 장미를 x송이 산다고 하면

$2000x > 1500x + 3000$

$500x > 3000$ 　 $\therefore x > 6$

따라서 장미를 7송이 이상 사는 경우 도매 시장에서 사는 것이 유리하다.

4-2 책을 x권 주문한다고 하면

$10000x > 10000 \times \dfrac{90}{100} \times x + 2500$

$10000x > 9000x + 2500$

$1000x > 2500$ 　 $\therefore x > \dfrac{5}{2}$

따라서 인터넷 서점에서 사는 것이 더 유리하려면 최소 3권 이상 주문해야 한다.

5-1 x명이 입장한다고 하면

$1000x > 1000 \times \dfrac{80}{100} \times 30$

$1000x > 24000$ 　 $\therefore x > 24$

따라서 25명 이상이면 30명의 단체 입장권을 사는 것이 유리하다.

5-2 x명이 입장한다고 하면

$3000x > 3000 \times \dfrac{90}{100} \times 50$

$3000x > 135000$ 　 $\therefore x > 45$

따라서 46명 이상이면 50명의 단체 입장권을 사는 것이 유리하다.

6-1 정가를 x원이라 하면

$$\frac{60}{100}x - 12000 \geq 12000 \times \frac{10}{100}$$

$$6x - 120000 \geq 12000$$

$$6x \geq 132000 \qquad \therefore x \geq 22000$$

따라서 정가를 최소 22000원 이상으로 정해야 한다.

7-1 역에서 상점까지의 거리를 x km라 하면 1시간 30분은

$1\frac{30}{60}$시간$= \frac{90}{60}$분이므로

$$\frac{x}{4} + \frac{15}{60} + \frac{x}{4} \leq \frac{90}{60}$$

$$x + 1 + x \leq 6$$

$$2x \leq 5 \qquad \therefore x \leq \frac{5}{2}$$

따라서 역에서 2.5 km 이내에 있는 상점까지 다녀올 수 있다.

7-2 뛰어간 거리를 x km라 하면 걸어간 거리는

$(11-x)$ km이므로

$$\frac{x}{5} + \frac{11-x}{3} \leq 3$$

$$3x + 5(11-x) \leq 45$$

$$3x + 55 - 5x \leq 45$$

$$-2x \leq -10 \qquad \therefore x \geq 5$$

따라서 뛰어간 거리는 최소 5 km이다.

8-1 10 %의 설탕물의 양을 x g이라 하면

$$\frac{12}{100} \times 200 + \frac{10}{100} \times x \leq \frac{11}{100} \times (200+x)$$

$$2400 + 10x \leq 2200 + 11x$$

$$-x \leq -200 \qquad \therefore x \geq 200$$

따라서 10 %의 설탕물을 최소 200 g 이상 섞어야 한다.

3일 **필수 체크 전략 2**   50쪽~51쪽

| **1** 4자루 | **2** 11개월 후 | **3** 2상자 | **4** 15장 |
| **5** ① | **6** 26명 | **7** ② | **8** ④ |

---

1 볼펜을 x자루 산다고 하면 지우개는 $(10-x)$개 살 수 있으므로

$$500(10-x) + 1500x \leq 9000$$

$$5000 - 500x + 1500x \leq 9000$$

$$1000x \leq 4000 \qquad \therefore x \leq 4$$

따라서 볼펜을 최대 4자루까지 살 수 있다.

2 x개월 후부터 은지의 예금액이 연재의 예금액의 2배보다 적어진다고 하면

$$40000 + 3000x < 2(15000 + 2000x)$$

$$40000 + 3000x < 30000 + 4000x$$

$$-1000x < -10000 \qquad \therefore x > 10$$

따라서 은지의 예금액이 연재의 예금액의 2배보다 적어지는 것은 11개월 후부터이다.

3 포도를 x상자 산다고 하면

$$8000x > 6000x + 3000$$

$$2000x > 3000 \qquad \therefore x > \frac{3}{2}$$

따라서 포도를 2상자 이상 사는 경우 도매 시장에서 사는 것이 유리하다.

물건의 개수, 사람 수, 횟수 등은 자연수만을 답으로 해야 해.

4 사진 x장을 인화한다고 하면

$$500x > 5000 + 300(x-7)$$

$$500x > 5000 + 300x - 2100$$

$$200x > 2900 \qquad \therefore x > \frac{29}{2}$$

따라서 사진을 최소 15장 이상 인화해야 한다.

5 정수기를 x개월 사용한다고 하면

$$200000 + 15000x < 22000x$$

$$-7000x < -200000 \qquad \therefore x > \frac{200}{7}$$

따라서 정수기를 최소 29개월 이상 사용하면 구입하는 것이 유리하다.

6 x명이 예약한다고 하면

$$1000x > 1000 \times \frac{50}{100} \times 50$$

$$1000x > 25000 \qquad \therefore \ x > 25$$

따라서 26명 이상이면 50명의 단체 관람권을 사는 것이 유리하다.

7 정가를 x원이라 하면

$$\frac{70}{100}x - 12000 \geq x \times \frac{10}{100}$$

$$7x - 120000 \geq x$$

$$6x \geq 120000 \qquad \therefore \ x \geq 20000$$

따라서 정가를 최소 20000원 이상으로 정해야 한다.

8 올라간 거리를 x km라 하면

$$\frac{x}{2} + \frac{30}{60} + \frac{x}{3} \leq 4$$

$$3x + 3 + 2x \leq 24$$

$$5x \leq 21 \qquad \therefore \ x \leq \frac{21}{5}$$

따라서 최대 4.2 km 지점까지 올라갈 수 있다.

누구나 합격 전략 52쪽~53쪽

01 15	**02** 6	**03** ④	**04** 승우
05 ④	**06** 8	**07** ③	**08** 9.1점
09 7개	**10** 9 km		

01 $2(x^2 - 3x + 2) - 3(x^2 - 3x - 4)$

$$= 2x^2 - 6x + 4 - 3x^2 + 9x + 12$$

$$= -x^2 + 3x + 16$$

따라서 $A = -1$, $B = 16$이므로

$$A + B = -1 + 16 = 15$$

02 $(9x^2y^2 - 6xy^2) \div (-3xy) + (2x^2y - 4xy) \div \frac{1}{2}x$

$$= (9x^2y^2 - 6xy^2) \times -\frac{1}{3xy} + (2x^2y - 4xy) \times \frac{2}{x}$$

$$= -3xy + 2y + 4xy - 8y = xy - 6y$$

$$= 3 \times (-2) - 6 \times (-2) = 6$$

03 집을 제외한 밭의 넓이는

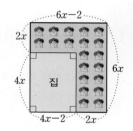

$$(6x - 2) \times 6x - (4x - 2) \times 4x$$

$$= 36x^2 - 12x - (16x^2 - 8x)$$

$$= 36x^2 - 12x - 16x^2 + 8x$$

$$= 20x^2 - 4x$$

04 수아: $x = \frac{1}{2}$을 $2x + 1 < 4$에 대입하면

$$2 \times \frac{1}{2} + 1 < 4 \ (참)$$

민준: $x = 1$을 $-x + 3 > 2x - 4$에 대입하면

$$-1 + 3 > 2 \times 1 - 4 \ (참)$$

혜은: $x = -2$를 $3x \leq x + 5$에 대입하면

$$3 \times (-2) \leq -2 + 5 \ (참)$$

승우: $x = 3$을 $7 + x \leq 8 - 2x$에 대입하면

$$7 + 3 \leq 8 - 2 \times 3 \ (거짓)$$

가은: $x = -\frac{3}{2}$을 $x + 4 > 2x$에 대입하면

$$-\frac{3}{2} + 4 > 2 \times \left(-\frac{3}{2}\right) \ (참)$$

따라서 숫자 카드에 적힌 숫자가 부등식의 해가 아닌 카드를 뽑은 사람은 승우이다.

05 ① $a < b$이므로 $2a < 2b$

$$\therefore \ 2a - \frac{1}{3} < 2b - \frac{1}{3}$$

② $a < b$이므로 $-5a > -5b$

$$\therefore \ -5a + 1 > -5b + 1$$

③ $a < b$이므로 $a + 2 < b + 2$

$$\therefore \ -4(a + 2) > -4(b + 2)$$

④ $a < b$이므로 $-a > -b$

$$2 - a > 2 - b \qquad \therefore \ \frac{2 - a}{3} > \frac{2 - b}{3}$$

⑤ $a < b$이므로 $-a > -b$

$$1 - a > 1 - b \qquad \therefore \ \frac{2(1 - a)}{-5} < \frac{2(1 - b)}{-5}$$

따라서 옳지 않은 것은 ④이다.

06 $2(x+3)\geq5x-18$에서
$2x+6\geq5x-18$
$-3x\geq-24$　∴ $x\leq8$
따라서 부등식을 만족시키는 x의 값 중 가장 큰 정수는 8
이다.

07 $3x+2a\geq5x$에서
$-2x\geq-2a$　∴ $x\leq a$
이 부등식을 만족시키는 자연수 x가
4개이려면 오른쪽 그림과 같아야 하
므로
$4\leq a<5$

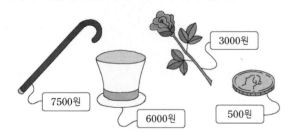

08 네 번째 경기에서 받은 평점을 x점이라 하면
$\dfrac{7.6+8.4+6.9+x}{4}\geq8$
$22.9+x\geq32$　∴ $x\geq9.1$
따라서 네 번째 경기에서 9.1점 이상을 받아야 한다.

09 마술 동전을 x개 산다고 하면
$7500+6000+3000+500x\leq20000$
$500x\leq3500$　∴ $x\leq7$
따라서 마술 동전을 최대 7개까지 살 수 있다.

10 걸어간 거리를 x km라 하면 뛰어간 거리는 $(14-x)$ km
이므로
$\dfrac{x}{3}+\dfrac{14-x}{5}\leq4$
$5x+3(14-x)\leq60$
$5x+42-3x\leq60$
$2x\leq18$　∴ $x\leq9$
따라서 걸어간 거리는 최대 9 km이다.

창의·융합·코딩 전략　　54쪽~57쪽

1 (1) $2y-x$　(2) $2x-3y$　(3) $2x-2y$

2 (1) $24a^5b^2+12a^4b^3$　(2) $4a^2b+2ab^2$　(3) $12a^2b+6ab^2$

3 (1) $\left(2x-\dfrac{2}{3}y\right)\times\dfrac{9}{2}x-\left(\dfrac{9}{4}x^2y-3x^3\right)\div\left(-\dfrac{3}{8}x\right)$
　(2) x^2+3xy

4 (1) $\dfrac{17}{2}ab$　(2) 풀이 참조　　**5** 아쿠아리움

6 (1) 166 m　(2) $x\geq15$

7 (1) $13000+3000(x-2)>27000$　(2) $x>\dfrac{20}{3}$　(3) 7번

8 (1) 3, 12, $400-x$, 12, x, 400, $12+x$　(2) 8 g

1

(1) $\overline{EF}=\overline{AB}=y$
$\overline{EG}=\overline{ED}=\overline{AD}-\overline{AE}=\overline{BC}-\overline{AB}=x-y$
∴ $\overline{GF}=\overline{EF}-\overline{EG}$
　$=y-(x-y)=y-x+y=2y-x$

(2) $\overline{GH}=\overline{EG}=x-y$
$\overline{IH}=\overline{CH}=\overline{GF}=2y-x$
∴ $\overline{GI}=\overline{GH}-\overline{IH}$
　$=x-y-(2y-x)=x-y-2y+x=2x-3y$

(3) (사각형 GFJI의 둘레의 길이)
$=\overline{GF}+\overline{FJ}+\overline{JI}+\overline{IG}$
$=2\overline{GF}+2\overline{GI}$
$=2(2y-x)+2(2x-3y)$
$=4y-2x+4x-6y=2x-2y$

2 (1) (그릇 A에 들어 있는 물의 부피)
$=\dfrac{1}{2}\times8a^3\times(2a+b)\times3ab^2$
$=12a^4b^2(2a+b)$
$=24a^5b^2+12a^4b^3$

(2) (그릇 B에 들어 있는 물의 부피)

$$= 6a \times a^2 b \times h$$
$$= 6a^3 bh$$

그릇 A에 들어 있는 물의 부피와 그릇 B에 들어 있는 물의 부피가 같으므로

$$6a^3 bh = 24a^5 b^2 + 12a^4 b^3$$
$$\therefore h = \frac{24a^5 b^2 + 12a^4 b^3}{6a^3 b}$$
$$= 4a^2 b + 2ab^2$$

(3) (그릇 B의 높이) $= 3 \times$ (그릇 B에 들어 있는 물의 높이)
$$= 3(4a^2 b + 2ab^2)$$
$$= 12a^2 b + 6ab^2$$

3 **(2)** $\left(2x - \dfrac{2}{3}y\right) \times \dfrac{9}{2}x - \left(\dfrac{9}{4}x^2 y - 3x^3\right) \div \left(-\dfrac{3}{8}x\right)$

$$= \left(2x - \frac{2}{3}y\right) \times \frac{9}{2}x - \left(\frac{9}{4}x^2 y - 3x^3\right) \times \left(-\frac{8}{3x}\right)$$
$$= 9x^2 - 3xy - (-6xy + 8x^2)$$
$$= 9x^2 - 3xy + 6xy - 8x^2$$
$$= x^2 + 3xy$$

4 **(1)** $\triangle \mathrm{AEF} = $ (사각형 ABCD의 넓이)
$$\quad - \triangle \mathrm{ABE} - \triangle \mathrm{AFD} - \triangle \mathrm{ECF}$$
$$= 4a \times 5b - \frac{1}{2} \times a \times 5b - \frac{1}{2} \times 4a \times 3b$$
$$\quad - \frac{1}{2} \times 3a \times 2b$$
$$= 20ab - \frac{5}{2}ab - 6ab - 3ab = \frac{17}{2}ab$$

(2) (만돌이가 받은 땅의 넓이)
$$= \triangle \mathrm{ABE} + \triangle \mathrm{AFD} + \frac{1}{2}\triangle \mathrm{ECF}$$
$$= \frac{5}{2}ab + 6ab + \frac{1}{2} \times 3ab = 10ab$$

(만복이가 받은 땅의 넓이)
$$= \triangle \mathrm{AEF} + \frac{1}{2}\triangle \mathrm{ECF}$$
$$= \frac{17}{2}ab + \frac{3}{2}ab = 10ab$$

따라서 만돌이가 받은 땅의 넓이와 만복이가 받은 땅의 넓이가 같으므로 아버지는 만돌이와 만복이에게 똑같은 넓이의 땅을 주었다.

5

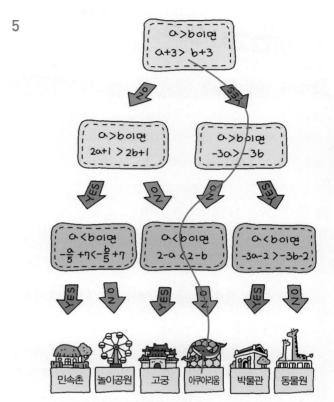

부등식의 성질을 이용하여 알맞은 경로를 따라가면 소풍 장소는 아쿠아리움이다.

6 **(1)** 장애인 전용 주차 구역 한 대당 가로의 폭이 3.3 m 이상, 세로의 폭이 5 m 이상이어야 하므로
$$x \geq 10 \times (2 \times 3.3 + 2 \times 5) \qquad \therefore x \geq 166$$
따라서 둘레의 길이의 합의 최솟값은 166 m이다.

(2) 설치해야 하는 장애인 전용 주차 구역 대수는 법정 주차 구역 설치 대수의 2 % 이상이므로
$$x \geq 750 \times \frac{2}{100} \qquad \therefore x \geq 15$$

7 **(2)** $13000 + 3000(x - 2) > 27000$에서
$$13000 + 3000x - 6000 > 27000$$
$$3000x > 20000 \qquad \therefore x > \frac{20}{3}$$

(3) 놀이기구를 7개 이상 탈 경우 자유 이용권을 사는 것이 유리하다.

8 **(2)** $12 + x \geq \dfrac{5}{100} \times 400$
$$12 + x \geq 20 \qquad \therefore x \geq 8$$
따라서 **과정 1**에서 물을 8 g 이상 증발시켰다.

정답과 풀이

중간고사 마무리

신유형·신경향·서술형 전략   60쪽~63쪽

01 ④   **02** ②   **03** 500초   **04** 12

05 $8a+8b$ **06** (1) $4x^2-2xy$ (2) $5xy$ (3) $10x^2$

07 ①   **08** (1) $\frac{1}{3}(x-5)-2 \geq 10$ (2) 41 L

---

01 ① (세은이의 타율)$=\frac{4}{6}=\frac{2}{3}=0.\dot{6}$

② (현기의 타율)$=\frac{7}{11}=0.\dot{6}\dot{3}$이므로 현기의 타율은 순환소수이다.

③ (정현이의 타율)$=\frac{16}{25}=0.64$이므로 정현이의 타율은 유한소수이다.

④ 분수끼리 비교하기 위해서는 분모를 통분해야 하므로 타율을 비교하기 위해서는 분수보다 소수가 편리하다.

⑤ (현기의 타율)$=0.\dot{6}\dot{3}$

(영주의 타율)$=\frac{5}{8}=0.625$

(세은이의 타율)$=0.\dot{6}$

(정현이의 타율)$=0.64$

이므로 타율이 가장 높은 후보 선수는 정현이다.

따라서 옳은 것은 ④이다.

02 분모가 8인 분수의 분자를 x, 분모가 45인 분수의 분자를 y라 하면

(i) $\frac{x}{8}=\frac{x}{2^3}$이므로 $\frac{x}{8}$는 유한소수이다.

(ii) $\frac{y}{45}=\frac{y}{3^2 \times 5}$이므로 y가 9의 배수이면 $\frac{y}{45}$는 유한소수이고 y가 9의 배수가 아니면 $\frac{y}{45}$는 순환소수이다.

(iii) $\frac{3}{55}=\frac{3}{5 \times 11}$이므로 $\frac{3}{55}$은 순환소수이다.

㉠ (i)에 의해 세 분수 중 적어도 하나는 유한소수이다.

㉡, ㉢ (ii), (iii)에 의해 순환소수는 한 개인지 두 개인지 알 수 없다.

㉣ (i), (ii)에 의해 유한소수는 최대 두 개일 수 있다.

따라서 옳은 것은 ㉠, ㉣이다.

03 지구에서 태양까지의 거리는 1.5×10^8 km이고 빛의 속도는 초속 3.0×10^5 km이므로 태양의 빛이 지구까지 오는 데 걸리는 시간은

$$\frac{1.5 \times 10^8}{3.0 \times 10^5}=\frac{10^3}{2}=500(초)$$

따라서 현재 우리가 보고 있는 태양의 빛은 500초 전에 태양을 출발한 것이다.

04

위 계산기에서

$(\rightarrow 1 \rightarrow 6 \rightarrow x^y \rightarrow 3 \rightarrow) \rightarrow x^y \rightarrow 2 \rightarrow =$

을 누르면 $(16^3)^2$이다.

$(16^3)^2=\{(4^2)^3\}^2=(4^6)^2=4^{12}$이므로

$a=12$

05 주어진 직사각형을 반으로 자르기를 반복하므로 5개의 직사각형의 가로의 길이와 세로의 길이는 오른쪽 그림과 같다.

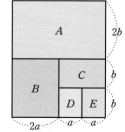

따라서 두 도형 A와 B를 붙여서 만든 도형의 각 변의 길이는 오른쪽 그림과 같으므로 이 도형의 둘레의 길이는

$4a+4b+2a+2b+2a+2b$
$=8a+8b$

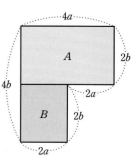

06 (1) 약국에서 문구점까지의 거리는 집에서 문구점까지의 거리의 $\dfrac{2}{5}$배이므로

(약국에서 문구점까지의 거리)

$=\dfrac{2}{5}\times$ (집에서 문구점까지의 거리)

$=\dfrac{2}{5}(10x^2-5xy)$

$=4x^2-2xy$

(2) (문구점에서 학교까지의 거리)

$=$ (약국에서 학교까지의 거리)

$\qquad\qquad$ $-$ (약국에서 문구점까지의 거리)

$=4x^2+3xy-(4x^2-2xy)$

$=4x^2+3xy-4x^2+2xy$

$=5xy$

(3) (집에서 학교까지의 거리)

$=$ (집에서 문구점까지의 거리)

$\qquad\qquad$ $+$ (문구점에서 학교까지의 거리)

$=(10x^2-5xy)+5xy$

$=10x^2$

07 원가를 x원이라 하면

$\dfrac{1}{2}\times6600-x\geq\dfrac{10}{100}\times x$

$33000-10x\geq x$

$-11x\geq-33000$ $\qquad\therefore x\leq3000$

따라서 원가를 3000원 이하로 정해야 한다.

08 (1) 〈1단계〉 이후 남은 물의 양은 $(x-5)$ L이고

〈2단계〉에서는 〈1단계〉 이후 남은 물의 양의 $\dfrac{2}{3}$를 흘려보내므로 남은 물의 양은 $\dfrac{1}{3}(x-5)$ L이다.

〈3단계〉에서는 〈2단계〉 이후 남은 물의 양에서 2 L의 물을 흘려보내므로 남은 물의 양은 $\left\{\dfrac{1}{2}(x-5)-2\right\}$ L 이다.

이때 10 L 이상의 물이 남아 있었으므로

$\dfrac{1}{3}(x-5)-2\geq10$

(2) $\dfrac{1}{3}(x-5)-2\geq10$의 양변에 3을 곱하면

$x-5-6\geq30$ $\qquad\therefore x\geq41$

따라서 처음 물탱크에 들어 있는 물의 양은 41 L 이상 이다.

고난도 해결 전략 **1**회			64쪽~67쪽
01 3	**02** 280	**03** ③	**04** 154
05 22, 24, 25	**06** $A=12$, $B=25$		**07** $\dfrac{23}{45}$
08 137	**09** 90	**10** 3	**11** ④
12 24	**13** $\dfrac{9}{16}$	**14** ③	**15** 9
16 $49a^5b$	**17** 40	**18** ②	**19** $16\pi x^3 y^2$

01 전략 분모의 소인수가 2 또는 5 뿐이면 그 분수는 유한소수로 나타낼 수 있다.

구하는 분수를 $\dfrac{a}{35}$라 하면 $\dfrac{1}{7}=\dfrac{5}{35}$, $\dfrac{4}{5}=\dfrac{28}{35}$이므로

$\dfrac{a}{35}=\dfrac{a}{5\times7}$가 유한소수가 되려면 a는 $5<a<28$인 7의 배수이어야 한다.

따라서 구하는 분수는 $\dfrac{7}{35}$, $\dfrac{14}{35}$, $\dfrac{21}{35}$의 3개이다.

02 전략 (타율)$=\dfrac{(안타 수)}{(타수)}$이므로 신수의 타율을 기약분수로 바꾼 후 순환소수로 나타낸다.

신수의 타율은 $\dfrac{20}{65}=\dfrac{4}{13}=0.\dot{3}0769\dot{2}$이므로 순환마디의 숫자는 6개이고 $63=6\times10+3$이므로 순환마디 3, 0, 7, 6, 9, 2가 10번 반복되고 3, 0, 7이 남는다.

따라서 구하는 합은

$10\times(3+0+7+6+9+2)+3+0+7=280$

03 전략 순환마디의 숫자가 6개임을 이용한다.

$\dfrac{3}{7}=0.\dot{4}2857\dot{1}$이므로 순환마디의 숫자는 6개이다.

㉠ $20=6\times3+2$이므로 소수점 아래 20번째 자리의 숫자는 순환마디의 2번째 숫자인 2와 같다.

$\quad\therefore f(20)=2$

㉡ 순환마디의 숫자가 4, 2, 8, 5, 7, 1이므로 $f(n)=3$을 만족시키는 자연수 n은 없다.

㉢ $43=6\times7+1$이므로 소수점 아래 43번째 자리의 숫자는 순환마디의 1번째 숫자인 4와 같다.

$\quad\therefore f(43)=4$

같은 방법으로

$44 = 6 \times 7 + 2,\ 45 = 6 \times 7 + 3,\ 46 = 6 \times 7 + 4,$

$47 = 6 \times 7 + 5,\ 48 = 6 \times 8$이므로

$f(44) = 2,\ f(45) = 8,\ f(46) = 5,\ f(47) = 7,\ f(48) = 1$

$\therefore f(43) + f(44) + f(45) + f(46) + f(47) + f(48)$

$\qquad = 4 + 2 + 8 + 5 + 7 + 1 = 27$

따라서 옳은 것은 ㉡, ㉢이다.

04 전략 $1.\dot{2}\dot{7}$을 기약분수로 바꾼 후 $1.\dot{2}\dot{7} \times A$가 어떤 자연수의 제곱이 되도록 하는 A의 값을 구한다.

$1.\dot{2}\dot{7} = \dfrac{127 - 1}{99} = \dfrac{126}{99} = \dfrac{14}{11} = \dfrac{2 \times 7}{11}$이므로

$\dfrac{2 \times 7}{11} \times A$가 어떤 자연수의 제곱이 되려면 A는

$2 \times 7 \times 11 \times (\text{자연수})^2$의 꼴이어야 한다.

따라서 가장 작은 자연수 A는

$2 \times 7 \times 11 = 154$

05 $\dfrac{33}{40 \times x} = \dfrac{3 \times 11}{2^3 \times 5 \times x}$이 유한소수가 되려면 분모의 소인

수가 2 또는 5로만 이루어져야 한다.

이때 x는 $20 < x < 30$이므로 x의 값은 22, 24, 25이다.

06 전략 150을 소인수분해하여 $150 = 2 \times 3 \times 5^2$임을 이용한다.

$\dfrac{A}{150} = \dfrac{A}{2 \times 3 \times 5^2}$이므로 $\dfrac{A}{150}$가 유한소수가 되려면 A

는 3의 배수이어야 한다.

이때 $10 < A < 20$이므로

$A = 12$ 또는 $A = 15$ 또는 $A = 18$

$\dfrac{12}{150} = \dfrac{2}{25},\ \dfrac{15}{150} = \dfrac{1}{10},\ \dfrac{18}{150} = \dfrac{3}{25}$이므로

$A = 12,\ B = 25$

07 전략 $0.\dot{a}\dot{b}$를 분수로 바꾸어 $\dfrac{5}{33}$와 비교하여 $a,\ b$의 값을 구한다.

$0.\dot{a}\dot{b} = \dfrac{10a + b}{99}$이고 $\dfrac{5}{33} = \dfrac{15}{99}$이므로

$\dfrac{10a + b}{99} = \dfrac{15}{99}$ $\qquad \therefore 10a + b = 15$

이때 $a,\ b$는 한 자리의 자연수이므로

$a = 1,\ b = 5$

$\therefore 0.\dot{b}\dot{a} = 0.5\dot{1} = \dfrac{51 - 5}{90} = \dfrac{46}{90} = \dfrac{23}{45}$

08 전략 $2 + \dfrac{4}{10^2} + \dfrac{4}{10^3} + \dfrac{4}{10^4} + \cdots$을 순환소수로 나타낸 후 이

순환소수를 기약분수로 나타낸다.

$2 + \dfrac{4}{10^2} + \dfrac{4}{10^3} + \dfrac{4}{10^4} + \cdots$

$= 2.0444\cdots = 2.0\dot{4}$

$= \dfrac{204 - 20}{90} = \dfrac{184}{90} = \dfrac{92}{45}$

따라서 $a = 92,\ b = 45$이므로

$a + b = 92 + 45 = 137$

09 전략 바르게 곱한 수와 잘못 곱한 수의 차를 구한다.

$6.2\dot{5}A - 6.25A = 0.5$에서

$\dfrac{625 - 62}{90}A - \dfrac{625}{100}A = \dfrac{5}{10}$

$\dfrac{563}{90}A - \dfrac{25}{4}A = \dfrac{1}{2}$

$\dfrac{1}{180}A = \dfrac{1}{2}$ $\qquad \therefore A = 90$

10 $\dfrac{1}{6} < 0.\dot{x} < \dfrac{1}{2}$에서 $\dfrac{1}{6} < \dfrac{x}{9} < \dfrac{1}{2}$

$\dfrac{3}{18} < \dfrac{2x}{18} < \dfrac{9}{18}$이므로

$3 < 2x < 9$ $\qquad \therefore \dfrac{3}{2} < x < \dfrac{9}{2}$

따라서 부등식을 만족시키는 자연수 x는 2, 3, 4의 3개이다.

11 전략 $0.a\dot{b} = \dfrac{10a + b - a}{90}$로 계산한다.

$0.a\dot{b} + 0.b\dot{a} = \dfrac{1}{3}$에서

$\dfrac{10a + b - a}{90} + \dfrac{10b + a - b}{90} = \dfrac{1}{3}$

$9a + b + 9b + a = 30$

$10a + 10b = 30$

$\therefore a + b = 3$

12 전략 144를 소인수분해하여 $144 = 2^4 \times 3^2$임을 이용한다.

$144 = 2^4 \times 3^2$이므로

$144^4 = (2^4 \times 3^2)^4 = 2^{16} \times 3^8$

따라서 $a = 16,\ b = 8$이므로

$a + b = 16 + 8 = 24$

13 [전략] $9=3^2$, $8=2^3$임을 이용한다.

(주어진 식)

$= \dfrac{2^3 \times 2}{9^2 \times 3} \times \dfrac{3^6 \times 3}{8^2 \times 4} = \dfrac{2^3 \times 2}{(3^2)^2 \times 3} \times \dfrac{3^6 \times 3}{(2^3)^2 \times 2^2}$

$= \dfrac{2^3 \times 2}{3^4 \times 3} \times \dfrac{3^6 \times 3}{2^6 \times 2^2} = \dfrac{2^4}{3^5} \times \dfrac{3^7}{2^8}$

$= \dfrac{3^2}{2^4} = \dfrac{9}{16}$

14 $96 = 2^5 \times 3$이므로

$96^3 = (2^5 \times 3)^3 = 2^{15} \times 3^3$

$\quad = (2^3)^5 \times 3 \times 3^2$

$\quad = a^5 \times 3 \times b$

$\quad = 3a^5b$

15 [전략] 2와 5의 거듭제곱을 같은 지수로 묶어 $a \times 10^k$ (a, k는 자연수)의 꼴로 나타낸다.

$20^4 \times 5^5 = (2^2 \times 5)^4 \times 5^5 = 2^8 \times 5^4 \times 5^5$

$\quad\quad\quad = 2^8 \times 5^9 = 5 \times 2^8 \times 5^8$

$\quad\quad\quad = 5 \times (2 \times 5)^8 = 5 \times 10^8$

따라서 $20^4 \times 5^5$은 9자리의 자연수이므로 $n = 9$

16 어떤 식을 A로 놓으면

$(-14a^3b^2) \div A = 4ab^3$에서

$(-14a^3b^2) \times \dfrac{1}{A} = 4ab^3$

$\therefore A = (-14a^3b^2) \div 4ab^3$

$\quad = (-14a^3b^2) \times \dfrac{1}{4ab^3} = -\dfrac{7a^2}{2b}$

따라서 바르게 계산한 식은

$(-14a^3b^2) \times \left(-\dfrac{7a^2}{2b}\right) = 49a^5b$

17 [전략] $\div(-xy^2)^B = \div(-1)^B x^B y^{2B} = \times \dfrac{1}{(-1)^B x^B y^{2B}}$임을 이용한다.

$x^A y^3 \div (-xy^2)^B \times (2xy)^2$

$= x^A y^3 \div (-1)^B x^B y^{2B} \times 4x^2 y^2$

$= x^A y^3 \times \dfrac{1}{(-1)^B x^B y^{2B}} \times 4x^2 y^2$

$= \dfrac{4}{(-1)^B} \times x^{A-B+2} \times y^{5-2B}$

이때 $\dfrac{4}{(-1)^B} = C$, $A - B + 2 = 5$, $5 - 2B = 1$에서

$A = 5$, $B = 2$, $C = 4$

$\therefore ABC = 5 \times 2 \times 4 = 40$

18 [전략] 원기둥 모양의 그릇의 부피와 원뿔 모양의 그릇의 부피는 서로 같다.

(원기둥 모양의 그릇의 부피) $= \pi \times (2r)^2 \times 4h$

$\quad\quad\quad\quad\quad\quad\quad\quad = \pi \times 4r^2 \times 4h$

$\quad\quad\quad\quad\quad\quad\quad\quad = 16\pi r^2 h$

(원뿔 모양의 그릇의 부피) $= \dfrac{1}{3} \times \pi \times (3r)^2 \times (높이)$

$\quad\quad\quad\quad\quad\quad\quad\quad = \dfrac{1}{3} \times \pi \times 9r^2 \times (높이)$

$\quad\quad\quad\quad\quad\quad\quad\quad = 3\pi r^2 \times (높이)$

원기둥 모양의 그릇의 부피와 원뿔 모양의 그릇의 부피가 서로 같으므로

$16\pi r^2 h = 3\pi r^2 \times (높이)$

$\therefore (높이) = \dfrac{16\pi r^2 h}{3\pi r^2} = \dfrac{16}{3} h$

19 [전략] $\angle C = 90°$인 직각삼각형 ABC를 선분 AC를 축으로 하여 1회전시킬 때 생기는 회전체는 원뿔이다.

$\angle C = 90°$인 직각삼각형 ABC를 선분 AC를 축으로 하여 1회전시킬 때 생기는 회전체는 오른쪽 그림과 같다.

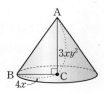

$\therefore (부피) = \dfrac{1}{3} \times \pi \times (4x)^2 \times 3xy^2$

$\quad\quad\quad = \dfrac{1}{3} \times \pi \times 16x^2 \times 3xy^2$

$\quad\quad\quad = 16\pi x^3 y^2$

고난도 해결 전략 2회 | 68쪽~71쪽

01 $2x^2 - 6$	**02** ①	**03** $5a^2b - ab^2$	**04** $\dfrac{3}{2}a$
05 ⑤	**06** ⑤	**07** $x \le \dfrac{15}{4}$	**08** 1
09 ②	**10** $\dfrac{4}{5}$	**11** ①	**12** 4개
13 ③	**14** 31개월	**15** 13개	**16** ④
17 ①			

01

$(x^2-5)+㉠+(2x^2+x-3)=3x^2+3x-6$에서
$3x^2+x-8+㉠=3x^2+3x-6$이므로
$㉠=(3x^2+3x-6)-(3x^2+x-8)$
$\quad=3x^2+3x-6-3x^2-x+8=2x+2$
$(x^2-5)+㉡+(x^2+2x+1)=3x^2+3x-6$에서
$2x^2+2x-4+㉡=3x^2+3x-6$이므로
$㉡=(3x^2+3x-6)-(2x^2+2x-4)$
$\quad=3x^2+3x-6-2x^2-2x+4=x^2+x-2$
$㉠+㉡+A=3x^2+3x-6$에서
$(2x+2)+(x^2+x-2)+A=3x^2+3x-6$
$x^2+3x+A=3x^2+3x-6$
$\therefore A=(3x^2+3x-6)-(x^2+3x)$
$\quad=3x^2+3x-6-x^2-3x$
$\quad=2x^2-6$

02 $-4x\times(A+2x-4)=4x^2-8xy-12x$에서
$A+2x-4=(4x^2-8xy-12x)\div(-4x)$
$\qquad=\dfrac{4x^2-8xy-12x}{-4x}$
$\qquad=-x+2y+3$
$\therefore A=(-x+2y+3)-(2x-4)$
$\quad=-x+2y+3-2x+4$
$\quad=-3x+2y+7$

03 전략 (사다리꼴의 넓이)
$\qquad=\dfrac{1}{2}\times\{(윗변의 길이)+(아랫변의 길이)\}\times(높이)$
임을 이용한다.
$\dfrac{1}{2}\times\{(윗변의 길이)+3ab^2\}\times2ab=5a^3b^2+2a^2b^3$에서
$(윗변의 길이)+3ab^2=\dfrac{5a^3b^2+2a^2b^3}{ab}=5a^2b+2ab^2$
$\therefore (윗변의 길이)=5a^2b+2ab^2-3ab^2$
$\qquad=5a^2b-ab^2$

04 전략 각각의 직육면체의 부피를 이용하여 높이를 구한다.
$2a\times2\times(큰 직육면체의 높이)=2a^2+4ab$에서
$4a\times(큰 직육면체의 높이)=2a^2+4ab$
$\therefore (큰 직육면체의 높이)=\dfrac{2a^2+4ab}{4a}$
$\qquad=\dfrac{1}{2}a+b$
$a\times2\times(작은 직육면체의 높이)=2a^2-2ab$에서
$2a\times(작은 직육면체의 높이)=2a^2-2ab$
$\therefore (작은 직육면체의 높이)=\dfrac{2a^2-2ab}{2a}=a-b$
$\therefore h=(큰 직육면체의 높이)+(작은 직육면체의 높이)$
$\quad=\left(\dfrac{1}{2}a+b\right)+(a-b)$
$\quad=\dfrac{3}{2}a$

05 전략 $a>b>0$이고 $c<0$이면 $c<a<b$이다.
① $a>0$, $b>0$이므로 $\dfrac{a}{b}>0$
$\quad a>0$, $c<0$이므로 $\dfrac{a}{c}<0$
$\quad\therefore \dfrac{a}{b}>\dfrac{a}{c}$
② $a>b$이므로 $\dfrac{1}{7}a>\dfrac{1}{7}b$
③ $a>b$이고 $b>0$이므로 $a>b$의 양변에 b를 곱하면
$\quad ab>b^2$ $\quad\therefore ab-c>b^2-c$
④ $a>b$이므로 $2a>2b$
$\quad\therefore 2a-5>2b-5$
⑤ $a>b$이므로 $-4a<-4b$
$\quad\therefore -4a+3<-4b+3$
따라서 부등호의 방향이 나머지 넷과 다른 하나는 ⑤이다.

06 전략 부등식의 모든 항을 좌변으로 이항하여 정리하였을 때 좌변이 x에 대한 일차식이면 이 부등식은 일차부등식이다.
$3x-5\leq ax+1-8x$에서
$(3-a+8)x-5-1\leq0$
$(11-a)x-6\leq0$
이 부등식이 x에 대한 일차부등식이 되려면
$11-a\neq0$ $\quad\therefore a\neq11$

07 전략 일차부등식의 계수를 모두 분수로 바꾸어 일차부등식을 푼다.

$2(0.3x-0.5)\leq0.\dot{3}$에서

$0.6x-1\leq\dfrac{1}{3}x$

$\dfrac{3}{5}x-1\leq\dfrac{1}{3}x$

양변에 15를 곱하면

$9x-15\leq5x$

$4x\leq15$ $\therefore x\leq\dfrac{15}{4}$

08 전략 주어진 해가 $x\leq4$임을 이용한다.

$\dfrac{4x-1}{3}+a\leq x+2$의 양변에 3을 곱하면

$4x-1+3a\leq3x+6$ $\therefore x\leq7-3a$

이때 해가 $x\leq4$이므로

$7-3a=4$

$-3a=-3$ $\therefore a=1$

09 전략 $a<1$에서 $a-1<0$이므로 부등호의 방향에 주의한다.

$ax+1<x-3a+4$에서

$ax-x<-3a+3$

$(a-1)x<-3(a-1)$ …… ㉠

이때 $a-1<0$이므로 ㉠의 양변을 $a-1$로 나누면

$x>\dfrac{-3(a-1)}{a-1}$ $\therefore x>-3$

10 전략 $7x+8>5x-2$의 해를 먼저 구한다.

$7x+8>5x-2$에서

$2x>-10$ $\therefore x>-5$

$ax-4<x-3$에서

$(a-1)x<1$ …… ㉠

이때 해가 $x>-5$이므로 $a-1<0$

㉠의 양변을 $a-1$로 나누면 $x>\dfrac{1}{a-1}$

즉 $\dfrac{1}{a-1}=-5$이므로

$-5a+5=1$

$-5a=-4$ $\therefore a=\dfrac{4}{5}$

11 $1-\dfrac{3-x}{2}\geq2x+a$의 양변에 2를 곱하면

$2-(3-x)\geq4x+2a$

$2-3+x\geq4x+2a$

$-3x\geq2a+1$ $\therefore x\leq-\dfrac{2a+1}{3}$

이 부등식을 만족시키는 자연수 x가 존재하지 않으려면 오른쪽 그림과 같아야 하므로

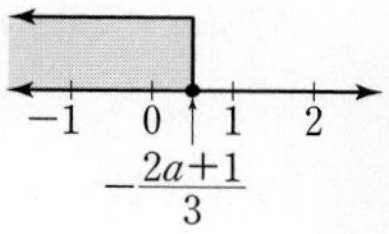

$-\dfrac{2a+1}{3}<1$

$-2a-1<3$

$-2a<4$ $\therefore a>-2$

12 전략 수지가 준기에게 사탕을 x개 준다면 수지가 가지고 있는 사탕은 $(35-x)$개이고 준기가 가지고 있는 사탕은 $(6+x)$개이다.

수지가 준기에게 사탕을 x개 준다고 하면

$35-x>3(6+x)$

$35-x>18+3x$

$-4x>-17$ $\therefore x<\dfrac{17}{4}$

따라서 수지는 준기에게 사탕을 최대 4개까지 줄 수 있다.

13 전략 가은이와 나은이가 지금까지 소모한 열량을 먼저 구한다.

가은이는 10분 동안 수영을 하였으므로 소모한 열량은

$85\times10=850\,(\text{kcal})$

나은이는 5분 동안 줄넘기를 하였으므로 소모한 열량은

$90\times5=450\,(\text{kcal})$

x분 후부터 나은이가 소모한 열량이 가은이가 소모한 열량보다 커진다고 하면

$850+85x<450+90x$

$-5x<-400$ $\therefore x>80$

따라서 나은이가 소모한 열량이 가은이가 소모한 열량보다 커지는 것은 80분 후부터이다.

14 전략 (공기청정기를 구입하여 x개월 사용한 비용)

$=400000+12000x$이고

(공기청정기를 대여하여 x개월 사용한 비용)

$=25000x$이다.

공기청정기를 구입하여 x개월 사용한다고 하면

$400000+12000x<25000x$

$-13000x<-400000$ $\therefore x>\dfrac{400}{13}$

따라서 공기청정기를 구입해서 31개월 이상 사용해야 대여하는 것보다 유리하다.

15 [전략] 5000원인 학용품의 5 % 할인된 판매 가격은

$5000 \times \left(1 - \dfrac{5}{100}\right)$원이다.

학용품을 x개 구입한다고 하면

$5000 \times \dfrac{95}{100} \times x < 5000x - 3000$

$4750x < 5000x - 3000$

$-250x < -3000$

$\therefore x > 12$

따라서 학용품을 13개 이상 구입해야 A 쿠폰을 사용하는 것이 더 유리하다.

> '유리하다.'는 '가격이 더 싸다.'이므로
> (A 쿠폰으로 산 경우) < (B 쿠폰으로 산 경우)
> 로 부등식을 세우도록 해.

16 [전략] 처음에 병에 들어 있던 음료수의 양을 x mL라 하면
(남아있는 양) $= x -$ (마신 양)이다.

처음에 병에 들어 있던 음료수의 양을 x mL라 하면 형이 $\dfrac{1}{3}$을 마셨으므로 남아 있는 양은 $\dfrac{2}{3}x$ mL이다.

동생은 남아 있는 양의 $\dfrac{1}{5}$을 마셨으므로 남아 있는 양은

$\dfrac{2}{3}x \times \dfrac{4}{5} = \dfrac{8}{15}x$ (mL)

이때 마지막에 남아 있는 음료수의 양이 320 mL 이상이므로

$\dfrac{8}{15}x \geq 320$ $\therefore x \geq 600$

따라서 처음에 병에 들어 있던 음료수의 양은 최소 600 mL 이상이다.

[다른 풀이]

$x - \left\{\dfrac{1}{3}x + \left(\dfrac{2}{3}x \times \dfrac{1}{5}\right)\right\} \geq 320$

$x - \left(\dfrac{1}{3}x + \dfrac{2}{15}x\right) \geq 320$

$x - \dfrac{7}{15}x \geq 320$

$\dfrac{8}{15}x \geq 320$ $\therefore x \geq 600$

17 [전략] 약속 장소가 집에서부터 x km 이내라고 하면 집에서 약속 장소까지 $\dfrac{1}{3}$이 되는 지점은 $\dfrac{1}{3}x$ km이다.

약속시간은 9시이고 8시 25분에 집을 나왔으므로 준서는 약속시간보다 35분 전에 집에서 나왔다.

이때 약속 장소가 집에서부터 x km 이내에 있다고 하면

$\dfrac{\frac{x}{3}}{4} + \dfrac{\frac{x}{3}}{5} + \dfrac{5}{60} + \dfrac{x}{5} \leq \dfrac{35}{60}$

$\dfrac{x}{12} + \dfrac{x}{15} + \dfrac{x}{5} \leq \dfrac{1}{2}$

$\dfrac{21}{60}x \leq \dfrac{1}{2}$ $\therefore x \leq \dfrac{10}{7}$

따라서 약속 장소는 집에서부터 $\dfrac{10}{7}$ km 이내에 있다.

정답과 풀이

1주 연립방정식

01 ③	**02** ⑤	**03** ④	**04** ④
05 ④			
06 (1) $x=-2, y=4$	(2) $x=2, y=1$	(3) $x=2, y=0$	
07 $x=1, y=2$		**08** ②	**09** 16
10 47	**11** ①	**12** 6마리	**13** 7개
14 35살	**15** ②	**16** 3 km	

01 ① $2x+5=8$에서 $2x-3=0$

→ 미지수가 1개인 일차방정식

> 미지수가 2개인지, 미지수의 차수가 1인지 확인해!

② 미지수가 2개인 일차식이다.

③ $3x=2y+5$에서 $3x-2y-5=0$

→ 미지수가 2개인 일차방정식

④ $x^2=1-2y$에서 $x^2+2y-1=0$

→ 미지수는 2개이지만 차수가 1이 아니므로 일차방정식이 아니다.

⑤ $5x+15=-x-3$에서 $6x+18=0$

→ 미지수가 1개인 일차방정식

따라서 미지수가 2개인 일차방정식인 것은 ③이다.

02 주어진 순서쌍을 $3x+y=15$에 각각 대입하면

① $3\times1+12=15$

② $3\times2+9=15$

③ $3\times3+6=15$

④ $3\times4+3=15$

⑤ $3\times5+1\neq15$

따라서 일차방정식 $3x+y=15$의 해가 아닌 것은 ⑤이다.

03 ④ $x=-2, y=-1$을 $\begin{cases} 2x+3y=-7 \\ -x+y=1 \end{cases}$에 대입하면

$\begin{cases} 2\times(-2)+3\times(-1)=-7 \\ -(-2)+(-1)=1 \end{cases}$

04 $\begin{cases} x=3y & \cdots\cdots ㉠ \\ 2x+y=14 & \cdots\cdots ㉡ \end{cases}$

㉠을 ㉡에 대입하면

$2\times3y+y=14,\ 7y=14$ $\therefore y=2$

$y=2$를 ㉠에 대입하면

$x=3\times2=6$

05 없애려는 미지수 y의 계수의 절댓값이 같아지도록 ㉠, ㉡에 각각 4, 3을 곱하면 y의 계수의 부호가 서로 다르므로 두 식을 변끼리 더한다.

따라서 필요한 식은 ④ ㉠$\times4+$㉡$\times3$이다.

06 (1) $\begin{cases} 5x-(x-3y)=4 \\ x+3y=10 \end{cases} \rightarrow \begin{cases} 4x+3y=4 & \cdots\cdots ㉠ \\ x+3y=10 & \cdots\cdots ㉡ \end{cases}$

㉠$-$㉡을 하면

$3x=-6$ $\therefore x=-2$

$x=-2$를 ㉡에 대입하면

$-2+3y=10,\ 3y=12$ $\therefore y=4$

(2) $\begin{cases} 0.1x+0.3y=0.5 & \cdots\cdots ㉠ \\ 0.2x+0.1y=0.5 & \cdots\cdots ㉡ \end{cases}$

㉠$\times10$을 하면 $x+3y=5$ $\cdots\cdots ㉢$

㉡$\times10$을 하면 $2x+y=5$ $\cdots\cdots ㉣$

㉢$-$㉣$\times3$을 하면

$-5x=-10$ $\therefore x=2$

$x=2$를 ㉣에 대입하면

$4+y=5$ $\therefore y=1$

(3) $\begin{cases} \dfrac{1}{2}x-\dfrac{1}{3}y=1 & \cdots\cdots ㉠ \\ \dfrac{1}{5}x+\dfrac{3}{10}y=\dfrac{2}{5} & \cdots\cdots ㉡ \end{cases}$

㉠$\times6$을 하면 $3x-2y=6$ $\cdots\cdots ㉢$

㉡$\times10$을 하면 $2x+3y=4$ $\cdots\cdots ㉣$

㉢$\times3+$㉣$\times2$를 하면

$13x=26$ $\therefore x=2$

$x=2$를 ㉢에 대입하면

$6-2y=6,\ -2y=0$ $\therefore y=0$

07 $\begin{cases} 9x-7y+7=2 \\ x+4y-7=2 \end{cases} \rightarrow \begin{cases} 9x-7y=-5 & \cdots\cdots ㉠ \\ x+4y=9 & \cdots\cdots ㉡ \end{cases}$

㉠$-$㉡$\times9$를 하면

$-43y=-86$ $\therefore y=2$

$y=2$를 ㉡에 대입하면

$x+8=9$ $\therefore x=1$

08 $\begin{cases} ax-4y=b \\ 3x+2y=1 \end{cases} \rightarrow \begin{cases} ax-4y=b & \cdots\cdots ㉠ \\ -6x-4y=-2 & \cdots\cdots ㉡ \end{cases}$

이 연립방정식의 해가 없으려면 ㉠, ㉡에서 x의 계수, y의 계수는 각각 같고, 상수항은 달라야 한다.

$\therefore a=-6,\ b\neq-2$

$\dfrac{a}{3}=\dfrac{-4}{2}\neq\dfrac{b}{1}$이어야 하므로

$\dfrac{a}{3}=\dfrac{-4}{2}$에서 $a=-6$

$\dfrac{-4}{2}\neq\dfrac{b}{1}$에서 $b\neq-2$

09 작은 자연수를 x, 큰 자연수를 y라 하면

$\begin{cases}5x=2y+3\\2y=4x+2\end{cases}\rightarrow\begin{cases}5x-2y=3 &\cdots\cdots\ \bigcirc\\-4x+2y=2 &\cdots\cdots\ \bigcirc\!\!\bigcirc\end{cases}$

$\bigcirc+\bigcirc\!\!\bigcirc$을 하면 $x=5$

$x=5$를 $\bigcirc\!\!\bigcirc$에 대입하면

$-20+2y=2,\ 2y=22 \qquad \therefore y=11$

따라서 작은 자연수는 5, 큰 자연수는 11이므로 두 자연수의 합은

$5+11=16$

10 처음 수의 십의 자리의 숫자를 x, 일의 자리의 숫자를 y라 하면

$\begin{cases}x+y=11\\10y+x=(10x+y)+27\end{cases}\rightarrow\begin{cases}x+y=11 &\cdots\cdots\ \bigcirc\\-x+y=3 &\cdots\cdots\ \bigcirc\!\!\bigcirc\end{cases}$

$\bigcirc+\bigcirc\!\!\bigcirc$을 하면

$2y=14 \qquad \therefore y=7$

$y=7$을 $\bigcirc$에 대입하면

$x+7=11 \qquad \therefore x=4$

따라서 처음 수는 47이다.

11 사과 한 개의 가격을 x원, 바나나 한 개의 가격을 y원이라 하면

$\begin{cases}2x+3y=3000 &\cdots\cdots\ \bigcirc\\8x+5y=9200 &\cdots\cdots\ \bigcirc\!\!\bigcirc\end{cases}$

$\bigcirc\times4-\bigcirc\!\!\bigcirc$을 하면

$7y=2800 \qquad \therefore y=400$

$y=400$을 $\bigcirc$에 대입하면

$2x+1200=3000,\ 2x=1800 \qquad \therefore x=900$

따라서 바나나 한 개의 가격은 400원이다.

12 새가 x마리, 강아지가 y마리 있다고 하면

$\begin{cases}x+y=11 &\cdots\cdots\ \bigcirc\\2x+4y=32 &\cdots\cdots\ \bigcirc\!\!\bigcirc\end{cases}$

$\bigcirc\times2-\bigcirc\!\!\bigcirc$을 하면

$-2y=-10 \qquad \therefore y=5$

$y=5$를 $\bigcirc$에 대입하면

$x+5=11 \qquad \therefore x=6$

따라서 새는 6마리 있다.

13 상현이가 넣은 2점짜리 슛을 x개, 3점짜리 슛을 y개라 하면

$\begin{cases}x+y=12 &\cdots\cdots\ \bigcirc\\2x+3y=31 &\cdots\cdots\ \bigcirc\!\!\bigcirc\end{cases}$

$\bigcirc\times3-\bigcirc\!\!\bigcirc$을 하면 $x=5$

$x=5$를 $\bigcirc$에 대입하면

$5+y=12 \qquad \therefore y=7$

따라서 상현이가 넣은 3점짜리 슛은 7개이다.

14 현재 삼촌의 나이를 x살, 조카의 나이를 y살이라 하면

$\begin{cases}x+y=42\\x+7=3(y+7)\end{cases}\rightarrow\begin{cases}x+y=42 &\cdots\cdots\ \bigcirc\\x-3y=14 &\cdots\cdots\ \bigcirc\!\!\bigcirc\end{cases}$

$\bigcirc-\bigcirc\!\!\bigcirc$을 하면

$4y=28 \qquad \therefore y=7$

$y=7$을 $\bigcirc$에 대입하면

$x+7=42 \qquad \therefore x=35$

따라서 현재 삼촌의 나이는 35살이다.

15 직사각형의 가로의 길이를 $x\ \text{cm}$, 세로의 길이를 $y\ \text{cm}$라 하면

$\begin{cases}2(x+y)=44\\x=4y-3\end{cases}\rightarrow\begin{cases}x+y=22 &\cdots\cdots\ \bigcirc\\x=4y-3 &\cdots\cdots\ \bigcirc\!\!\bigcirc\end{cases}$

$\bigcirc\!\!\bigcirc$을 $\bigcirc$에 대입하면

$(4y-3)+y=22,\ 5y=25 \qquad \therefore y=5$

$y=5$를 $\bigcirc\!\!\bigcirc$에 대입하면

$x=4\times5-3=17$

따라서 직사각형의 가로의 길이는 17 cm, 세로의 길이는 5 cm이므로 넓이는

$17\times5=85\ (\text{cm}^2)$

16 A 코스의 거리를 $x\ \text{km}$, B 코스의 거리를 $y\ \text{km}$라 하면

$\begin{cases}x+y=5\\\dfrac{x}{4}+\dfrac{y}{3}=\dfrac{3}{2}\end{cases}\rightarrow\begin{cases}x+y=5 &\cdots\cdots\ \bigcirc\\3x+4y=18 &\cdots\cdots\ \bigcirc\!\!\bigcirc\end{cases}$

→ 양변에 분모의 최소공배수 12를 곱한다.

$\bigcirc\times4-\bigcirc\!\!\bigcirc$을 하면 $x=2$

$x=2$를 $\bigcirc$에 대입하면

$2+y=5 \qquad \therefore y=3$

따라서 B 코스의 거리는 3 km이다.

1일 개념 돌파 전략 2 12쪽~13쪽

1 4개	**2** 23	**3** -17	**4** 0
5 7	**6** 14개	**7** ②	

1 x, y가 음이 아닌 정수이므로
$3x+y=9$의 해는
$(0, 9)$, $(1, 6)$, $(2, 3)$, $(3, 0)$
의 4개이다.

$(4, -3)$은 y의 값이 음수이므로 해가 아니야.

2 $\begin{cases} 2x-3y=1 & \cdots\cdots \text{㉠} \\ x=y+5 & \cdots\cdots \text{㉡} \end{cases}$

㉡을 ㉠에 대입하면
$2(y+5)-3y=1$, $2y+10-3y=1$
$-y=-9$ $\quad \therefore y=9$
$y=9$를 ㉡에 대입하면
$x=9+5=14$
따라서 $a=14$, $b=9$이므로
$a+b=14+9=23$

3 $\begin{cases} 2x-3y=-8 & \cdots\cdots \text{㉠} \\ 3x+4y=5 & \cdots\cdots \text{㉡} \end{cases}$

㉠×3$-$㉡×2를 하면
$-17y=-34$
따라서 a의 값은 -17이다.

4 $\begin{cases} 2x+4y=-3 & \cdots\cdots \text{㉠} \\ 5x-3y=-1 & \cdots\cdots \text{㉡} \end{cases}$

㉠×3$+$㉡×4를 하면
$26x=-13$ $\quad \therefore x=-\dfrac{1}{2}$
$x=-\dfrac{1}{2}$을 ㉠에 대입하면
$-1+4y=-3$, $4y=-2$ $\quad \therefore y=-\dfrac{1}{2}$
따라서 $p=-\dfrac{1}{2}$, $q=-\dfrac{1}{2}$이므로
$p-q=-\dfrac{1}{2}-\left(-\dfrac{1}{2}\right)=0$

5 $x=-2$, $y=1$을 $ax-y=5$에 대입하면
$-2a-1=5$, $-2a=6$ $\quad \therefore a=-3$
$x=-2$, $y=1$을 $3x+by=4$에 대입하면
$-6+b=4$ $\quad \therefore b=10$
$\therefore a+b=-3+10=7$

6 유은이가 맞힌 3점짜리 문제 수를 x개, 4점짜리 문제 수를 y개라 하면
$\begin{cases} x+y=22 & \cdots\cdots \text{㉠} \\ 3x+4y=80 & \cdots\cdots \text{㉡} \end{cases}$
㉠×4$-$㉡을 하면 $x=8$
$x=8$을 ㉠에 대입하면
$8+y=22$ $\quad \therefore y=14$
따라서 유은이가 맞힌 4점짜리 문제는 14개이다.

7 소희가 자전거를 탄 시간을 x분, 줄넘기를 한 시간을 y분이라 하면
$\begin{cases} x+y=95 & \cdots\cdots \text{㉠} \\ 4x+9y=540 & \cdots\cdots \text{㉡} \end{cases}$
㉠×9$-$㉡을 하면
$5x=315$ $\quad \therefore x=63$
$x=63$을 ㉠에 대입하면
$63+y=95$ $\quad \therefore y=32$
따라서 소희가 자전거를 탄 시간은 63분, 줄넘기를 한 시간은 32분이므로 그 차는
$63-32=31$(분)

2일 필수 체크 전략 1 14쪽~17쪽

1-1 ①	**1-2** ④	**2-1** ⑤	**2-2** ③
3-1 7	**3-2** -12	**4-1** 9	**5-1** 3
6-1 ⑤	**7-1** $\dfrac{1}{2}$	**7-2** $x=2$, $y=-2$	
8-1 ①, ⑤			

1-1 $x=3$, $y=2$를 $2x+ay=12$에 대입하면
$6+2a=12$, $2a=6$ $\quad \therefore a=3$
$x=-3$, $y=b$를 $2x+3y=12$에 대입하면
$-6+3b=12$, $3b=18$ $\quad \therefore b=6$
$\therefore a-b=3-6=-3$

1-2 $x=-3, y=-4$를 $ax-5y=11$에 대입하면
$-3a+20=11, -3a=-9$ $\therefore a=3$
$x=2$를 $3x-5y=11$에 대입하면
$6-5y=11, -5y=5$ $\therefore y=-1$

2-1 $\begin{cases} 2x+y=9 & \cdots\cdots \text{㉠} \\ -2x+3y=3 & \cdots\cdots \text{㉡} \end{cases}$
㉠＋㉡을 하면
$4y=12$ $\therefore y=3$
$y=3$을 ㉠에 대입하면
$2x+3=9, 2x=6$ $\therefore x=3$
$x=3, y=3$을 $ax-3y=6$에 대입하면
$3a-9=6, 3a=15$ $\therefore a=5$

2-2 $\begin{cases} 3x-2y=4 & \cdots\cdots \text{㉠} \\ 5x+2y=12 & \cdots\cdots \text{㉡} \end{cases}$
㉠＋㉡을 하면
$8x=16$ $\therefore x=2$
$x=2$를 ㉡에 대입하면
$10+2y=12, 2y=2$ $\therefore y=1$
$x=2, y=1$을 $x+3ay=5$에 대입하면
$2+3a=5, 3a=3$ $\therefore a=1$

3-1 $\begin{cases} x-4y=-18 & \cdots\cdots \text{㉠} \\ ax-3y=-1 & \cdots\cdots \text{㉡} \end{cases}$
x의 값이 y의 값보다 3만큼 작으므로
$x=y-3$ $\cdots\cdots \text{㉢}$
㉢을 ㉠에 대입하면
$(y-3)-4y=-18, -3y=-15$ $\therefore y=5$
$y=5$를 ㉢에 대입하면
$x=5-3=2$
$x=2, y=5$를 ㉡에 대입하면
$2a-15=-1, 2a=14$ $\therefore a=7$

3-2 $\begin{cases} x+ay=-10 & \cdots\cdots \text{㉠} \\ 2x-y=3 & \cdots\cdots \text{㉡} \end{cases}$
$x:y=2:1$에서 $x=2y$ $\cdots\cdots \text{㉢}$
㉢을 ㉡에 대입하면
$4y-y=3, 3y=3$ $\therefore y=1$
$y=1$을 ㉢에 대입하면 $x=2$

> $a:b=c:d$에서 $ad=bc$야.

4-1 $x=2, y=1$을 ㉠에 대입하면
$2+a=-10$ $\therefore a=-12$

$\begin{cases} 5x+3y=7 & \cdots\cdots \text{㉠} \\ 4x-7y=15 & \cdots\cdots \text{㉡} \end{cases}$
㉠×7＋㉡×3을 하면
$47x=94$ $\therefore x=2$
$x=2$를 ㉠에 대입하면
$10+3y=7, 3y=-3$ $\therefore y=-1$
$x=2, y=-1$을 $ax-5y=13$에 대입하면
$2a+5=13, 2a=8$ $\therefore a=4$
$x=2, y=-1$을 $4x-2by=-2$에 대입하면
$8+2b=-2, 2b=-10$ $\therefore b=-5$
$\therefore a-b=4-(-5)=9$

5-1 a, b를 바꾸면 $\begin{cases} bx+ay=2 \\ ax+by=-10 \end{cases}$
$x=-4, y=2$를 바꾼 식에 대입하면
$\begin{cases} 2a-4b=2 \\ -4a+2b=-10 \end{cases} \Rightarrow \begin{cases} a-2b=1 & \cdots\cdots \text{㉠} \\ -2a+b=-5 & \cdots\cdots \text{㉡} \end{cases}$
㉠＋㉡×2를 하면
$-3a=-9$ $\therefore a=3$
$a=3$을 ㉡에 대입하면
$-6+b=-5$ $\therefore b=1$
$\therefore ab=3\times1=3$

6-1 $\begin{cases} 4x-2(x+y)=6 \\ 3x+4(x-y)=27 \end{cases} \Rightarrow \begin{cases} x-y=3 & \cdots\cdots \text{㉠} \\ 7x-4y=27 & \cdots\cdots \text{㉡} \end{cases}$
㉠×4－㉡을 하면
$-3x=-15$ $\therefore x=5$
$x=5$를 ㉠에 대입하면
$5-y=3, -y=-2$ $\therefore y=2$
따라서 $m=5, n=2$이므로
$m+n=5+2=7$

7-1 $\begin{cases} 8x+4y-5=2x+3 \\ 7x-4y=2x+3 \end{cases} \Rightarrow \begin{cases} 6x+4y=8 & \cdots\cdots \text{㉠} \\ 5x-4y=3 & \cdots\cdots \text{㉡} \end{cases}$
㉠＋㉡을 하면
$11x=11$ $\therefore x=1$

$x=1$을 ㉠에 대입하면

$6+4y=8$, $4y=2$ ∴ $y=\dfrac{1}{2}$

따라서 $m=1$, $n=\dfrac{1}{2}$이므로

$mn=\dfrac{1}{2}$

7-2 $\begin{cases} \dfrac{x-y}{2}=\dfrac{x-3y}{4} & \cdots\cdots ㉠ \\ x-\dfrac{2+y}{3}=\dfrac{x-3y}{4} & \cdots\cdots ㉡ \end{cases}$

㉠×4, ㉡×12를 하여 정리하면

$\begin{cases} y=-x & \cdots\cdots ㉢ \\ 9x+5y=8 & \cdots\cdots ㉣ \end{cases}$

㉢을 ㉣에 대입하면

$9x-5x=8$, $4x=8$ ∴ $x=2$

$x=2$를 ㉢에 대입하면 $y=-2$

8-1 ① $\begin{cases} -2x+2y=-6 \\ -2x+2y=-6 \end{cases}$ 이므로 해가 무수히 많다.

② $\begin{cases} 2x+6y=12 \\ 2x+6y=9 \end{cases}$ 이므로 해가 없다.

③ $x=1$, $y=-1$이므로 해가 1개이다.

④ $\begin{cases} 4x-8y=4 \\ 4x-8y=2 \end{cases}$ 이므로 해가 없다.

⑤ $\begin{cases} 2x+6y=-8 \\ 2x+6y=-8 \end{cases}$ 이므로 해가 무수히 많다.

따라서 해가 무수히 많은 것은 ①, ⑤이다.

2일 필수 체크 전략 2   18쪽~19쪽

1 ②   **2** ④   **3** -14 **4** 6

5 $x=\dfrac{11}{5}$, $y=-\dfrac{2}{5}$ **6** -2 **7** ⑤

8 ④

---

1 $x=4$, $y=5$를 $ax-5y=-9$에 대입하면

$4a-25=-9$, $4a=16$ ∴ $a=4$

$x=b$, $y=1$을 $4x-5y=-9$에 대입하면

$4b-5=-9$, $4b=-4$ ∴ $b=-1$

∴ $a+b=4+(-1)=3$

---

2 $\begin{cases} x-2y=6 & \cdots\cdots ㉠ \\ x-y=4 & \cdots\cdots ㉡ \end{cases}$

㉠-㉡을 하면

$-y=2$ ∴ $y=-2$

$y=-2$를 ㉡에 대입하면

$x-(-2)=4$ ∴ $x=2$

$x=2$, $y=-2$를 $(3-a)x-2y=0$에 대입하면

$6-2a+4=0$, $-2a=-10$ ∴ $a=5$

---

3 $\begin{cases} x+2y=7 & \cdots\cdots ㉠ \\ 3x-4y=5+a & \cdots\cdots ㉡ \end{cases}$

$x:y=1:3$에서 $y=3x$ $\cdots\cdots ㉢$

㉢을 ㉠에 대입하면

$x+6x=7$, $7x=7$ ∴ $x=1$

$x=1$을 ㉢에 대입하면

$y=3$

$x=1$, $y=3$을 ㉡에 대입하면

$-9=5+a$ ∴ $a=-14$

---

4 $\begin{cases} 3x+y=2 & \cdots\cdots ㉠ \\ 2x+y=3 & \cdots\cdots ㉡ \end{cases}$

㉠-㉡을 하면 $x=-1$

$x=-1$을 ㉠에 대입하면

$-3+y=2$ ∴ $y=5$

$x=-1$, $y=5$를 $-x-by=31$에 대입하면

$1-5b=31$, $-5b=30$ ∴ $b=-6$

$x=-1$, $y=5$, $b=-6$을 $bx+ay=1$에 대입하면

$6+5a=1$, $5a=-5$ ∴ $a=-1$

∴ $ab=-1\times(-6)=6$

> y의 계수의 부호가 같으므로 두 식을 변끼리 빼.

---

5 a, b를 바꾸면 $\begin{cases} bx+ay=5 \\ ax-by=10 \end{cases}$

$x=2$, $y=-1$을 바꾼 식에 대입하면

$\begin{cases} -a+2b=5 & \cdots\cdots ㉠ \\ 2a+b=10 & \cdots\cdots ㉡ \end{cases}$

㉠×2+㉡을 하면

$5b=20$ ∴ $b=4$

$b=4$를 ㉠에 대입하면

$-a+8=5$, $-a=-3$ ∴ $a=3$

> 처음 연립방정식에서 a는 b로, b는 a로 바꾼 것과 같아.

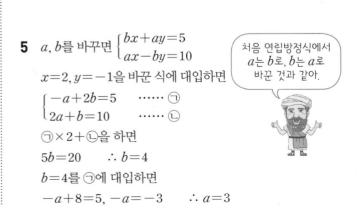

$a=3$, $b=4$를 처음 연립방정식에 대입하면

$$\begin{cases} 3x+4y=5 & \cdots\cdots \ㄷ \\ 4x-3y=10 & \cdots\cdots \ㄹ \end{cases}$$

ㄷ$\times3+$ㄹ$\times4$를 하면

$$25x=55 \qquad \therefore x=\frac{11}{5}$$

$x=\dfrac{11}{5}$을 ㄷ에 대입하면

$$\frac{33}{5}+4y=5, \ 4y=-\frac{8}{5} \qquad \therefore y=-\frac{2}{5}$$

따라서 처음 연립방정식의 해는

$$x=\frac{11}{5}, \ y=-\frac{2}{5}$$

6
$$\begin{cases} \dfrac{3}{4}(2x-1)-\dfrac{1}{2}y=-2 & \cdots\cdots \ ㉠ \\ 0.4(x+2y)-0.3x=-0.5 & \cdots\cdots \ ㉡ \end{cases}$$

㉠$\times4$, ㉡$\times10$을 하여 정리하면

$$\begin{cases} 6x-2y=-5 & \cdots\cdots \ ㉢ \\ x+8y=-5 & \cdots\cdots \ ㉣ \end{cases}$$

㉢$\times4+$㉣을 하면

$$25x=-25 \qquad \therefore x=-1$$

$x=-1$을 ㉣에 대입하면

$$-1+8y=-5, \ 8y=-4 \qquad \therefore y=-\frac{1}{2}$$

따라서 $a=-1$, $b=-\dfrac{1}{2}$이므로

$$a+2b=-1+2\times\left(-\frac{1}{2}\right)=-2$$

7
$$\begin{cases} \dfrac{x+1}{2}+\dfrac{y-1}{3}=1 & \cdots\cdots \ ㉠ \\ \dfrac{x+2}{5}-\dfrac{y+2}{4}=1 & \cdots\cdots \ ㉡ \end{cases}$$

㉠$\times6$, ㉡$\times20$을 하여 정리하면

$$\begin{cases} 3x+2y=5 & \cdots\cdots \ ㉢ \\ 4x-5y=22 & \cdots\cdots \ ㉣ \end{cases}$$

㉢$\times4-$㉣$\times3$을 하면

$$23y=-46 \qquad \therefore y=-2$$

$y=-2$를 ㉢에 대입하면

$$3x-4=5, \ 3x=9 \qquad \therefore x=3$$

따라서 $a=3$, $b=-2$이므로

$$a-b=3-(-2)=5$$

8
$$\begin{cases} ax-(x-5y)=6 \\ 2x+10y=b \end{cases} \rightarrow \begin{cases} (a-1)x+5y=6 \\ 2x+10y=b \end{cases}$$

$$\rightarrow \begin{cases} 2(a-1)x+10y=12 \\ 2x+10y=b \end{cases}$$

해가 무수히 많으므로

$$2(a-1)=2, \ 2a=4 \qquad \therefore a=2$$

또 $b=12$

$$\therefore \frac{b}{a}=\frac{12}{2}=6$$

다른 풀이

$$\begin{cases} (a-1)x+5y=6 \\ 2x+10y=b \end{cases} 에서 \frac{a-1}{2}=\frac{5}{10}=\frac{6}{b}$$ 이어야 한다.

$\dfrac{a-1}{2}=\dfrac{5}{10}$에서 $\dfrac{a-1}{2}=\dfrac{1}{2}$, $a-1=1$ $\qquad \therefore a=2$

$\dfrac{5}{10}=\dfrac{6}{b}$에서 $\dfrac{6}{b}=\dfrac{1}{2}$ $\qquad \therefore b=12$

$$\therefore \frac{b}{a}=\frac{12}{2}=6$$

3일 필수 체크 전략 1　　　　　　　**20쪽~23쪽**

1-1 ④	**2-1** ①	**3-1** 9일	**3-2** 24분
4-1 뛰어간 거리 : 2 km, 걸어간 거리 : 1 km			
4-2 22 km	**5-1** ③	**6-1** 분속 1450 m	
6-2 시속 8 km		**7-1** 200 g	**7-2** ②
8-1 A 식품 : 220 g, B 식품 : 70 g			

1-1 태우가 이긴 횟수를 x회, 예원이가 이긴 횟수를 y회라 하면 태우가 진 횟수는 y회, 예원이가 진 횟수는 x회이므로

$$\begin{cases} 4x-2y=32 \\ 4y-2x=14 \end{cases} \qquad \therefore x=13, \ y=10$$

따라서 태우가 이긴 횟수는 13회이다.

2-1 작년 A, B 두 마을에서 수확한 쌀의 양을 각각 x톤, y톤이라 하면

$$\begin{cases} x+y=360 \\ \dfrac{5}{100}x-\dfrac{3}{100}y=\dfrac{2}{100}\times360 \end{cases} \rightarrow \begin{cases} x+y=360 \\ 5x-3y=720 \end{cases}$$

$$\therefore x=225, \ y=135$$

따라서 올해 B 마을에서 수확한 쌀의 양은

$$135-135\times\frac{3}{100}=135-4.05=130.95 (톤)$$

3-1 전체 일의 양을 1이라 하고, 선영이와 지훈이가 하루 동안에 할 수 있는 일의 양을 각각 x, y라 하면

$$\begin{cases} 2x+5y=1 \\ 3x+3y=1 \end{cases} \quad \therefore x=\frac{2}{9}, y=\frac{1}{9}$$

따라서 지훈이는 하루에 $\frac{1}{9}$만큼의 일을 하므로 혼자 한다면 9일이 걸린다.

3-2 전체 일의 양을 1이라 하고, 혜림이와 하연이가 1분 동안 할 수 있는 일의 양을 각각 x, y라 하면

$$\begin{cases} 15x+15y=1 \\ 18x+10y=1 \end{cases} \quad \therefore x=\frac{1}{24}, y=\frac{1}{40}$$

따라서 혜림이는 하루에 $\frac{1}{24}$만큼의 일을 하므로 혼자 하면 24분이 걸린다.

4-1 수연이가 뛰어간 거리를 x km, 걸어간 거리를 y km라 하면

$$\begin{cases} x+y=3 \\ \dfrac{x}{8}+\dfrac{y}{5}=\dfrac{27}{60} \end{cases} \rightarrow \begin{cases} x+y=3 \\ 5x+8y=18 \end{cases} \quad \therefore x=2, y=1$$

따라서 수연이가 집에서 학교까지 갈 때 뛰어간 거리는 2 km, 걸어간 거리는 1 km이다.

4-2 대희가 자전거를 타고 간 거리를 x km, 걸어간 거리를 y km라 하면

$$\begin{cases} x+y=24 \\ \dfrac{x}{20}+\dfrac{y}{5}=\dfrac{3}{2} \end{cases} \rightarrow \begin{cases} x+y=24 \\ x+4y=30 \end{cases} \quad \therefore x=22, y=2$$

따라서 대희가 자전거를 타고 간 거리는 22 km이다.

5-1 형과 동생이 만날 때까지 걸린 시간을 각각 x분, y분이라 하면

$$\begin{cases} x=y+20 \\ 60x=90y \end{cases} \quad \therefore x=60, y=40$$

따라서 형과 동생이 만날 때까지 걸린 시간은 형이 집을 출발한 지 60분 후이다.

6-1 기차의 길이를 x m, 기차의 속력을 분속 y m라 하면

$$\begin{cases} x+1200=y \\ x+2650=2y \end{cases} \quad \therefore x=250, y=1450$$

따라서 기차의 속력은 분속 1450 m이다.

6-2 정지한 물에서의 배의 속력을 시속 x km, 강물의 속력을 시속 y km라 하면

$$\begin{cases} 5(x-y)=30 \\ 3(x+y)=30 \end{cases} \rightarrow \begin{cases} x-y=6 \\ x+y=10 \end{cases} \quad \therefore x=8, y=2$$

따라서 정지한 물에서의 배의 속력은 시속 8 km이다.

> 정지한 물에서의 배의 속력을 a, 강물의 속력을 b라 하면 강을 거슬러 올라갈 때의 속력은 $a-b$, 강을 따라 내려올 때의 속력은 $a+b$야.

7-1 10 %의 소금물의 양을 x g, 16 %의 소금물의 양을 y g이라 하면

$$\begin{cases} x+y=600 \\ \dfrac{10}{100}x+\dfrac{16}{100}y=\dfrac{12}{100}\times600 \end{cases} \rightarrow \begin{cases} x+y=600 \\ 5x+8y=3600 \end{cases}$$

$$\therefore x=400, y=200$$

따라서 16 %의 소금물은 200 g 섞어야 한다.

7-2 농도가 6 %인 사과 주스의 양을 x g, 10 %인 사과 주스의 양을 y g이라 하면

$$\begin{cases} x+y+200=1200 \\ \dfrac{6}{100}x+\dfrac{10}{100}y=\dfrac{7}{100}\times1200 \end{cases} \rightarrow \begin{cases} x+y=1000 \\ 3x+5y=4200 \end{cases}$$

$$\therefore x=400, y=600$$

따라서 농도가 6 %인 사과 주스의 양은 400 g이다.

8-1 섭취해야 하는 A 식품의 양을 x g, B 식품의 양을 y g이라 하면

$$\begin{cases} \dfrac{8}{100}x+\dfrac{2}{100}y=19 \\ \dfrac{10}{100}x+\dfrac{80}{100}y=78 \end{cases} \rightarrow \begin{cases} 4x+y=950 \\ x+8y=780 \end{cases}$$

$$\therefore x=220, y=70$$

따라서 A 식품은 220 g, B 식품은 70 g을 섭취해야 한다.

3일 **필수 체크 전략 2** 24쪽~25쪽

1 12회 **2** ① **3** 6일 **4** 15 km

5 ④ **6** 6분 **7** 900 m

8 A 식품 : 600 g, B 식품 : 400 g

1 윤서가 이긴 횟수를 x회, 진 횟수를 y회라 하면
은우가 이긴 횟수는 y회, 진 횟수는 x회이므로
$$\begin{cases} 2x-y=12 \\ 2y-x=0 \end{cases} \qquad \therefore x=8,\ y=4$$
따라서 가위바위보는 총 $8+4=12$(회) 하였다.

2 전자패드의 정가를 x원, 전자 펜슬의 정가를 y원이라 하면
$$\begin{cases} x+y=720000 \\ -\dfrac{15}{100}x-\dfrac{10}{100}y=-102000 \end{cases} \rightarrow \begin{cases} x+y=720000 \\ 3x+2y=2040000 \end{cases}$$
$$\therefore x=600000,\ y=120000$$
따라서 전자 펜슬의 정가가 120000원이므로 할인된 전자
펜슬의 가격은
$$120000-120000\times\dfrac{10}{100}=120000-12000=108000(\text{원})$$

3 전체 일의 양을 1이라 하면 아버지와 아들이 하루에 할 수
있는 일의 양은 각각 $\dfrac{1}{8},\ \dfrac{1}{12}$이다. 이때 아버지가 일한 날을
x일, 아들이 일한 날을 y일이라 하면
$$\begin{cases} x+y=10 \\ \dfrac{1}{8}x+\dfrac{1}{12}y=1 \end{cases} \rightarrow \begin{cases} x+y=10 \\ 3x+2y=24 \end{cases} \qquad \therefore x=4,\ y=6$$
따라서 아들이 일한 날은 6일이다.

4 연주가 버스를 타고 간 거리를 x km, 지하철을 타고 간 거
리를 y km라 하면
$$\begin{cases} x+y=20 \\ \dfrac{x}{20}+\dfrac{1}{6}+\dfrac{y}{60}=\dfrac{2}{3} \end{cases} \rightarrow \begin{cases} x+y=20 \\ 3x+y=30 \end{cases}$$
$$\therefore x=5,\ y=15$$
따라서 연주가 지하철을 타고 간 거리는 15 km이다.

5 아인이가 걸은 거리가 a km, 태현이가 걸은 거리가 b km
이므로
$$\begin{cases} a+b=35 \\ \dfrac{a}{4}=\dfrac{b}{6} \end{cases} \rightarrow \begin{cases} a+b=35 \\ 3a=2b \end{cases} \qquad \therefore a=14,\ b=21$$
$$\therefore b-a=21-14=7$$

6 형과 동생이 학교까지 가는데 걸린 시간을 각각 x분, y분이
라 하면
$$\begin{cases} x=y+30 \\ 40x=240y \end{cases} \rightarrow \begin{cases} x=y+30 \\ x=6y \end{cases} \qquad \therefore x=36,\ y=6$$
따라서 동생이 학교까지 가는데 걸린 시간은 6분이다.

7 다리의 길이를 x m, 화물 열차의 속력을 초속 y m라 하면
특급 열차의 속력은 초속 $3y$ m이므로
$$\begin{cases} x+240=57y \\ x+180=18\times3y \end{cases} \rightarrow \begin{cases} x-57y=-240 \\ x-54y=-180 \end{cases}$$
$$\therefore x=900,\ y=20$$
따라서 다리의 길이는 900 m이다.

8 문제의 표에서 주어진 값은 100 g당이므로 A, B 두 식품
의 1 g 속에 들어 있는 단백질의 양과 열량을 나타내면 다
음 표와 같다.

식품	단백질(g)	열량(kcal)
A	$\dfrac{3}{100}$	$\dfrac{60}{100}$
B	$\dfrac{10}{100}$	$\dfrac{105}{100}$

섭취해야 하는 A 식품의 양을 x g, B 식품의 양을 y g이라
하면
$$\begin{cases} \dfrac{3}{100}x+\dfrac{10}{100}y=58 \\ \dfrac{60}{100}x+\dfrac{105}{100}y=780 \end{cases} \rightarrow \begin{cases} 3x+10y=5800 \\ 4x+7y=5200 \end{cases}$$
$$\therefore x=600,\ y=400$$
따라서 섭취해야 할 A 식품의 양은 600 g, B 식품의 양은
400 g이다.

누구나 합격 전략 26쪽~27쪽

01 ④	**02** ①	**03** ③	**04** ②
05 3	**06** 6	**07** ⑤	**08** 5회
09 ③	**10** ③		

01 $x=2,\ y=-1$을 주어진 일차방정식에 각각 대입하면

① $2-2\times(-1)\neq0$

② $2\times2-(-1)\neq3$

③ $2+(-1)\neq-1$

④ $\dfrac{1}{2}\times2-(-1)=2$

⑤ $3\times2+2\times(-1)\neq8$

> 주어진 해를 각 일차방정식에 대입
> 하여 등식이 성립하는 것을 찾아.

따라서 미지수가 2개인 일차방정식 중에서 $(2, -1)$을 해
로 갖는 것은 ④이다.

02 $\begin{cases} x+3y=7 & \cdots\cdots \ ㉠ \\ 4x-y=2 & \cdots\cdots \ ㉡ \end{cases}$

㉠＋㉡×3을 하면

$13x=13$ ∴ $x=1$

$x=1$을 ㉡에 대입하면

$4-y=2,\ -y=-2$ ∴ $y=2$

$x=1,\ y=2$를 $ax+2y=1$에 대입하면

$a+4=1$ ∴ $a=-3$

03 $\begin{cases} ax-y=-5 & \cdots\cdots \ ㉠ \\ -x+y=5 & \cdots\cdots \ ㉡ \end{cases}$

y의 값이 x의 값의 2배이므로 $y=2x$ $\cdots\cdots$ ㉢

㉢을 ㉡에 대입하면

$-x+2x=5$ ∴ $x=5$

$x=5$를 ㉢에 대입하면 $y=10$

$x=5,\ y=10$을 ㉠에 대입하면

$5a-10=-5,\ 5a=5$ ∴ $a=1$

04 $\begin{cases} 2x-y=7 & \cdots\cdots \ ㉠ \\ x+3y=7 & \cdots\cdots \ ㉡ \end{cases}$

㉠×3＋㉡을 하면

$7x=28$ ∴ $x=4$

$x=4$를 ㉡에 대입하면

$4+3y=7,\ 3y=3$ ∴ $y=1$

$x=4,\ y=1$을 $2x+ay=5$에 대입하면

$8+a=5$ ∴ $a=-3$

$x=4,\ y=1$을 $\dfrac{b}{2}x+3y=5$에 대입하면

$2b+3=5,\ 2b=2$ ∴ $b=1$

∴ $a+b=-3+1=-2$

05 $\begin{cases} 0.2x-0.7y=-0.4 \\ \dfrac{1}{3}x-\dfrac{1}{2}y=\dfrac{2}{3} \end{cases} \rightarrow \begin{cases} 2x-7y=-4 & \cdots\cdots \ ㉠ \\ 2x-3y=4 & \cdots\cdots \ ㉡ \end{cases}$

㉠－㉡을 하면

$-4y=-8$ ∴ $y=2$

$y=2$를 ㉡에 대입하면

$2x-6=4,\ 2x=10$ ∴ $x=5$

따라서 $a=5,\ b=2$이므로

$a-b=5-2=3$

06 $\begin{cases} -3x+my=3 \\ 2x-4y=1 \end{cases} \rightarrow \begin{cases} 6x-2my=-6 \\ 6x-12y=3 \end{cases}$ 의 해가 없으려면

$-2m=-12$ ∴ $m=6$

다른 풀이

$\dfrac{-3}{2}=\dfrac{m}{-4}\neq\dfrac{3}{1}$ 이어야 하므로

$\dfrac{-3}{2}=\dfrac{m}{-4}$ 에서 $2m=12$ ∴ $m=6$

07 현민이의 나이를 a살, 쌍둥이 동생들의 나이를 각각 b살, c살이라 하면 $b=c$이므로

$\begin{cases} a=b+5 \\ a+2b=38 \end{cases}$ ∴ $a=16,\ b=11$

따라서 현민이의 나이는 16살이다.

08 나연이가 이긴 횟수를 x회, 진 횟수를 y회라 하면 지수가 이긴 횟수는 y회, 진 횟수는 x회이므로

$\begin{cases} 3x-y=4 \\ 3y-x=12 \end{cases}$ ∴ $x=3,\ y=5$

따라서 지수가 이긴 횟수는 5회이다.

09 작년 축구 동아리 회원 수를 x명, 농구 동아리 회원 수를 y명이라 하면

$\begin{cases} x+y=50 \\ -\dfrac{10}{100}x+\dfrac{30}{100}y=3 \end{cases} \rightarrow \begin{cases} x+y=50 \\ -x+3y=30 \end{cases}$

∴ $x=30,\ y=20$

따라서 올해 축구 동아리 회원 수는

$30-30\times\dfrac{10}{100}=30-3=27$(명)

10 집에서 문구점까지의 거리를 x m, 문구점에서 학교까지의 거리를 y m라 하면

$\begin{cases} \dfrac{x}{50}+5+\dfrac{y}{100}=25 \\ y=x+200 \end{cases} \rightarrow \begin{cases} 2x+y=2000 \\ y=x+200 \end{cases}$

∴ $x=600,\ y=800$

따라서 집에서 문구점까지의 거리는 600 m이다.

28쪽~31쪽

1 장애인 전용 주차 구역 : 2개, 일반 주차 구역 : 4개

2 구 1개의 무게가 정사각뿔 1개의 무게보다 5 g 더 무겁다.

3 (1) $x+3y=12$ (2) $x=3, y=3$

4 성연

5 PEACE

6 도둑의 수 : 13명, 비단의 수 : 84필

7 큰 스님의 수 : 25명, 작은 스님의 수 : 75명

8 남학생 수 : 75명, 여학생 수 : 45명

---

1 전체 폭이 17 m인 주차 구역 안에 장애인 전용 주차 구역을 x개, 일반 주차 구역을 y개 만든다고 하면

$3.5x+2.5y=17$

$\therefore 7x+5y=34$

이때 x, y는 모두 자연수이므로

$x=2, y=4$

따라서 장애인 전용 주차 구역은 2개, 일반 주차 구역은 4개를 만들 수 있다.

2

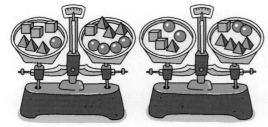

〈그림 1〉 　　　　　〈그림 2〉

〈그림 1〉의 상황을 x, y에 대한 일차방정식으로 나타내면

$x+3y+45=4x+3y+15$

이므로 이 일차방정식을 풀면

$3x=30$ 　　 $\therefore x=10$

또 〈그림 2〉의 상황을 x, y에 대한 일차방정식으로 나타내면

$2x+y+30=2x+4y+15$

이므로 이 일차방정식을 풀면

$3y=15$ 　　 $\therefore y=5$

따라서 구 1개의 무게는 10 g, 정사각뿔 1개의 무게는 5 g이므로 구 1개의 무게가 정사각뿔 1개의 무게보다 5 g 더 무겁다.

3

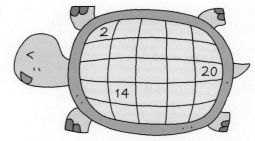

(1) 14는 2에서 오른쪽으로 한 칸, 아래쪽으로 세 칸 움직였으므로

$2+x+3y=14$ 　　 $\therefore x+3y=12$

(2) $\begin{cases} 2x+y=9 & \cdots\cdots ㉠ \\ x+3y=12 & \cdots\cdots ㉡ \end{cases}$

㉠$-$㉡$\times 2$를 하면

$-5y=-15$ 　　 $\therefore y=3$

4 은호 : $\begin{cases} 4x+3y=1 \\ 5x-2=2x-y \end{cases} \rightarrow \begin{cases} 4x+3y=1 & \cdots\cdots ㉠ \\ 3x+y=2 & \cdots\cdots ㉡ \end{cases}$

㉠$-$㉡$\times 3$을 하면

$-5x=-5$ 　　 $\therefore x=1$

$x=1$을 ㉠에 대입하면

$4+3y=1, 3y=-3$ 　　 $\therefore y=-1$

수현 : $\begin{cases} x+2y=-1 & \cdots\cdots ㉠ \\ 2x-y=3 & \cdots\cdots ㉡ \end{cases}$

㉠$+$㉡$\times 2$를 하면

$5x=5$ 　　 $\therefore x=1$

$x=1$을 ㉠에 대입하면

$1+2y=-1, 2y=-2$ 　　 $\therefore y=-1$

성연 : $\begin{cases} x-3y=7 & \cdots\cdots ㉠ \\ 3x+2y=-1 & \cdots\cdots ㉡ \end{cases}$

㉠$\times 3-$㉡을 하면

$-11y=22$ 　　 $\therefore y=-2$

$y=-2$를 ㉠에 대입하면

$x+6=7$ 　　 $\therefore x=1$

따라서 해가 다른 사람은 성연이다.

5 $\begin{cases} x+y=7 \\ x-y=-5 \end{cases}$의 해는 $x=1, y=6$, 즉 $(1, 6)$이므로 P

$\begin{cases} x+y=5 \\ x-y=-5 \end{cases}$의 해는 $x=0, y=5$, 즉 $(0, 5)$이므로 E

$\begin{cases} x+y=1 \\ x-y=-1 \end{cases}$의 해는 $x=0, y=1$, 즉 $(0, 1)$이므로 A

$\begin{cases} x+y=3 \\ x-y=-3 \end{cases}$ 의 해는 $x=0$, $y=3$, 즉 $(0, 3)$이므로 C

$\begin{cases} x+y=5 \\ x-y=-5 \end{cases}$ 의 해는 $x=0$, $y=5$, 즉 $(0, 5)$이므로 E

따라서 지훈이가 아영이에게 보낸 암호를 해독하면
PEACE이다.

6 도둑의 수를 x명, 비단의 수를 y필이라 하면

$\begin{cases} 6x+6=y \\ 7x-7=y \end{cases}$ $\therefore x=13$, $y=84$

따라서 도둑의 수는 13명, 비단의 수는 84필이다.

7 작은 스님은 세 사람당 만두를 1개씩 먹을 수 있으므로 작은 스님 한 명이 먹을 수 있는 만두는 $\dfrac{1}{3}$개이다.

큰 스님의 수를 x명, 작은 스님의 수를 y명이라 하면

$\begin{cases} x+y=100 \\ 3x+\dfrac{1}{3}y=3 \end{cases}$ → $\begin{cases} x+y=100 \\ 9x+y=300 \end{cases}$

$\therefore x=25$, $y=75$

따라서 큰 스님의 수는 25명, 작은 스님의 수는 75명이다.

8 남학생 수를 x명, 여학생 수를 y명이라 하면

$\begin{cases} x+y=120 \\ \dfrac{1}{3}x+\dfrac{2}{3}y=\dfrac{11}{24}\times120 \end{cases}$ → $\begin{cases} x+y=120 \\ x+2y=165 \end{cases}$

$\therefore x=75$, $y=45$

따라서 남학생 수는 75명, 여학생 수는 45명이다.

2주 일차함수

1일 개념 돌파 전략 1   확인 문제   34쪽~37쪽

01 (1) 풀이 참조 (2) -1 **02** ③, ④   **03** ⑤
04 1   **05** ⑤   **06** ②
07 (1) ①, ②, ③ (2) ④, ⑤ (3) ③, ④ (4) ①, ⑤ (5) ②
08 $a=-2$, $b=\dfrac{5}{2}$
09 (1) $y=3x-5$ (2) $y=-5x-3$ (3) $y=-\dfrac{2}{3}x-\dfrac{1}{3}$
      (4) $y=-\dfrac{5}{6}x+5$
10 (1) $y=20-0.04x$ (2) 200분   **11** ②
12 (1) ㉠, ㉣ (2) ㉡, ㉢   **13** 3
14 (1) ㉢ (2) ㉠, ㉣ (3) ㉡

01 (1) ㉠ (거리)$=$(속력)$\times$(시간)이므로

$y=4x$

따라서 y는 x의 함수이다.

㉡ 10 L의 주스를 x명이 똑같이 나누어 마시면 한 사람이 $\dfrac{10}{x}$ L씩 마시게 되므로

$y=\dfrac{10}{x}$

따라서 y는 x의 함수이다.

(2) $f(2)=-3\times2+5=-1$

02 ① $y=2x^3$은 y가 x에 대한 일차식이 아니므로 일차함수가 아니다.

② $y=\dfrac{2}{x}$는 x가 분모에 있으므로 일차함수가 아니다.

⑤ $y=x+y+6$에서 $x=-6$이므로 일차함수가 아니다.

04 x절편은 일차함수의 그래프가 x축과 만나는 점의 x좌표이므로 -3이다.

y절편은 일차함수의 그래프가 y축과 만나는 점의 y좌표이므로 4이다.

따라서 $a=-3$, $b=4$이므로

$a+b=-3+4=1$

05 x의 값이 3만큼 증가할 때, y의 값이 5만큼 감소하므로

(기울기)$=\dfrac{-5}{3}=-\dfrac{5}{3}$

따라서 기울기가 $-\dfrac{5}{3}$인 그래프는 ⑤이다.

06 기울기는 $\frac{1}{3}$, y절편은 -1이므로 점 $(0, -1)$에서 x축의 방향으로 3만큼 이동한 후 y축의 방향으로 1만큼 이동한 점을 찾으면 $(3, 0)$이다.

즉 두 점 $(0, -1)$, $(3, 0)$을 지난다.

따라서 일차함수 $y = \frac{1}{3}x - 1$의 그래프는 ②이다.

07 (1) $a > 0$일 때 그래프는 오른쪽 위로 향하는 직선이므로 ①, ②, ③이다.

(2) $a < 0$일 때 그래프는 오른쪽 아래로 향하는 직선이므로 ④, ⑤이다.

(3) $b > 0$일 때 그래프가 y축과 양의 부분에서 만나므로 ③, ④이다.

(4) $b < 0$일 때 그래프가 y축과 음의 부분에서 만나므로 ①, ⑤이다.

(5) $b = 0$일 때 그래프가 원점을 지나므로 ②이다.

08 $y = -3ax + 2$의 그래프를 y축의 방향으로 3만큼 평행이동한 그래프의 식은

$y = -3ax + 2 + 3$ ∴ $y = -3ax + 5$

$y = -3ax + 5$와 $y = 6x + 2b$의 그래프가 일치하므로

$-3a = 6$, $5 = 2b$ ∴ $a = -2$, $b = \frac{5}{2}$

09 (2) 구하는 일차함수의 식을 $y = -5x + b$라 하면 그래프가 점 $(-1, 2)$를 지나므로

$2 = -5 \times (-1) + b$ ∴ $b = -3$

따라서 구하는 일차함수의 식은

$y = -5x - 3$

(3) 주어진 일차함수의 그래프가 두 점 $(-2, 1)$, $(1, -1)$을 지나므로

$(기울기) = \dfrac{-1-1}{1-(-2)} = -\dfrac{2}{3}$

일차함수의 식을 $y = -\dfrac{2}{3}x + b$라 하면 그래프가 점 $(1, -1)$을 지나므로

$-1 = -\dfrac{2}{3} \times 1 + b$ ∴ $b = -\dfrac{1}{3}$

따라서 구하는 일차함수의 식은

$y = -\dfrac{2}{3}x - \dfrac{1}{3}$

(4) x절편이 6, y절편이 5이므로

$(기울기) = \dfrac{5-0}{0-6} = -\dfrac{5}{6}$

따라서 구하는 일차함수의 식은

$y = -\dfrac{5}{6}x + 5$

10 (1) 양초의 길이가 1분마다 0.04 cm씩 짧아지므로 x분이 지나면 양초의 길이는 $0.04x$ cm 짧아진다.

∴ $y = 20 - 0.04x$

(2) $y = 20 - 0.04x$에 $y = 12$를 대입하면

$12 = 20 - 0.04x$ ∴ $x = 200$

따라서 남은 양초의 길이가 12 cm가 되는 것은 불을 붙인 지 200분 후이다.

11 $6x + 2y - 4 = 0$에서

$2y = -6x + 4$ ∴ $y = -3x + 2$

따라서 그래프가 일차방정식 $6x + 2y - 4 = 0$의 그래프와 일치하는 것은 ②이다.

12 ㉡ $2x - 3 = 0 \Rightarrow x = \dfrac{3}{2}$

㉢ $3x = -6 \Rightarrow x = -2$

㉣ $4y - 1 = 0 \Rightarrow y = \dfrac{1}{4}$

(1) x축에 평행한 직선은 ㉠, ㉣이다.

(2) y축에 평행한 직선은 ㉡, ㉢이다.

13 두 직선의 교점의 좌표가 $(4, 2)$이므로 연립방정식의 해는 $x = 4$, $y = 2$이다.

$x + y = 3b$에 $x = 4$, $y = 2$를 대입하면

$4 + 2 = 3b$, $3b = 6$ ∴ $b = 2$

$2x - 3y = 2a$에 $x = 4$, $y = 2$를 대입하면

$2 \times 4 - 3 \times 2 = 2a$, $2a = 2$ ∴ $a = 1$

∴ $a + b = 1 + 2 = 3$

14 (1) ㉢ $\begin{cases} 8x - 4y = 6 \\ 12x + 6y = 9 \end{cases} \Rightarrow \begin{cases} y = 2x - \dfrac{3}{2} \\ y = -2x + \dfrac{3}{2} \end{cases}$

두 직선의 기울기가 다르므로 한 쌍의 해를 갖는다.

(2) ㉠ $\begin{cases} x + 6y = 1 \\ 2x + 12y = 3 \end{cases} \Rightarrow \begin{cases} y = -\dfrac{1}{6}x + \dfrac{1}{6} \\ y = -\dfrac{1}{6}x + \dfrac{1}{4} \end{cases}$

ㄹ $\begin{cases} 6x-3y=10 \\ 4x-2y=5 \end{cases} \rightarrow \begin{cases} y=2x-\dfrac{10}{3} \\ y=2x-\dfrac{5}{2} \end{cases}$

두 직선이 평행하므로 해가 없다.

(3) ㄴ $\begin{cases} 3x-y=2 \\ 9x-3y=6 \end{cases} \rightarrow \begin{cases} y=3x-2 \\ y=3x-2 \end{cases}$

두 직선이 일치하므로 해가 무수히 많다.

1일 개념 돌파 전략 2   38쪽~39쪽

1 ⑤	2 6	3 ⑤	4 ①
5 ①	6 ⑤		

1 ㄱ $x=5$일 때 5보다 작은 홀수는 1, 3이다. 즉 x의 값이 5일 때 y의 값이 하나로 정해지지 않으므로 함수가 아니다.

ㄴ $y=200x$

ㄷ $y=4x$

ㄹ $\dfrac{1}{2} \times x \times y = 20$에서

$xy=40$ $\therefore y=\dfrac{40}{x}$

따라서 y가 x의 함수인 것은 ㄴ, ㄷ, ㄹ이다.

2 $f(x)=-2x+a$에서

$f(-3)=-2\times(-3)+a=12$이므로

$6+a=12$ $\therefore a=6$

3 일차함수 $y=-3x+2$의 그래프는 오른쪽 그림과 같다.

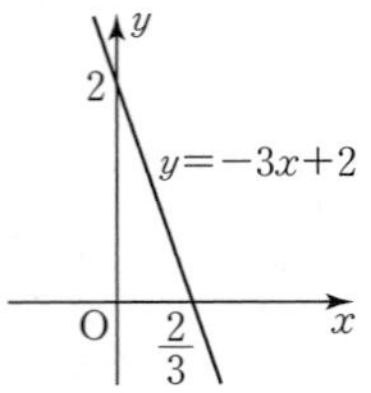

① $y=-3x+2$에 $x=1$, $y=-1$을 대입하면

$-1=-3\times1+2$

⑤ x의 값이 증가하면 y의 값은 감소한다.

따라서 옳지 않은 것은 ⑤이다.

4 ㄱ 구하는 일차함수의 식을 $y=2x+b$라 하면 그래프가 점 $(2, 1)$을 지나므로

$1=2\times2+b$ $\therefore b=-3$

따라서 구하는 일차함수의 식은

$y=2x-3$

ㄴ x절편이 3, y절편이 -2이므로

$(기울기)=\dfrac{-2-0}{0-3}=\dfrac{2}{3}$

따라서 구하는 일차함수의 식은

$y=\dfrac{2}{3}x-2$

ㄷ $y=4x-2$의 그래프와 평행하므로 기울기는 4이고, y절편이 3이므로 구하는 일차함수의 식은

$y=4x+3$

ㄹ $y=5x$의 그래프를 y축의 방향으로 -3만큼 평행이동한 그래프를 나타내는 일차함수의 식은

$y=5x-3$

따라서 옳은 것은 ㄱ, ㄴ이다.

5 물의 온도가 4분에 6 ℃씩 내려가므로 1분에 1.5 ℃씩 내려간다. 즉 x분 후에는 1.5x ℃만큼 내려가고, 물의 처음 온도는 80 ℃이었으므로 y를 x의 식으로 나타내면

$y=80-1.5x$

6 $4x+5y-1=0$에서

$5y=-4x+1$ $\therefore y=-\dfrac{4}{5}x+\dfrac{1}{5}$

따라서 일차방정식 $4x+5y-1=0$의 그래프와 일치하는 것은 ⑤이다.

2일 필수 체크 전략 1   40쪽~43쪽

1-1 ①	2-1 ⑤	2-2 -2	3-1 2
3-2 -3	4-1 ④	4-2 -6	5-1 $\dfrac{1}{2}$
5-2 8	6-1 ③	7-1 ①	8-1 4

1-1
다음은 표현은 다르지만 뜻은 모두 같아!

$f(a) \Rightarrow x=a$일 때의 함숫값
$\Rightarrow x=a$일 때의 y의 값
$\Rightarrow f(x)$에 x 대신 a를 대입한 값

$f(2)=-4$이므로 $2a+b=-4$ ……㉠
$f(-3)=1$이므로 $-3a+b=1$ ……㉡
㉠, ㉡을 연립하여 풀면
$a=-1, b=-2$
따라서 $f(x)=-x-2$이므로
$f(5)=-5-2=-7$

2-1 $y=-x-6$의 그래프를 y축의 방향으로 m만큼 평행이동한 그래프의 식은
$y=-x-6+m$
$y=-x-6+m$에 $x=-3, y=4$를 대입하면
$4=-(-3)-6+m$ ∴ $m=7$

2-2 $y=4x+1$의 그래프를 y축의 방향으로 6만큼 평행이동한 그래프의 식은
$y=4x+1+6$ ∴ $y=4x+7$
$y=4x+7$에 $x=a, y=-1$을 대입하면
$-1=4a+7, -4a=8$ ∴ $a=-2$

3-1 $y=2x-1$의 그래프의 y절편은 -1, $y=2x+a$의 그래프의 x절편은 $-\dfrac{a}{2}$이므로
$-1=-\dfrac{a}{2}$ ∴ $a=2$

3-2 두 일차함수 $y=\dfrac{1}{3}x+2$, $y=-\dfrac{1}{2}x+a$의 그래프가 x축 위에서 만나므로 x절편이 같다.
$y=\dfrac{1}{3}x+2$의 그래프의 x절편이 -6이므로
$y=-\dfrac{1}{2}x+a$에 $x=-6, y=0$을 대입하면
$0=-\dfrac{1}{2}\times(-6)+a$ ∴ $a=-3$

4-1 두 점 $(2, 0), (0, a)$를 지나는 일차함수의 그래프의 기울기는
$\dfrac{a-0}{0-2}=-\dfrac{a}{2}$
즉 $-\dfrac{a}{2}=-3$ ∴ $a=6$

4-2 그래프가 두 점 $(-3, 0), (1, 3)$을 지나므로
$(기울기)=\dfrac{3-0}{1-(-3)}=\dfrac{3}{4}$
x의 값이 8만큼 감소할 때, y의 값의 증가량을 m이라 하면
$\dfrac{m}{-8}=\dfrac{3}{4}, 4m=-24$ ∴ $m=-6$
따라서 x의 값이 8만큼 감소할 때, y의 값의 증가량은 -6이다.

5-1 $y=ax+2$의 그래프의 x절편은 $-\dfrac{2}{a}$, y절편은 2이므로
$y=ax+2$의 그래프는 오른쪽 그림과 같다.
$y=ax+2$의 그래프와 x축, y축으로 둘러싸인 도형의 넓이가 4이므로
$\dfrac{1}{2}\times\left|-\dfrac{2}{a}\right|\times2=4$
$\dfrac{2}{a}=4$ ∴ $a=\dfrac{1}{2}$

5-2 직선 l은 $y=-x+3$의 그래프를 y축의 방향으로 2만큼 평행이동한 그래프이므로
$y=-x+3+2$ ∴ $y=-x+5$
이때 $y=-x+3$의 그래프의 x절편은 3, y절편은 3이고,
$y=-x+5$의 그래프의 x절편은 5, y절편은 5이다.
따라서 두 직선과 x축, y축으로 둘러싸인 도형은 오른쪽 그림과 같으므로 구하는 넓이는
$\dfrac{1}{2}\times5\times5-\dfrac{1}{2}\times3\times3$
$=\dfrac{25}{2}-\dfrac{9}{2}=\dfrac{16}{2}=8$

6-1 주어진 일차함수의 그래프의 기울기는 $\dfrac{3-0}{0-(-5)}=\dfrac{3}{5}$

이고 x절편은 -5, y절편은 3이므로 그래프의 식은

$y=\dfrac{3}{5}x+3$이다.

7-1 $y=ax+b$의 그래프는 오른쪽 아래로 향하는 직선이므로 $a<0$

또 그래프가 y축과 양의 부분에서 만나므로 $b>0$

따라서 $b>0$, $-a>0$이므로

$y=bx-a$의 그래프는 오른쪽 그림과 같이 오른쪽 위로 향하고, y절편이 양수인 직선이다.

8-1 두 점 $(-2, a)$, $(5, -10)$을 지나는 직선의 기울기는

$\dfrac{-10-a}{5-(-2)}=\dfrac{-10-a}{7}$

주어진 두 점을 지나는 직선과 $y=-2x+5$의 그래프가 평행하므로

$\dfrac{-10-a}{7}=-2$, $-10-a=-14$　　$\therefore a=4$

2일 필수 체크 전략 **2**			44쪽~45쪽
1 ④	2 8	3 ⑤	4 -1
5 ③	6 ②	7 효은	8 -5

1 $f(2)=4\times2-2=6$　　$\therefore a=6$

$f(b)=4b-2=-6$에서

$4b=-4$　　$\therefore b=-1$

$\therefore a+b=6+(-1)=5$

2 $y=-x+5$의 그래프를 y축의 방향으로 a만큼 평행이동한 그래프의 식은

$y=-x+5+a$

$y=-x+5+a$에 $x=3$, $y=4$를 대입하면

$4=-3+5+a$　　$\therefore a=2$

$y=-x+5+2$, 즉 $y=-x+7$에 $x=b$, $y=1$을 대입하면

$1=-b+7$　　$\therefore b=6$

$\therefore a+b=2+6=8$

3 $y=3x+k$의 그래프를 y축의 방향으로 -2만큼 평행이동한 그래프의 식은

$y=3x+k-2$

$y=0$일 때, $3x+k-2=0$, $3x=2-k$

$\therefore x=\dfrac{2-k}{3}$

$x=0$일 때, $y=k-2$

따라서 x절편은 $\dfrac{2-k}{3}$, y절편은 $k-2$이므로

$\dfrac{2-k}{3}+(k-2)=2$

$2-k+3k-6=6$, $2k=10$　　$\therefore k=5$

4 두 점 $(-1, -7)$, $(5, 11)$을 지나는 직선의 기울기는

$\dfrac{11-(-7)}{5-(-1)}=\dfrac{18}{6}=3$

두 점 $(1, k)$, $(5, 11)$을 지나는 직선의 기울기는

$\dfrac{11-k}{5-1}=\dfrac{11-k}{4}$

이때 세 점 $(-1, -7)$, $(1, k)$, $(5, 11)$이 한 직선 위에 있으므로

$3=\dfrac{11-k}{4}$, $11-k=12$　　$\therefore k=-1$

5 $y=-\dfrac{2}{3}x+4$의 그래프를 y축의 방향으로 -2만큼 평행이동한 그래프의 식은

$y=-\dfrac{2}{3}x+4-2$　　$\therefore y=-\dfrac{2}{3}x+2$

이때 $y=-\dfrac{2}{3}x+4$의 그래프의 x절편은 6, y절편은 4이고

$y=-\dfrac{2}{3}x+2$의 그래프의 x절편은 3, y절편은 2이다.

따라서 $y=-\dfrac{2}{3}x+4$,

$y=-\dfrac{2}{3}x+2$의 그래프와 x축, y축으로 둘러싸인 도형은 오른쪽 그림과 같으므로 구하는 넓이는

$\dfrac{1}{2}\times6\times4-\dfrac{1}{2}\times3\times2=12-3=9$

6 ① 점 $(1, a+b)$를 지난다.

③ 기울기가 다르므로 일차함수 $y=-ax+b$의 그래프와 평행하지 않다.

④ $a<0$, $b>0$이다.

⑤ x의 값이 1만큼 증가할 때, y의 값은 a만큼 증가한다.

7 $y=ax-b$의 그래프가 오른쪽 위로 향하는 직선이므로 $a>0$

또 그래프가 y축과 양의 부분에서 만나므로

$-b>0$, 즉 $b<0$

따라서 $b<0$, $-ab>0$이므로 일차함수 $y=bx-ab$의 그래프를 바르게 그린 학생은 효은이다.

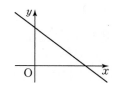

8 $y=2x+2a-1$에 $x=1$, $y=-3$을 대입하면

$-3=2+2a-1$, $-2a=4$ ∴ $a=-2$

$y=2x+2a-1$, 즉 $y=2x-5$의 그래프와 $y=bx+c$의 그래프가 일치하므로

$b=2$, $c=-5$

∴ $a+b+c=-2+2+(-5)=-5$

3일 **필수 체크 전략 1** 46쪽~49쪽

1-1 ④	1-2 -10	2-1 4000 m	2-2 12 cm
3-1 -2	3-2 ④	4-1 3	4-2 -2
5-1 1	5-2 $\frac{3}{2}$	6-1 9	7-1 ③
8-1 8	8-2 16		

1-1 주어진 일차함수의 그래프가 두 점 $(-1, 3)$, $(5, 9)$를 지나므로

$(기울기)=\dfrac{9-3}{5-(-1)}=1$

일차함수의 식을 $y=x+b$라 하면 그래프가 점 $(-1, 3)$을 지나므로

$3=-1+b$ ∴ $b=4$

따라서 구하는 일차함수의 식은

$y=x+4$

1-2 x절편이 -5, y절편이 4이므로

$(기울기)=\dfrac{4-0}{0-(-5)}=\dfrac{4}{5}$

y절편이 4이므로 일차함수의 식은

$y=\dfrac{4}{5}x+4$

$y=\dfrac{4}{5}x+4$의 그래프가 점 $(a, -4)$를 지나므로

$-4=\dfrac{4}{5}a+4$, $-\dfrac{4}{5}a=8$ ∴ $a=-10$

2-1 1 m 높아질 때마다 기온이 $\dfrac{0.6}{100}=0.006$ (℃)씩 내려가므로 지면으로부터의 높이가 x m인 지점의 기온을 y ℃라 하면

$y=24-0.006x$

$y=0$일 때, $0=24-0.006x$ ∴ $x=4000$

따라서 기온이 0 ℃인 지점은 지면으로부터의 높이가 4000 m이다.

2-2 그래프가 두 점 $(0, 30)$, $(100, 0)$을 지나므로

$(기울기)=\dfrac{0-30}{100-0}=-\dfrac{3}{10}$

y절편이 30이므로

$y=-\dfrac{3}{10}x+30$

$x=60$일 때, $y=-\dfrac{3}{10}\times60+30=12$

따라서 불을 붙인 지 1시간이 지났을 때의 양초의 길이는 12 cm이다.

> 양초가 100분 동안 30 cm 타므로
> 1분에 $\dfrac{30}{100}=\dfrac{3}{10}$ (cm)씩 짧아지지.
> 즉 x와 y 사이의 관계를 식으로 나타내면
> $y=-\dfrac{3}{10}x+30$

3-1 $x-2y+6=0$에서

$y=\dfrac{1}{2}x+3$

$y=\dfrac{1}{2}x+3$의 그래프의 기울기는 $\dfrac{1}{2}$, x절편은 -6, y절편은 3이므로

$a=\dfrac{1}{2}$, $b=-6$, $c=3$

∴ $2a+b+c=2\times\dfrac{1}{2}+(-6)+3=-2$

3-2 $ax-by+c=0$에서

$y=\dfrac{a}{b}x+\dfrac{c}{b}$

$(\text{기울기})=\dfrac{a}{b}<0$, $(y\text{절편})=\dfrac{c}{b}>0$

이때 $b>0$이므로 $a<0$, $c>0$

4-1 두 점 $(-7, 2a)$, $(2, 18-4a)$를 지나는 직선이 y축에 수직이려면 두 점의 y좌표가 같아야 하므로

$2a=18-4a$, $6a=18$ ∴ $a=3$

4-2 주어진 그래프는 점 $(2, 0)$을 지나고 y축에 평행한 직선 이므로 그 그래프의 식은 $x=2$

$x=2$에서 $2x=4$ ∴ $2x-4=0$

$2x-4=0$이 $ax+by-4=0$과 같으므로

$a=2$, $b=0$

∴ $b-a=0-2=-2$

5-1 연립방정식 $\begin{cases} ax+y=6 \\ 2x-3y=2 \end{cases}$의 해가 $x=k$, $y=2$이므로

$2x-3y=2$에 $x=k$, $y=2$를 대입하면

$2k-6=2$, $2k=8$ ∴ $k=4$

즉 연립방정식의 해가 $x=4$, $y=2$이므로

$ax+y=6$에 $x=4$, $y=2$를 대입하면

$4a+2=6$, $4a=4$ ∴ $a=1$

5-2 연립방정식 $\begin{cases} 2x-3y+1=0 \\ 5x-y-4=0 \end{cases}$을 풀면 $x=1$, $y=1$

따라서 두 그래프의 교점의 좌표는 $(1, 1)$이고, 이 점이

직선 $y=-\dfrac{1}{2}x+k$ 위의 점이므로

$1=-\dfrac{1}{2}\times1+k$ ∴ $k=\dfrac{3}{2}$

6-1 $\begin{cases} 3x+2y-3=0 \\ ax+6y-10=0 \end{cases} \Rightarrow \begin{cases} 2y=-3x+3 \\ 6y=-ax+10 \end{cases}$

$\Rightarrow \begin{cases} y=-\dfrac{3}{2}x+\dfrac{3}{2} \\ y=-\dfrac{a}{6}x+\dfrac{5}{3} \end{cases}$

해가 없으려면 두 그래프가 평행해야 하므로

$-\dfrac{3}{2}=-\dfrac{a}{6}$ ∴ $a=9$

7-1 $y=ax+1$의 그래프가

(i) 점 $A(2, 5)$를 지날 때

$5=2a+1$, $-2a=-4$

∴ $a=2$

(ii) 점 $B(4, 2)$를 지날 때

$2=4a+1$, $-4a=-1$

∴ $a=\dfrac{1}{4}$

(i), (ii)에서 $\dfrac{1}{4}\le a\le2$

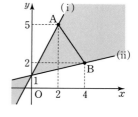

8-1 $y=x-1$, $y=-3x+7$을 연립 하여 풀면 $x=2$, $y=1$이므로 두 직선의 교점의 좌표는 $(2, 1)$이 다. 또 두 직선 $y=x-1$, $y=-3x+7$의 y절편은 각각 -1, 7이므로 오른쪽 그림에서 구하는 도형의 넓이는

$\dfrac{1}{2}\times\{7-(-1)\}\times2=8$

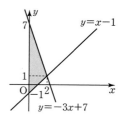

8-2 연립방정식 $\begin{cases} x-y=-4 \\ x+y=2 \end{cases}$를 풀면 $x=-1$, $y=3$이므로 두 직선 $x-y=-4$, $x+y=2$의 교점의 좌표는 $(-1, 3)$, 두 직선 $x-y=-4$, $y=-1$의 교점의 좌표는 $(-5, -1)$, 두 직선 $x+y=2$, $y=-1$의 교점의 좌표는 $(3, -1)$이다. 따라서 오른쪽 그림에서 구하 는 도형의 넓이는

$\dfrac{1}{2}\times\{3-(-5)\}\times\{3-(-1)\}$

$=16$

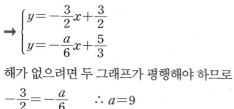

3일 필수 체크 전략 ❷   50쪽~51쪽

| **1** ② | **2** 360 km | **3** ③ | **4** 49 |
| **5** ③ | **6** 4 | **7** 14 | |

1 주어진 직선이 두 점 $(2, 1)$, $(4, 0)$을 지나므로

$(기울기)=\dfrac{0-1}{4-2}=-\dfrac{1}{2}$

이때 구하는 일차함수의 식이 주어진 직선과 평행하므로 기울기가 같다.

즉 구하는 일차함수의 식을 $y=-\dfrac{1}{2}x+b$라 하면 x절편이 -2이므로

$y=0$일 때, $0=-\dfrac{1}{2}\times(-2)+b$ $\therefore b=-1$

따라서 구하는 일차함수의 식은

$y=-\dfrac{1}{2}x-1$

2 5 L의 휘발유로 60 km를 달리므로 1 km를 달리는 데 $\dfrac{1}{12}$ L의 휘발유가 필요하다. 또 x km를 달린 후 남아 있는 휘발유의 양을 y L라 하면 x km를 달리는 데 필요한 휘발유의 양은 $\dfrac{1}{12}x$ L이므로

$y=40-\dfrac{1}{12}x$

$y=40-\dfrac{1}{12}x$에 $y=10$을 대입하면

$10=40-\dfrac{1}{12}x,\ \dfrac{1}{12}x=30$ $\therefore x=360$

따라서 10 L의 휘발유가 남아 있게 되는 것은 360 km를 달린 후이다.

3 $ax+by+c=0$, 즉 $y=-\dfrac{a}{b}x-\dfrac{c}{b}$에서

$-\dfrac{a}{b}<0$, $-\dfrac{c}{b}=0$이므로 $\dfrac{a}{b}>0$, $c=0$

$cx-by+a=0$, 즉 $-by+a=0$에서 $y=\dfrac{a}{b}$

이때 $\dfrac{a}{b}>0$이므로 $cx-by+a=0$의 그래프는 오른쪽 그림과 같다.

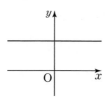

4
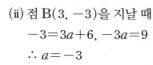

〈설계 규칙〉
한 눈금의 길이가 10m인 좌표평면 위에서 네 직선 $x=-1$, $x=6$, $y+3=0$, $2y-8=0$ 으로 둘러싸인 부분을 수영장 바닥으로 설계한다.

$y+3=0$에서 $y=-3$,

$2y-8=0$에서 $y=4$이므로 주어진 네 방정식의 그래프는 오른쪽 그림과 같다.

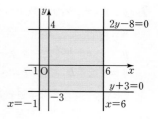

따라서 수영장 바닥의 가로의 길이는 $|6-(-1)|=7$

세로의 길이는 $|4-(-3)|=7$

이므로 정사각형 모양의 수영장 바닥의 넓이는

$7\times7=49$

5 직선 l은 두 점 $(0, -4)$, $(2, 0)$을 지나므로

$(기울기)=\dfrac{0-(-4)}{2-0}=\dfrac{4}{2}=2$

$\therefore y=2x-4$ ······ ㉠

직선 m은 두 점 $(0, 3)$, $(3, 0)$을 지나므로

$(기울기)=\dfrac{0-3}{3-0}=\dfrac{-3}{3}=-1$

$\therefore y=-x+3$ ······ ㉡

㉠, ㉡을 연립하여 풀면 $x=\dfrac{7}{3}$, $y=\dfrac{2}{3}$이므로 두 직선 l, m의 교점의 좌표는 $\left(\dfrac{7}{3}, \dfrac{2}{3}\right)$이다.

따라서 $a=\dfrac{7}{3}$, $b=\dfrac{2}{3}$이므로

$a-b=\dfrac{7}{3}-\dfrac{2}{3}=\dfrac{5}{3}$

6 $y=ax+6$의 그래프가

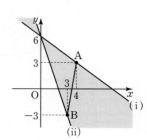

(i) 점 A$(4, 3)$을 지날 때

$3=4a+6,\ -4a=3$

$\therefore a=-\dfrac{3}{4}$

(ii) 점 B$(3, -3)$을 지날 때

$-3=3a+6,\ -3a=9$

$\therefore a=-3$

(i), (ii)에서 $-3\leq a\leq-\dfrac{3}{4}$

따라서 $p=-3$, $q=-\dfrac{3}{4}$이므로

$\dfrac{p}{q}=-3\div\left(-\dfrac{3}{4}\right)=-3\times\left(-\dfrac{4}{3}\right)=4$

7 $y=ax+2$에 $x=2$, $y=4$를 대입하면

$4=2a+2$, $-2a=-2$ ∴ $a=1$

$y=-x+b$에 $x=2$, $y=4$를 대입하면

$4=-2+b$ ∴ $b=6$

직선 $y=x+2$의 x절편은

-2, y절편은 2이므로

$C(-2, 0)$, $B(0, 2)$

또 직선 $y=-x+6$의

x절편은 6이므로

$D(6, 0)$

∴ (사각형 ABOD의 넓이)

$\quad = \triangle ACD - \triangle BCO$

$\quad = \dfrac{1}{2} \times \{6-(-2)\} \times 4 - \dfrac{1}{2} \times 2 \times 2$

$\quad = 16-2 = 14$

누구나 합격 전략 52쪽~53쪽

01 ②, ③	02 ②	03 ③	04 4
05 ⑤	06 $\dfrac{9}{2}$	07 6 km	08 ④
09 ①	10 제 4사분면		

01

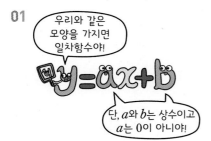

우리와 같은 모양을 가지면 일차함수야!

$y=ax+b$

단, a와 b는 상수이고 a는 0이 아니야!

① $y=12x$

② $xy=40$에서 $y=\dfrac{40}{x}$

➡ 분모에 미지수가 있으므로 일차함수가 아니다.

③ $x=2$일 때 2의 약수는 1, 2이다.

즉 x의 값이 2일 때 y의 값이 하나로 정해지지 않으므로 함수가 아니다.

④ $y=24-x$

⑤ $y=\dfrac{1}{2} \times x \times 10$에서 $y=5x$

따라서 y가 x에 대한 일차함수가 아닌 것은 ②, ③이다.

02 $f(-3)=-2\times(-3)+6=12$

$f(1)=-2\times1+6=4$

∴ $f(-3)+f(1)=12+4=16$

03 $y=\dfrac{1}{3}x$의 그래프를 y축의 방향으로 -1만큼 평행이동한 그래프의 식은

$y=\dfrac{1}{3}x-1$

$y=0$일 때, $0=\dfrac{1}{3}x-1$ ∴ $x=3$, 즉 $p=3$

$x=0$일 때, $y=-1$ ∴ $q=-1$

∴ $p+q=3+(-1)=2$

04 x의 값이 -1에서 3까지 증가할 때, y의 값은 8만큼 감소하므로

$(기울기)=\dfrac{-8}{3-(-1)}=\dfrac{-8}{4}=-2$

∴ $a=-2$

일차함수의 식은 $y=-2x-6$이고 그래프가 점 $(b, -2)$를 지나므로 $y=-2x-6$에 $x=b$, $y=-2$를 대입하면

$-2=-2b-6$, $2b=-4$ ∴ $b=-2$

∴ $ab=-2\times(-2)=4$

05 $y=-x+5$의 그래프의 기울기는 -1이므로 $a=-1$

$y=\dfrac{2}{3}x+1$의 그래프의 y절편은 1이므로 $b=1$

따라서 $y=-x+1$의 그래프에서 $y=0$일 때 $x=1$이므로

x절편은 1이다.

06 그래프가 두 점 $(0, -3)$, $(2, 0)$을 지나므로

$(기울기)=\dfrac{0-(-3)}{2-0}=\dfrac{3}{2}$

주어진 그래프의 식은 $y=\dfrac{3}{2}x-3$이고 $y=\dfrac{3}{2}x-3$에

$x=5$, $y=a$를 대입하면

$a=\dfrac{3}{2}\times5-3=\dfrac{9}{2}$

07 그래프가 두 점 $(0, 10)$, $(2, 40)$을 지나므로

$(기울기)=\dfrac{40-10}{2-0}=15$

땅속 깊이가 x km일 때의 땅속 온도를 y °C라 하면

$y=15x+10$

$y=15x+10$에 $y=100$을 대입하면

$100=15x+10$, $-15x=-90$ $\therefore x=6$

따라서 땅속 온도가 $100\,°C$일 때, 땅속 깊이는 $6\,km$이다.

---

08 $8x+2y-4=0$에서 $2y=-8x+4$

$\therefore y=-4x+2$

즉 $y=-4x+2$의 그래프는 오른쪽 그림과 같다.

② x절편은 $\dfrac{1}{2}$, y절편은 2이므로

그 합은

$\dfrac{1}{2}+2=\dfrac{5}{2}$

④ y축과의 교점은 $(0,\,2)$이다.

따라서 옳지 않은 것은 ④이다.

---

09 연립방정식 $\begin{cases} 2x-by=3 \\ ax+y=2 \end{cases}$의 해가 $x=3$, $y=1$이므로

$2x-by=3$에 $x=3$, $y=1$을 대입하면

$6-b=3$ $\therefore b=3$

$ax+y=2$에 $x=3$, $y=1$을 대입하면

$3a+1=2$, $3a=1$ $\therefore a=\dfrac{1}{3}$

$\therefore a-b=\dfrac{1}{3}-3=-\dfrac{8}{3}$

---

10 $\begin{cases} ax-6y-2=0 \\ -2x+by+1=0 \end{cases} \Rightarrow \begin{cases} -6y=-ax+2 \\ by=2x-1 \end{cases}$

$\Rightarrow \begin{cases} y=\dfrac{a}{6}x-\dfrac{1}{3} \\ y=\dfrac{2}{b}x-\dfrac{1}{b} \end{cases}$

연립방정식의 해가 무수히 많으므로

$-\dfrac{1}{3}=-\dfrac{1}{b}$에서 $b=3$

$\dfrac{a}{6}=\dfrac{2}{b}$에서 $\dfrac{a}{6}=\dfrac{2}{3}$ $\therefore a=4$

따라서 $y=ax+b$, 즉 $y=4x+3$의 그래프는 오른쪽 그림과 같으므로 제 4사분면을 지나지 않는다.

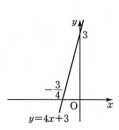

창의·융합·코딩 전략 54쪽~57쪽

1 풀이 참조

2 A 구간 : ④, B 구간 : ①, C 구간 : ②, D 구간 : ③

3 $\overline{EF}$, 3   **4** $y=x-7$, 풀이 참조

5 (1) $(-6,\,6)$, $(6,\,-3)$ (2) $y=-\dfrac{3}{4}x+\dfrac{3}{2}$

6 서쪽으로 $6\,km$, 북쪽으로 $11\,km$

7 (1) $y=3x+1$ (2) 61개

8 (1) $y=5x+100$ (2) $y=10x$ (3) 20대

1

시작하기 버튼을 클릭했을 때 y축의 방향으로 $\dfrac{2}{3}$만큼 평행이동하는 것을 3번 반복하므로 y축의 방향으로

$\dfrac{2}{3}+\dfrac{2}{3}+\dfrac{2}{3}=2$만큼 평행이동하게 된다.

따라서 일차함수 $y=-\dfrac{1}{4}x$의 그래프가 y축의 방향으로 2만큼 평행이동한 그래프의 식은 $y=-\dfrac{1}{4}x+2$이고 그래프는 다음 그림과 같다.

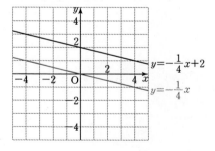

---

2 기울기가 클수록 빨리 이동한 것이므로 기울기가 가장 큰 A 구간은 빵집으로 뛰어간 것이다. (④)

B 구간은 빵집이 열린 것을 보고 걸어간 것이다. (①)

C 구간은 이동이 없으므로 빵집에서 빵을 고른 것이다. (②)

D 구간은 빵집에서 빵을 사서 집으로 걸어간 것이다. (③)

3

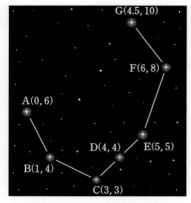

$(\overline{\text{AB}}$의 기울기$)=\dfrac{4-6}{1-0}=-2$

$(\overline{\text{BC}}$의 기울기$)=\dfrac{3-4}{3-1}=-\dfrac{1}{2}$

$(\overline{\text{CD}}$의 기울기$)=\dfrac{4-3}{4-3}=1$

$(\overline{\text{DE}}$의 기울기$)=\dfrac{5-4}{5-4}=1$

$(\overline{\text{EF}}$의 기울기$)=\dfrac{8-5}{6-5}=3$

$(\overline{\text{FG}}$의 기울기$)=\dfrac{10-8}{4.5-6}=\dfrac{2}{-1.5}$

$$=2\div\left(-\dfrac{3}{2}\right)=2\times\left(-\dfrac{2}{3}\right)$$

$$=-\dfrac{4}{3}$$

따라서 기울기가 가장 큰 선분은 $\overline{\text{EF}}$이고 기울기는 3이다.

4

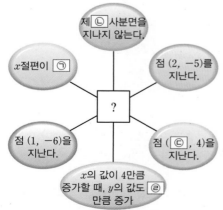

주어진 조건을 만족시키는 일차함수의 그래프가
두 점 $(2, -5)$, $(1, -6)$을 지나므로

$(기울기)=\dfrac{-6-(-5)}{1-2}=1$

즉 $y=x+b$라 하면 점 $(2, -5)$를 지나므로

$-5=2+b$ $\quad\therefore b=-7$

따라서 주어진 조건에 맞는 일차함수의 식은 $y=x-7$이다.

㉠ $y=x-7$에 $y=0$을 대입하면 $0=x-7$, $x=7$이므로 x
절편은 $\boxed{7}$이다.

㉡ 기울기가 양수이고, y절편이 음수이므로 $y=x-7$의
그래프는 제 $\boxed{2}$ 사분면을 지나지 않는다.

㉢ $y=x-7$에 $y=4$를 대입하면 $4=x-7$에서 $x=11$이
므로 점 $(\boxed{11}, 4)$를 지난다.

㉣ 기울기가 1이므로 x의 값이 4만큼 증가할 때, y의 값도
$\boxed{4}$ 만큼 증가한다.

5

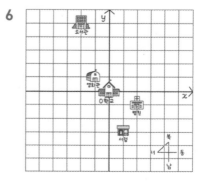

(2) 두 바둑돌 ②, ⑮가 각각 점 $(-6, 6)$, $(6, -3)$을 지
나므로

$(기울기)=\dfrac{-3-6}{6-(-6)}=\dfrac{-9}{12}=-\dfrac{3}{4}$

구하는 일차함수의 식을 $y=-\dfrac{3}{4}x+b$라 하면 그래프가
점 $(6, -3)$을 지나므로

$-3=-\dfrac{3}{4}\times6+b$ $\quad\therefore b=\dfrac{3}{2}$

따라서 구하는 일차함수의 식은

$y=-\dfrac{3}{4}x+\dfrac{3}{2}$

6

학교를 원점으로 하여 각 지점의 위치를 좌표평면 위의 점의 좌표로 나타내면 도서관은 $(-2, 5)$, 병원은 $(2, -1)$, 서점은 $(1, -3)$, 영화관은 $(-1, 1)$이다.

(i) 도서관과 병원을 이은 직선

두 점 $(-2, 5)$, $(2, -1)$을 이은 직선이므로

$(기울기)=\dfrac{-1-5}{2-(-2)}=\dfrac{-6}{4}=-\dfrac{3}{2}$

$y=-\dfrac{3}{2}x+b$로 놓고 $x=-2$, $y=5$를 대입하면

$5=-\dfrac{3}{2}\times(-2)+b$ $\therefore b=2$

$\therefore y=-\dfrac{3}{2}x+2$ ······ ㉠

(ii) 서점과 영화관을 이은 직선

두 점 $(1, -3)$, $(-1, 1)$을 이은 직선이므로

$(기울기)=\dfrac{1-(-3)}{-1-1}=\dfrac{4}{-2}=-2$

$y=-2x+c$로 놓고 $x=1$, $y=-3$을 대입하면

$-3=-2+c$ $\therefore c=-1$

$\therefore y=-2x-1$ ······ ㉡

㉠, ㉡을 연립하여 풀면

$x=-6$, $y=11$

따라서 태우네 집의 위치는 학교를 중심으로 서쪽으로 6 km, 북쪽으로 11 km인 곳이다.

7 (1) x와 y 사이에는 다음과 같은 관계가 있다.

x	1	2	3	4	⋯
y	4	7	10	13	⋯

즉 평행선의 개수가 1개 증가할 때마다 조각의 개수는 3개씩 증가하므로 y를 x에 대한 식으로 나타내면

$y=3x+1$

(2) $x=20$을 $y=3x+1$에 대입하면

$y=3\times20+1=61$

따라서 평행선을 20개 그으면 'ㄹ'은 61개의 조각으로 나누어진다.

8
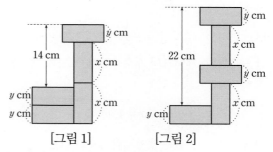

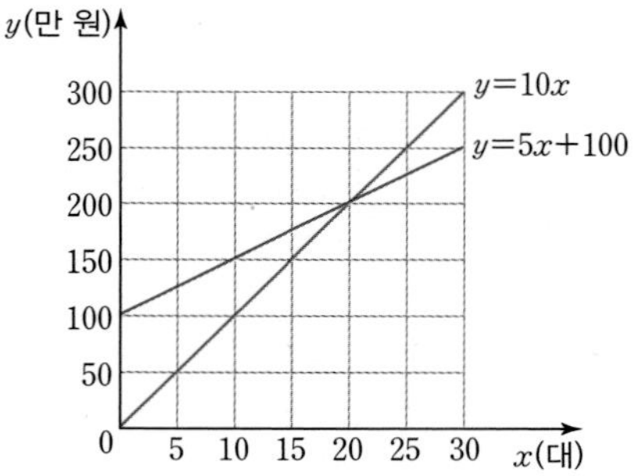

(1) 자전거 한 대를 생산하는 데 원가가 5만 원 들고, 개발비가 100만원 들었으므로

$y=5x+100$

(2) 자전거 한 대의 판매 가격이 10만 원이므로

$y=10x$

(3) 연립방정식 $\begin{cases} y=5x+100 \\ y=10x \end{cases}$ 를 풀면 $x=20$, $y=200$

따라서 두 직선의 교점의 좌표가 $(20, 200)$이므로 자전거를 생산하는 데 드는 비용과 판매하여 얻은 금액이 같아지려면 자전거를 20대 판매해야 한다.

기말고사 마무리

신유형·신경향·서술형 전략   60쪽~63쪽

01 ③ **02** ㈎ 영역: 800개, ㈏ 영역: 200개

03 ④ **04** (1) 케이크 4개, 도넛 5개 (2) 4800원

05 2 **06** (1) $a>0$, $b<0$, $c<0$ (2) 양, 음, 풀이 참조

07 ㉠, ㉢ **08** 200개

01 다음 그림과 같이 직사각형의 긴 변의 길이를 x cm, 짧은 변의 길이를 y cm라 하면

[그림 1]   [그림 2]

[그림 1] : $2y+14=2x+y$에서

$2x-y=14$ ······ ㉠

[그림 2] : $y+22=2x+2y$에서

$2x+y=22$ ······ ㉡

㉠, ㉡을 연립하여 풀면 $x=9$, $y=4$

따라서 직사각형의 긴 변의 길이는 9 cm이다.

02 ㈎ 영역의 블록은 1초에 4개씩 넘어지므로 블록 1개가 넘어지는데 걸리는 시간은 $\dfrac{1}{4}$초이고, ㈏ 영역의 블록은 1초에 5개씩 넘어지므로 블록 1개가 넘어지는 데 걸리는 시간은 $\dfrac{1}{5}$초이다.

(개) 영역의 블록의 개수를 x개, (내) 영역의 블록의 개수를 y개라 하면

$$\begin{cases} x+y=1000 \\ \dfrac{1}{4}x+\dfrac{1}{5}y=240 \end{cases} \rightarrow \begin{cases} x+y=1000 \\ 5x+4y=4800 \end{cases}$$

$\therefore x=800, y=200$

따라서 (개) 영역에는 800개, (내) 영역에는 200개의 블록을 각각 세우면 된다.

03

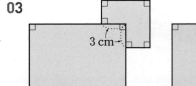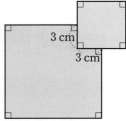

정사각형 모양의 빨간 색종이의 한 변의 길이를 x cm, 정사각형 모양의 파란 색종이의 한 변의 길이를 y cm라 하면

$$\begin{cases} x^2=4(y^2-9) \\ x^2-9=3y^2 \end{cases} \rightarrow \begin{cases} x^2-4y^2=-36 \\ x^2-3y^2=9 \end{cases}$$

$\therefore x^2=144, y^2=45$

따라서 빨간 색종이의 넓이는 144 cm^{2}이다.

04 (1) 만들 수 있는 케이크의 개수를 x개, 도넛의 개수를 y개라 하면

$$\begin{cases} 5x+4y=40 \\ 3x+2y=22 \end{cases} \quad \therefore x=4, y=5$$

따라서 만들 수 있는 케이크의 개수는 4개, 도넛의 개수는 5개이다.

(2) 총이익은

$700 \times 4+400 \times 5=2800+2000=4800$(원)

05 $y=ax+b$와 $y=2x-4$의 그래프가 y축 위에서 만나므로 y절편이 서로 같다.

$\therefore b=-4$

$y=2x-4$에서

$y=0$일 때, $0=2x-4, -2x=-4 \quad \therefore x=2$, 즉 B$(2, 0)$

이때 $\overline{OA}=\overline{OB}=2$이므로 A$(-2, 0)$

$y=ax-4$에 $x=-2, y=0$을 대입하면

$0=-2a-4, 2a=-4 \quad \therefore a=-2$

$\therefore a-b=-2-(-4)=2$

06 (1) $y=ax+b$의 그래프는 오른쪽 위로 향하므로

(기울기)$>0 \quad \therefore a>0$

또 y절편이 x축보다 아래쪽에 있으므로

(y절편)$<0 \quad \therefore b<0$

$ay+c=0$에서 $ay=-c \quad \therefore y=-\dfrac{c}{a}$

이때 $ay+c=0$의 그래프가 x축에 평행하고 y절편이 x축보다 위쪽에 있으므로

$-\dfrac{c}{a}>0 \quad \therefore c<0$

(2) $ax+by+c=0$에서 $y=-\dfrac{a}{b}x-\dfrac{c}{b}$

따라서 $-\dfrac{a}{b}>0$, $-\dfrac{c}{b}<0$

이므로 $y=-\dfrac{a}{b}x-\dfrac{c}{b}$, 즉

$ax+by+c=0$의 그래프는 오른쪽 그림과 같다.

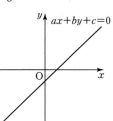

07

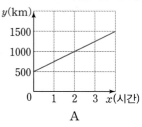

A

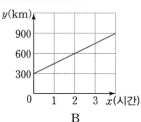

B

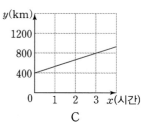

C

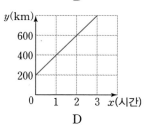

D

A, B, C, D 4대의 열차가 달린 거리를 나타내는 그래프에 대한 일차함수의 식을 구하면 다음과 같다.

A : x의 값이 2만큼 증가할 때 y의 값은 $1000-500=500$

만큼 증가하였으므로 (기울기)$=\dfrac{500}{2}=250$이고, y절

편이 500이므로 구하는 일차함수의 식은

$y=250x+500$

B : x의 값이 2만큼 증가할 때 y의 값은 $600-300=300$

만큼 증가하였으므로 (기울기)$=\dfrac{300}{2}=150$이고, y절

편이 300이므로 구하는 일차함수의 식은

$y=150x+300$

C : x의 값이 3만큼 증가할 때 y의 값은 $800-400=400$

만큼 증가하였으므로 (기울기)$=\dfrac{400}{3}$이고, y절편이

400이므로 구하는 일차함수의 식은

$y=\dfrac{400}{3}x+400$

D : x의 값이 1만큼 증가할 때 y의 값은 $400-200=200$

만큼 증가하였으므로 (기울기)$=200$이고, y절편이

200이므로 구하는 일차함수의 식은

$y=200x+200$

㉠ C 열차의 그래프의 기울기가 가장 작으므로 C 열차가 가장 느리다.

㉡ B 열차의 그래프의 기울기가 D 열차의 그래프의 기울기보다 작으므로 B 열차는 D 열차보다 느리다.

㉢ D 열차의 그래프의 기울기가 A 열차의 그래프의 기울기보다 작으므로 D 열차는 A 열차보다 느리다.

㉣ A 열차의 그래프의 기울기와 B 열차의 그래프의 기울기가 다르므로 A 열차와 B 열차의 속력은 서로 다르다.

따라서 옳은 것은 ㉠, ㉢이다.

08 수익과 비용을 일차방정식으로 각각 나타내면

수익 : $y=1200x$

비용 : $y=400x+160000$

두 일차방정식의 그래프가 만나는 점이 손익분기점이므로

$1200x=400x+160000$, $800x=160000$

$\therefore x=200$

따라서 손익분기점이 되는 판매량은 200개이다.

고난도 해결 전략 1회 **64쪽~67쪽**

01 $x=-3,\ y=1$	**02** ①	**03** ③
04 ②	**05** ②	**06** $x=2,\ y=1$
07 $\dfrac{1}{4}$	**08** $x=-\dfrac{1}{4},\ y=\dfrac{1}{6}$	**09** ①
10 ③	**11** 6곡	**12** 46세	**13** 5
14 ①	**15** 승원 : 시속 $\dfrac{13}{2}$ km, 해진 : 시속 $\dfrac{5}{2}$ km	
16 8일		

01 **전략** 먼저 연립방정식 $\begin{cases} 3x+y=5 \\ x+3y=7 \end{cases}$의 해를 구한다.

$\begin{cases} 3x+y=5 \\ x+3y=7 \end{cases}$을 풀면 $x=1$, $y=2$이므로 $a=1$, $b=2$

$a=1$, $b=2$를 $\begin{cases} ax+by=-1 \\ bx+ay=-5 \end{cases}$에 대입하면

$\begin{cases} x+2y=-1 \\ 2x+y=-5 \end{cases}$ $\qquad \therefore x=-3$, $y=1$

02 **전략** 순환소수를 분수로 나타낸 후 연립방정식의 해를 구한다.

$\begin{cases} 0.2\dot{9}x+0.\dot{3}y=-0.0\dot{3} \\ 0.6x-\dfrac{1}{2}y=1.1 \end{cases}$ → $\begin{cases} \dfrac{27}{90}x+\dfrac{3}{9}y=-\dfrac{3}{90} \\ 6x-5y=11 \end{cases}$

→ $\begin{cases} 9x+10y=-1 & \cdots\cdots ㉠ \\ 6x-5y=11 & \cdots\cdots ㉡ \end{cases}$

㉠$+$㉡$\times 2$를 하면

$21x=21$ $\quad \therefore x=1$

$x=1$을 ㉠에 대입하면

$9+10y=-1$, $10y=-10$ $\quad \therefore y=-1$

$0.\dot{a} \to \dfrac{a}{9}$,

$0.a\dot{b} \to \dfrac{ab-a}{90}$

03 **전략** $x=y-3$을 $2x+y=9$에 대입하여 x, y의 값을 먼저 구한다.

$\begin{cases} 0.2x+0.1y=0.9 \\ \dfrac{x}{3}-ay=4 \end{cases}$ → $\begin{cases} 2x+y=9 & \cdots\cdots ㉠ \\ x-3ay=12 & \cdots\cdots ㉡ \end{cases}$

이때 x의 값이 y의 값보다 3만큼 작으므로

$x=y-3$ $\quad \cdots\cdots ㉢$

㉢을 ㉠에 대입하면

$2(y-3)+y=9$, $3y=15$ $\quad \therefore y=5$

$y=5$를 ㉢에 대입하면

$x=5-3=2$

$x=2$, $y=5$를 ㉡에 대입하면

$2-15a=12$, $-15a=10$ $\quad \therefore a=-\dfrac{2}{3}$

04 [전략] 비례식 $(2a+4):(b+2)=5:1$에서 $2a+4=5(b+2)$
이다.

$4x-5y=12$의 한 해가 (a,b)이므로

$4a-5b=12$ $\quad\cdots\cdots$ ㉠

$(2a+4):(b+2)=5:1$에서

$2a+4=5(b+2)$ $\quad\therefore 2a-5b=6$ $\quad\cdots\cdots$ ㉡

㉠$-$㉡을 하면

$2a=6$ $\quad\therefore a=3$

$a=3$을 ㉡에 대입하면

$6-5b=6,\ -5b=0$ $\quad\therefore b=0$

$\therefore a+b=3+0=3$

05 [전략] 주어진 연립방정식의 해는 $\begin{cases}2x+3y=10\\3x+2y=5\end{cases}$의 해와 같다.

$\begin{cases}2x+3y=10\\4x-by+2=10\end{cases}\rightarrow\begin{cases}2x+3y=10\\4x-by=8\end{cases}$

두 연립방정식 $\begin{cases}2x+3y=10\\4x-by=8\end{cases},\ \begin{cases}ax+y=-1\\3x+2y=5\end{cases}$의 해가 서

로 같으므로 연립방정식 $\begin{cases}2x+3y=10\\3x+2y=5\end{cases}$의 해와도 같다.

$\begin{cases}2x+3y=10\\3x+2y=5\end{cases}$ $\quad\therefore x=-1,\ y=4$

$x=-1,\ y=4$를 $ax+y=-1$에 대입하면

$-a+4=-1$ $\quad\therefore a=5$

$x=-1,\ y=4$를 $4x-by=8$에 대입하면

$-4-4b=8,\ -4b=12$ $\quad\therefore b=-3$

$\therefore a-b=5-(-3)=8$

06 [전략] $3x-y=7$에 $x=1,\ y=b$를 대입한다.

$3x+y=7$에서 y를 $-y$로 잘못 보고 풀었으므로

$x=1,\ y=b$를 $3x-y=7$에 대입하면

$3-b=7$ $\quad\therefore b=-4$

$x=1,\ y=-4$를 $ax-y=9$에 대입하면

$a-(-4)=9$ $\quad\therefore a=5$

따라서 처음 연립방정식은 $\begin{cases}5x-y=9\\3x+y=7\end{cases}$이므로 해는

$x=2,\ y=1$

07 [전략] 연립방정식의 해가 무수히 많으려면 연립방정식을 이루는 두 일차방정식의 그래프는 일치해야 한다. 또 두 일차방정식의 그래프가 평행하려면 기울기가 같아야 한다.

$\begin{cases}ax-6y=2\\-2x+by=-1\end{cases}\rightarrow\begin{cases}-6y=-ax+2\\by=2x-1\end{cases}\rightarrow\begin{cases}y=\dfrac{a}{6}x-\dfrac{1}{3}\\y=\dfrac{2}{b}x-\dfrac{1}{b}\end{cases}$

연립방정식의 해가 무수히 많으므로

$-\dfrac{1}{3}=-\dfrac{1}{b}$에서 $b=3$

$\dfrac{a}{6}=\dfrac{2}{b}$에서 $\dfrac{a}{6}=\dfrac{2}{3}$ $\quad\therefore a=4$

또 두 일차방정식 $4x+y-6=0,\ x+ky-2=0$에서

$y=-4x+6,\ y=-\dfrac{1}{k}x+\dfrac{2}{k}$

두 그래프가 평행하므로

$-4=-\dfrac{1}{k}$ $\quad\therefore k=\dfrac{1}{4}$

08 [전략] $\dfrac{1}{x}=X,\ \dfrac{1}{y}=Y$로 놓고, $X,\ Y$에 대한 연립방정식을 세운다.

$\begin{cases}\dfrac{2}{x}+\dfrac{3}{y}=10\\\dfrac{1}{x}+\dfrac{4}{y}=20\end{cases}$에서 $\dfrac{1}{x}=X,\ \dfrac{1}{y}=Y$라 하면

$\begin{cases}2X+3Y=10 & \cdots\cdots ㉠\\X+4Y=20 & \cdots\cdots ㉡\end{cases}$

㉠$-$㉡$\times 2$를 하면

$-5Y=-30$ $\quad\therefore Y=6$

$Y=6$을 ㉡에 대입하면

$X+24=20$ $\quad\therefore X=-4$

따라서 $\dfrac{1}{x}=-4,\ \dfrac{1}{y}=6$이므로

$x=-\dfrac{1}{4},\ y=\dfrac{1}{6}$

09 [전략] 전공자 x명의 총점은 $86x$점, 비전공자 y명의 총점은 $70y$점이다.

오디션에 참가한 전공자를 x명, 비전공자를 y명이라 하면 전공자의 총점은 $86x$점, 비전공자의 총점은 $70y$점이고 전체 평균이 80점이므로

$\dfrac{86x+70y}{40}=80$

$\begin{cases}x+y=40\\\dfrac{86x+70y}{40}=80\end{cases}\rightarrow\begin{cases}x+y=40\\86x+70y=3200\end{cases}$

$\rightarrow\begin{cases}x+y=40\\43x+35y=1600\end{cases}$ $\quad\therefore x=25,\ y=15$

따라서 오디션에 참가한 비전공자는 15명이다.

10 [전략] 1 mL에 들어 있는 우유와 수박 주스의 열량을 구한다.

500 mL짜리 우유와 수박 주스의 열량이 각각 200 kcal, 250 kcal이므로 1 mL에 들어 있는 우유와 수박 주스의 열량을 표로 나타내면 다음과 같다.

	우유	수박 주스
1 mL당 열량	$\dfrac{200}{500}=0.4$ (kcal)	$\dfrac{250}{500}=0.5$ (kcal)

연수가 마신 우유의 양을 x mL, 수박 주스의 양을 y mL라 하면

$$\begin{cases} x+y=1000 \\ 0.4x+0.5y=460 \end{cases} \rightarrow \begin{cases} x+y=1000 \\ 4x+5y=4600 \end{cases}$$

$$\therefore x=400,\ y=600$$

따라서 연수가 마신 우유의 양은 400 mL이다.

11 [전략] 13곡을 연주하고 곡과 곡 사이에는 10초씩 휴식을 하므로 이에 대한 시간은 $\dfrac{10}{60}\times 12$(분)이다.

연주 시간이 4분인 연주곡의 수를 x곡, 5분인 연주곡의 수를 y곡이라 하면

$$\begin{cases} x+y=13 \\ 4x+5y+\dfrac{10}{60}\times 12=60 \end{cases} \rightarrow \begin{cases} x+y=13 \\ 4x+5y=58 \end{cases}$$

$$\therefore x=7,\ y=6$$

따라서 연주 시간이 5분인 연주곡은 6곡이다.

12 [전략] 현재 이모의 나이를 x세, 조카의 나이를 y세라 하면
2년 전 이모의 나이는 $(x-2)$세, 조카의 나이는 $(y-2)$세,
5년 후 이모의 나이는 $(x+5)$세, 조카의 나이는 $(y+5)$세이다.

현재 이모의 나이를 x세, 조카의 나이를 y세라 하면
2년 전 이모의 나이는 $(x-2)$세, 조카의 나이는 $(y-2)$세,
5년 후 이모의 나이는 $(x+5)$세, 조카의 나이는 $(y+5)$세이므로

$$\begin{cases} x-2=5(y-2)+6 \\ x+5=3(y+5)+4 \end{cases} \rightarrow \begin{cases} x-5y=-2 \\ x-3y=14 \end{cases}$$

$$\therefore x=38,\ y=8$$

따라서 현재 이모의 나이는 38세, 조카의 나이는 8세이므로 그 합은

$$38+8=46(\text{세})$$

13 [전략] 민재가 이긴 횟수가 5회이면 한결이가 진 횟수는 5회이다.

민재가 이긴 횟수가 5회이면 진 횟수는 6회, 한결이가 이긴 횟수가 6회이면 진 횟수는 5회이므로

$$\begin{cases} 5a-6b=14 \\ 6a-5b=19 \end{cases} \qquad \therefore a=4,\ b=1$$

$$\therefore a+b=4+1=5$$

14 [전략] 1인 기준으로 작년과 올해의 비행기 왕복 요금과 1박 숙박비를 합한 금액의 증가량을 구한다.

1인 기준으로 작년 비행기 왕복 요금을 x원, 1박 숙박비를 y원이라 하면 작년 비행기 왕복 요금과 1박 숙박비를 합한 금액은 $(x+y)$원이고, 올해 비행기 왕복 요금과 1박 숙박비를 합한 금액은 308000원이므로

$$(x+y)\times \dfrac{110}{100}=308000 \qquad \therefore x+y=280000$$

한편 올해 비행기 왕복 요금은 $\dfrac{20}{100}x$원 내렸고, 1박 숙박비는 $\dfrac{15}{100}y$원 올라서 총 증가한 금액은

$$308000-280000=28000(\text{원})이므로$$

$$\begin{cases} x+y=280000 \\ -\dfrac{20}{100}x+\dfrac{15}{100}y=28000 \end{cases} \rightarrow \begin{cases} x+y=280000 \\ -4x+3y=560000 \end{cases}$$

$$\therefore x=40000,\ y=240000$$

따라서 1인 기준으로 올해 비행기 왕복 요금은

$$40000-40000\times \dfrac{20}{100}=40000-8000=32000(\text{원})$$

15 [전략] 반대 방향으로 돌 때, 승원이와 해진이가 이동한 거리의 합은 공원의 둘레의 길이와 같다.

승원이의 속력을 시속 x km, 해진이의 속력을 시속 y km라 하면

$$\begin{cases} \dfrac{20}{60}x+\dfrac{20}{60}y=3 \\ \dfrac{45}{60}x-\dfrac{45}{60}y=3 \end{cases} \rightarrow \begin{cases} \dfrac{1}{3}x+\dfrac{1}{3}y=3 \\ \dfrac{3}{4}x-\dfrac{3}{4}y=3 \end{cases} \rightarrow \begin{cases} x+y=9 \\ x-y=4 \end{cases}$$

$$\therefore x=\dfrac{13}{2},\ y=\dfrac{5}{2}$$

따라서 승원이의 속력은 시속 $\dfrac{13}{2}$ km, 해진이의 속력은 시속 $\dfrac{5}{2}$ km이다.

기 말

16 전략 전체 일의 양을 1, 종석이와 현우가 하루에 할 수 있는 일의 양을 각각 x, y로 놓고 연립방정식을 세운다.

전체 일의 양을 1이라 하고, 종석이와 현우가 하루에 할 수 있는 일의 양을 각각 x, y라 하면

$$\begin{cases} 4x+10y=1 \\ 10x+7y=1 \end{cases} \therefore x=\frac{1}{24}, y=\frac{1}{12}$$

따라서 두 사람이 함께 일을 할 때 하루에 할 수 있는 일의 양은 $\frac{1}{24}+\frac{1}{12}=\frac{1}{8}$이므로 두 사람이 함께 한다면 8일이 걸린다.

고난도 해결 전략 **2**회
68쪽~71쪽

01 1	**02** 21π	**03** $-\frac{2}{3}$	**04** ③
05 2	**06** ⑤	**07** ⑤	**08** ①
09 ⑤	**10** 4초	**11** -3	**12** ③
13 -8	**14** ③	**15** $\frac{4}{3} \le a \le 5$	**16** $\frac{2}{3}$

01 전략 $f(102)$와 $f(100)$을 먼저 구한다.

$f(102)=102a+5$, $f(100)=100a+5$이므로

$$\begin{aligned} f(102)-f(100) &=102a+5-(100a+5) \\ &=102a+5-100a-5 \\ &=2a \end{aligned}$$

$$\therefore \frac{1}{a} \times \frac{f(102)-f(100)}{102-100} = \frac{1}{a} \times \frac{2a}{2} = 1$$

02 전략 밑면인 원의 반지름의 길이가 r, 높이가 h인 원뿔의 부피를 V라 할 때, $V=\frac{1}{3}\pi r^2 h$이다.

$y=3x+6$의 그래프를 y축의 방향으로 -3만큼 평행이동한 그래프의 식은

$$y=3x+6-3 \qquad \therefore y=3x+3$$

$y=3x+6$의 그래프의 x절편은 -2, y절편은 6이고,

$y=3x+3$의 그래프의 x절편은 -1, y절편은 3이므로

$y=3x+6$, $y=3x+3$의 그래프와 x축, y축으로 둘러싸인 도형을 x축을 축으로 하여 1회전 시킬 때 생기는 회전체는 다음 그림과 같다.

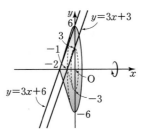

$\therefore$ (회전체의 부피)

$$\begin{aligned} &= \frac{1}{3} \times (\pi \times 6^2 \times 2) - \frac{1}{3} \times (\pi \times 3^2 \times 1) \\ &= 24\pi - 3\pi = 21\pi \end{aligned}$$

03 전략 점 D의 좌표를 $(6, p)$라 하면 $\overline{BD}=6-p$이다.

정사각형 OABC의 한 변의 길이는 6이므로 두 점 A, B의 좌표는 $A(6, 0)$, $B(6, 6)$

$$\begin{aligned} \therefore (\text{색칠한 부분의 넓이}) &= \frac{1}{3} \times (\text{정사각형 OABC의 넓이}) \\ &= \frac{1}{3} \times 36 = 12 \end{aligned}$$

한편 점 D의 좌표를 $(6, p)$라 하면 $\overline{BD}=6-p$이므로

$$\frac{1}{2} \times (6-p) \times 6 = 12$$

$$6-p=4 \qquad \therefore p=2, \text{즉 } D(6, 2)$$

$y=ax+6$의 그래프는 점 $D(6, 2)$를 지나므로

$$2=6a+6, -6a=4 \qquad \therefore a=-\frac{2}{3}$$

04 전략 $y=ax+4$의 그래프의 y절편이 4이므로 점 B의 좌표는 $B(0, 4)$이다.

$y=ax+4$의 그래프의 y절편이 4이므로 $B(0, 4)$

$\overline{AO}:\overline{BO}=3:1$에서

$$\overline{AO}:4=3:1 \qquad \therefore \overline{AO}=12, \text{즉 } A(0, 12)$$

이때 $y=-\frac{3}{2}x+b$의 그래프의 y절편이 12이므로 $b=12$

즉 $y=-\frac{3}{2}x+12$에서

$y=0$일 때, $0=-\frac{3}{2}x+12$

$$\frac{3}{2}x=12 \qquad \therefore x=8, \text{즉 } D(8, 0)$$

한편 $\overline{CD}=\overline{CO}+\overline{OD}=\overline{CO}+8=18$이므로

$$\overline{CO}=10 \qquad \therefore C(-10, 0)$$

이때 $y=ax+4$의 그래프는 점 $C(-10, 0)$을 지나므로

$$0=-10a+4, 10a=4 \qquad \therefore a=\frac{2}{5}$$

$$\therefore ab=\frac{2}{5} \times 12 = \frac{24}{5}$$

05 전략 사각형 OABC가 평행사변형이므로

(직선 BC의 기울기)=(직선 OA의 기울기)

(직선 AB의 기울기)=(직선 OC의 기울기)

사각형 OABC가 평행사변형이므로

(직선 BC의 기울기)=(직선 OA의 기울기)

$$=\frac{1-0}{6-0}=\frac{1}{6}$$

두 점 B, C를 지나는 직선을 그래프로 하는 일차함수의 식을 $y=\frac{1}{6}x+c$라 하면 이 그래프가 점 C$(2, 5)$를 지나므로

$5=\frac{1}{6}\times2+c$ $\therefore c=\frac{14}{3}$

$\therefore y=\frac{1}{6}x+\frac{14}{3}$

따라서 $y=\frac{1}{6}x+\frac{14}{3}$의 그래프의 x절편은 -28이므로

$a=-28$

또

(직선 AB의 기울기)=(직선 OC의 기울기)

$$=\frac{5-0}{2-0}=\frac{5}{2}$$

이므로 두 점 A, B를 지나는 직선을 그래프로 하는 일차함수의 식을 $y=\frac{5}{2}x+d$라 하면 이 그래프가 점 A$(6, 1)$을 지나므로

$1=\frac{5}{2}\times6+d$ $\therefore d=-14$

$\therefore y=\frac{5}{2}x-14$

따라서 $y=\frac{5}{2}x-14$의 그래프의 y절편은 -14이므로

$b=-14$

$\therefore \frac{a}{b}=\frac{-28}{-14}=2$

06 전략 두 일차함수 $y=ax+b$와 $y=\frac{5}{4}x+5$가 y축 위에서 만나므로 y절편이 같다.

두 일차함수 $y=ax+b$와 $y=\frac{5}{4}x+5$가 y축 위에서 만나므로 y절편이 같다. $\therefore b=5$

이때 $y=ax+5$의 x절편은 $-\frac{5}{a}$, $y=\frac{5}{4}x+5$의 x절편은 -4이다.

따라서 $y=ax+5$, $y=\frac{5}{4}x+5$와 x축으로 둘러싸인 도형은 오른쪽 그림과 같고, 넓이는 15이므로

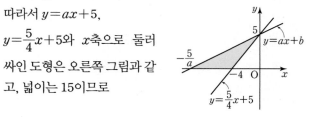

$\frac{1}{2}\times\left|-\frac{5}{a}\right|\times5-\frac{1}{2}\times|-4|\times5=15$

$\frac{25}{2a}-10=15$, $\frac{25}{2a}=25$, $2a=1$ $\therefore a=\frac{1}{2}$

$\therefore a+b=\frac{1}{2}+5=\frac{11}{2}$

다른 풀이

두 일차함수 $y=ax+5$, $y=\frac{5}{4}x+5$와 x축으로 둘러싸인 도형의 넓이가 15이므로

$\frac{1}{2}\times\left|-\frac{5}{a}-(-4)\right|\times5=15$

$\left|-\frac{5}{a}+4\right|=6$

(i) $-\frac{5}{a}+4=6$일 때

$-\frac{5}{a}=2$ $\therefore a=-\frac{5}{2}$

(ii) $-\frac{5}{a}+4=-6$일 때

$-\frac{5}{a}=-10$ $\therefore a=\frac{1}{2}$

이때 일차함수 $y=ax+b$와 x축의 교점의 x좌표가 음수이므로 기울기는 양수이다.

$\therefore a=\frac{1}{2}$

참고 일차함수 $y=ax+5$의 x절편은 $-\frac{5}{a}$,

일차함수 $y=\frac{5}{4}x+5$의 x절편은 -4이므로

두 일차함수 $y=ax+5$, $y=\frac{5}{4}x+5$와 x축으로 둘러싸인 도형은 다음 [그림 1], [그림 2]와 같다.

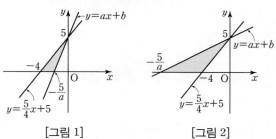

[그림 1]   [그림 2]

그런데 이 도형의 높이는 5이고 넓이는 15이므로

$\frac{1}{2}\times$(밑변의 길이)$\times5=15$ $\therefore$ (밑변의 길이)$=6$

따라서 [그림 1]의 도형은 밑변의 길이가 4보다 작으므로 [그림 2]와 같이 나타낼 수 있다.

07 [전략] 그래프를 보고 기울기와 y절편의 부호를 먼저 구한다.

$y=\dfrac{b}{a}x-b$의 그래프에서

(y절편)$=-b>0$ $\therefore b<0$

(기울기)$=\dfrac{b}{a}<0$ $\therefore a>0$

① $a-b>0$

② $ab<0$

③, ⑤ $y=ax+b$의 그래프는 오른
쪽 그림과 같으므로 y절편은 음
수이고, 제 2사분면을 지나지 않
는다.

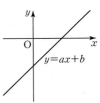

④ $y=bx+a$의 그래프의 x절편은 $-\dfrac{a}{b}$이므로 양수이다.

따라서 옳은 것은 ⑤이다.

08 [전략] $y=ax+b$에서 민우는 b를, 희수는 a를 바르게 보았다.

민우는 x의 계수는 잘못 보았으나 y절편은 바르게 보았으
므로 두 점 $(-1, 2)$, $(3, -10)$을 지나는 일차함수의 기울
기는

$$\dfrac{-10-2}{3-(-1)}=\dfrac{-12}{4}=-3$$

즉 일차함수의 식을 $y=-3x+b$라 하고 $x=-1$, $y=2$를
대입하면

$2=3+b$ $\therefore b=-1$

한편 희수는 상수항은 잘못 보았으나 기울기는 바르게 보
았으므로 두 점 $(-2, -3)$, $(1, 5)$를 지나는 일차함수의
기울기는

$$\dfrac{5-(-3)}{1-(-2)}=\dfrac{8}{3} \qquad \therefore a=\dfrac{8}{3}$$

따라서 바르게 그려진 일차함수 $y=\dfrac{8}{3}x-1$의 그래프는
점 $(c, 5)$를 지나므로

$5=\dfrac{8}{3}c-1$, $-\dfrac{8}{3}c=-6$ $\therefore c=\dfrac{9}{4}$

$\therefore abc=\dfrac{8}{3}\times(-1)\times\dfrac{9}{4}=-6$

09 [전략] (시간당 방류하는 양)
$=$(시간당 통제소에서 방류하는 양)$-$(시간당 계속 유입되는 양)

저수지의 물의 양이 150000톤이 되었을 때 시간당 8000톤
의 물을 방류하기 시작했고, 이때 시간당 3000톤의 물이 계
속 유입되고 있으므로 시간당 5000톤의 물을 방류하는 것
과 같다. 즉 x시간 동안 5000x톤의 물을 방류하므로 x시간
후 저수지에 남아 있는 물의 양을 y톤이라 하면

$y=150000-5000x$

$y=150000-5000x$에 $y=120000$을 대입하면

$120000=150000-5000x$

$5000x=30000$ $\therefore x=6$

따라서 저수지의 물의 양이 12만 톤이 되는 것은 6시간 후
이다.

10 [전략] x초 동안 점 P가 움직인 거리는 $3x$ cm이다.

x초 동안 점 P가 움직인 거리
는 $3x$ cm이므로

$\overline{\mathrm{PB}}=(20-3x)$ cm

x초 후에 사다리꼴 PBCD의
넓이를 y cm^{2}라 하면

$y=\dfrac{1}{2}\times\{(20-3x)+20\}\times30$ $\therefore y=600-45x$

$y=600-45x$에 $y=420$을 대입하면

$420=600-45x$, $45x=180$ $\therefore x=4$

따라서 사다리꼴 PBCD의 넓이가 420 cm^{2}가 되는 것은 4
초 후이다.

11 [전략] 점 A의 좌표는 $y=2x+6$의 x절편이고,
점 B의 좌표는 $y=-\dfrac{1}{3}x+a$의 x절편이다.

$y=2x+6$의 그래프의 x절편이 -3이므로 A$(-3, 0)$

$y=-\dfrac{1}{3}x+a$의 그래프의 x절편이 $3a$이므로 B$(3a, 0)$

이때 $\overline{\mathrm{AB}}=6$이므로 $|3a-(-3)|=6$에서

$3a+3=6$ 또는 $3a+3=-6$

$\therefore a=1$ 또는 $a=-3$

따라서 모든 상수 a의 값의 곱은

$1\times(-3)=-3$

12 [전략] $ax+by-c=0 \Longleftrightarrow y=-\dfrac{a}{b}x+\dfrac{c}{b}$

$ax+by-c=0$에서 $by=-ax+c$

$\therefore y=-\dfrac{a}{b}x+\dfrac{c}{b}$

그런데 $a>0$, $b>0$, $c>0$이므로 $-\dfrac{a}{b}<0$, $\dfrac{c}{b}>0$

따라서 $y=-\dfrac{a}{b}x+\dfrac{c}{b}$,
즉 $ax+by-c=0$의 그래프는 오른
쪽 그림과 같으므로 제 3사분면을
지나지 않는다.

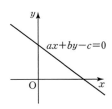

13 [전략] 사각형 ABCD가 평행사변형이므로
(직선 AB의 기울기)=(직선 CD의 기울기)

사각형 ABCD가 평행사변형이므로 두 직선 $y=-x+4$와 $y=ax+b$의 기울기는 서로 같다.

$\therefore a=-1$

한편 점 A는 두 직선 $y=-x+4$와 $y=6$의 교점이므로

$6=-x+4$ $\therefore x=-2$, 즉 $A(-2, 6)$

점 B는 두 직선 $y=-x+4$와 $y=-2$의 교점이므로

$-2=-x+4$ $\therefore x=6$, 즉 $B(6, -2)$

이때 평행사변형 ABCD의 넓이가 24이므로

$\overline{BC}\times 8=24$ $\therefore \overline{BC}=3$, 즉 $C(9, -2)$

그런데 $y=-x+b$의 그래프가 점 C를 지나므로

$-2=-9+b$ $\therefore b=7$

$\therefore a-b=-1-7=-8$

14 [전략] 연립방정식의 해가 없으려면 두 직선이 서로 평행해야 한다.

두 일차방정식을 각각 y를 x의 식으로 나타내면

$y=\dfrac{a-5}{2}x+\dfrac{1}{2}$, $y=\dfrac{3}{4}ax+\dfrac{b}{4}$

연립방정식의 해가 없으려면 두 직선이 서로 평행해야 하므로 기울기가 같고 y절편이 달라야 한다.

즉 $\dfrac{a-5}{2}=\dfrac{3}{4}a$, $\dfrac{1}{2}\neq\dfrac{b}{4}$

$\therefore a=-10, b\neq 2$

15 [전략] 일차함수 $y=ax-2$의 그래프는 항상 $(0, -2)$를 지나므로 이 점을 기준으로 그래프를 움직여 본다.

일차함수 $y=ax-2$의 그래프의 y절편은 -2이므로 항상 점 $(0, -2)$를 지난다.

(ⅰ) 점 $A(1, 3)$을 지날 때,

$3=a-2$ $\therefore a=5$

(ⅱ) 점 $C(3, 2)$를 지날 때,

$2=3a-2, 3a=4$

$\therefore a=\dfrac{4}{3}$

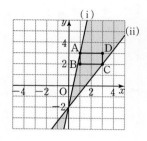

(ⅰ), (ⅱ)에서 $\dfrac{4}{3}\leq a\leq 5$

16 [전략] (삼각형 COB의 넓이)$=\dfrac{1}{2}\times$(삼각형 AOB의 넓이)임을 이용하여 점 C의 좌표를 구한다.

직선 $y=-\dfrac{2}{3}x+4$의 x절편은 6, y절편은 4이므로

$A(0, 4), B(6, 0)$

(삼각형 COB의 넓이)$=\dfrac{1}{2}\times$(삼각형 AOB의 넓이)이므로

점 C의 y좌표는 $\dfrac{1}{2}\times 4=2$

$y=-\dfrac{2}{3}x+4$에 $y=2$를 대입하면

$2=-\dfrac{2}{3}x+4, \dfrac{2}{3}x=2$ $\therefore x=3$, 즉 점 $C(3, 2)$

따라서 $y=mx$에 $x=3, y=2$를 대입하면

$2=3m$ $\therefore m=\dfrac{2}{3}$

점 A는 그래프가 y축과 만나는 점이니까
➡ $(0, y$절편$)$

점 B는 그래프가 x축과 만나는 점이니까
➡ $(x$절편, $0)$